D1280361

TRONO DESTROZADO

GRANTRAVESÍA

VICTORIA AVEYARD

TRONO DESTROZADO

GRANTRAVESÍA

Trono destrozado
Relatos de la reina roja

Título original: *Broken Throne. A Red Queen Collection*

Publicado según acuerdo con New Leaf & Media, Inc.,
a través de International Editors' Co.

Traducción: Enrique Mercado

Ilustración de portada: © 2019, John Dismukes
Diseño de portada: Sarah Nichole Kaufman
Guardas y mapas: © &™ 2019, Victoria Aveyard.
Todos los derechos reservados.
Guardas y mapas ilustrados por Amanda Persky
Árbol genealógico ilustrado por Virginia Allyn

D.R. © 2020, Editorial Océano, S.L.
Milanesat 21-23, Edificio Océano
08017 Barcelona, España
www.oceano.com
www.grantravesia.es

D. R. © 2020, Editorial Océano de México, S.A. de C.V.
Homero 1500 - 402, Col. Polanco
Miguel Hidalgo, 11560, Ciudad de México
www.oceano.mx
www.grantravesia.com

Primera edición: 2020

ISBN: 978-84-120304-2-6
Depósito legal: B-8711-2020

IMPRESO EN ESPAÑA / *PRINTED IN SPAIN*

9004983010520

¡No puedo creer que me hayáis acompañado tanto tiempo! Gracias.

TRONO DESTROZADO
RELATOS DE LA REINA ROJA

A lo largo de mis estudios en Norta, bordeaba con frecuencia los sucesos escuetamente conocidos como las Calamidades. Los hechos de nuestro distante pasado me han fascinado siempre, lo mismo que las lecciones que contienen. Por desgracia, las cronologías anteriores a los Plateados abundan en misterios y son difíciles de corroborar, porque las fuentes primarias se perdieron hace mucho. Sólo acontecimientos relativamente recientes (es decir, de los últimos mil quinientos años) se consideran irrefutables. Aunque ya son un punto de referencia aceptado, poseen todavía una importancia vital, como los primeros pasos de un camino.

Así pues, debo fundamentar toda mi investigación en la cronología Plateada y correlacionarla con los archivos en Delphie y las bóvedas de la Montaña del Cuerno (nota: las fechas siguientes se basan en el calendario de Norta, con perdón de la República):

- AE = Antigua Era, antes de la formación de Norta
- NE = Nueva Era, después de la formación de Norta

Antes de 1500 AE: la civilización en el continente estaba aún en constante cambio, con posterioridad a las Calamidades.

1500 AE: se inicia el Periodo de la Reforma; las civilizaciones del continente emprenden su asentamiento y reconstrucción.

950 AE: juicio de Barr Rambler, el primer registro verificable de un individuo Plateado (un coloso que mostró su habilidad mientras se le procesaba por robo).

~900 AE: fundación de la dinastía Finix; formación del reino de Ciron, el más antiguo de los dirigidos por Plateados en el continente (de acuerdo con una leyenda de Ciron).

202 AE: después de la guerra civil, el reino de Tiraxes se reestructura en la presente triarquía.

180 AE: se forma el reino de Tetonia (actual Montfort), uno de los pequeños y numerosos reinos y territorios que surgieron en las montañas.

72 AE: se forma el reino de la comarca de los Lagos, gracias a las conquistas del linaje de Cygnet.

0 NE: formación de la Norta moderna, bajo la dinastía de la Casa de Calore; en la región, reinos y ciudades-Estado menores se funden en uno solo.

2 NE: establecimiento de la alianza entre Norta y las Tierras Bajas por enlace de matrimonio, que sienta las bases del añejo vínculo entre estos dos reinos.

170-195 NE: guerras fronterizas entre la comarca de los Lagos y varios jefes militares de la Pradera.

200 NE: se inicia la Guerra Lacustre entre Norta y la comarca de los Lagos.

296 NE: Dane Davidson, futuro primer ministro de la República Libre de Montfort, huye de Norta.

321 NE: Guerra Civil de Norta: separación de la Fisura, abdicación del rey Tiberias VII de Norta, caída del reino de Norta, abdicación del rey Ptolemus de la Fisura, abdicación de la reina Evangeline de la Fisura, formación de los Estados de Norta.

Éstos son algunos de los momentos históricos cumbre, recogidos en la mayoría de los textos aceptables, de Ascendente a Harbor Bay. Ni a los eruditos de la Montaña del Cuerno ni a mí nos interesa mucho lo que ya sabemos. Después de incontables semanas de estudio que desazonaron a Sara, intenté compilar una panorámica de la época anterior a la Reforma. Cabe señalar que estos datos no han sido objeto de verificación científica y son imposibles de correlacionar en el presente. Gran parte de lo que encontré está en contradicción directa con otras fuentes; traté de describir esa superposición.

El recurso más provechoso de todos fue la muy bien conservada colección de anuarios o folletos impresos que se mantiene en una sala climatizada y presurizada en lo más hondo de las bóvedas de la Montaña del Cuerno. Los propios documentos indican que fueron guardados en ese lugar antes de la aparición de Montfort, hace más de mil años, cuando las bóvedas fueron selladas. Debo suponer que, erigidas para sobrevivir a las Calamidades, se buscó que la información depositada en ellas perdurase más que sus dueños. Todo indica que varios de los documentos pertenecen a la misma serie y contienen lo que alguna vez fueron hermosas fotografías. Aunque difícil, la traducción no fue imposible. Es probable que una de las series lleve por título Geografía del reino o algo similar, mientras que la otra ostenta el simple rótulo de Tiempo.

Para comenzar, debemos retroceder desde un momento fijo en la historia, que para nosotros es el punto de referencia de 1500 AE, cuando se inició la

También me basé en gran medida en los libros ilustrados que detallan las proezas de un atormentado hombre murciélago enemigo del crimen.

Reforma. Todo lo ocurrido antes y durante las Calamidades está envuelto en la bruma histórica, caso en que el mito suele imponerse a los hechos.

Sabemos con seguridad que las Calamidades liquidaron o arruinaron severamente las civilizaciones previas a la nuestra, al grado de que todavía ahora reunimos piezas que nos permitan hacernos una idea de ese periodo.

Según las fuentes de la Montaña del Cuerno, la primera de las supuestas Calamidades —la más destructiva y prolongada— fue un cambio climático catastrófico causado por la contaminación a escala global. Este fenómeno se agravó al paso de las décadas y cada año fue peor que el anterior. La sequía cimbró gran parte del mundo, incluidos los territorios más allá de los mares aledaños a nuestro continente, sitios que ni siquiera he empezado a desentrañar.

Es posible que los lugares ubicados fuera del continente no existan ya, o se encuentren todavía en sus correspondientes periodos de reforma. En lo tocante a los reinos Plateados, la guerra y el interés propio nos han restringido a nuestro patio trasero, por llamarlo de alguna manera. Quizá del resto pueda decirse lo mismo.

La sequía provocó, a su vez, el desplome agrícola, la hambruna, la migración, la convulsión y la guerra en las áreas afectadas, así que numerosos refugiados intentaron huir a las regiones que todavía producían alimentos. Guerras de recursos se volvieron frecuentes, en pos de agua, combustible, tierra, etcétera, entre las organizaciones o entre éstas y los pueblos indígenas. Muy pocos gobiernos estuvieron directamente en conflicto en los primeros años de las guerras de recursos.

El cambio climático derivó en devastadoras tormentas en tierra y en mar que condujeron a muchas personas tierra adentro, donde enfrentaron ventiscas, tormentas de nieve, tornados y grandes tempestades de polvo originadas por la sequía. Estos rápidos cambios en las normas térmicas llevaron a los seres humanos al límite y causaron la extinción de una enorme cantidad de flora y fauna. La elevación del nivel del mar también contribuyó al efecto de encierro, ya que forzó a poblaciones enteras a habitar zonas cada vez más reducidas. Inundaciones extremas transformaron la desembocadura del Río Grande y la región limítrofe, dado que dejaron bajo el agua cientos de kilómetros de territorio y formaron las costas que ahora conocemos.

Junto con las inundaciones, terremotos generalizados modificaron el litoral occidental y produjeron un océano en lo que fuera en otro tiempo un inmenso valle. Volcanes que habían permanecido inactivos durante centurias hicieron erupción en el noroeste, donde lanzaron millones de toneladas de cenizas.

Cabe indicar que aunque múltiples temblores y desastres naturales asolaron al continente, el cataclismo más temido no tuvo lugar. De acuerdo con los textos conservados, a científicos y civiles les preocupaba que hiciese erupción el volcán de caldera debajo de lo que ahora es el Valle del Paraíso. Dicha erupción habría alterado el clima mundial y destruido la mayor parte del continente en el que vivimos. En su momento, los científicos postularon que en esa cuenca de caldera debía haber ocurrido una erupción mucho tiempo atrás, amenaza que es aún mayor en nuestros días. Pediré al primer ministro y la Asamblea Popular que organicen un equipo analítico que vigile el Valle del Paraíso y el gigante que duerme bajo él.

En medio de tales trastornos, no es de sorprender que en gran número de regiones hayan brotado enfermedades que se propagaron incluso a grupos que se encontraban "a salvo". Muchas de ellas eran versiones nuevas de padecimientos menos ominosos o ya erradicados, contraídos por poblaciones que en el pasado se hallaban protegidas. Millones de personas en el mundo entero sucumbieron a enfermedades que alguna vez se habían considerado curables, y la mayoría de las civilizaciones se desmoronó.

Desde luego, todas éstas fueron acciones de la naturaleza, o de los dioses, como algunos argumentarían. Pero ése no fue el caso de la última Calamidad, un acto deliberado y de factura humana. Aunque hoy tenemos poderío militar, proyectiles y explosivos de diversos tamaños y peligrosidad, nada son en comparación con las monstruosas armas que nuestros antepasados crearon. Cuando lograron desintegrar las piezas más diminutas de la materia, los científicos del viejo mundo descubrieron que podían diseñar las más destructivas armas jamás creadas, llamadas bombas nucleares. En los desastres ya mencionados, éstas se usaron con diversos grados de destrucción en todo el mundo conocido. Gobiernos y ciudadanos ya les temían antes de que apareciera la guerra nuclear, contra la que muchos hicieron planes. Las bóvedas de la Montaña del Cuerno fueron diseñadas para sobrevivir a dicho ataque, y por eso se excavaron talladas en lo profundo de la roca. Según los textos que ahí se albergan, nuestro continente se libró de lo peor de esas armas. En los mares había territorios que ya no existen, ahora congelados o barridos por la arena, arrasados por la ira de unos cuantos y la ignorancia de muchos. Las secuelas fueron peores que las propias bombas. El humo y la ceniza esparcieron enfermedades causadas por la radiación. Países enteros fueron destruidos y civilizaciones se derrumbaron, como lo demuestran entre nosotros las ruinas del Wash y el Cog. Estos territorios aún están demasiado afectados por la radiación para que se les habite de nuevo, estropeados por actos cometidos hace miles de años.

Pese a los resultados de mi investigación, juzgo inconcebible la gran destrucción que provocó la tecnología militar, y haré más cosas para corroborar estos hallazgos. Es imposible: ni siquiera el Plateado más fuerte puede arrasar una ciudad ni nuestras bombas atravesar un océano y quemar a decenas de miles. Quizá se deba a mi ignorancia que yo no conciba la muerte de millones por órdenes de uno solo.

Hay pocas señales fijas de temporalidad durante las Calamidades, en especial por tratarse de sucesos tan perdurables como el cambio climático, cuyos efectos rigen todavía nuestro mundo.

Los científicos de Montfort han efectuado excavaciones en hielo que no conozco del todo, aunque se asegura que su labor en el norte es invaluable para la cronología anterior a la Reforma, e incluso de las Calamidades. Dejaré constancia de sus descubrimientos cuando se difundan, pero por ahora informes preliminares indican que una lluvia de ceniza producto de la radiación cayó muy al norte hace dos mil años. Esto sitúa por lo menos un acto de guerra nuclear (AGN) en el año 2000 AE, quinientos años antes de la Reforma. Puede afirmarse entonces que, al menos en nuestro continente, el colapso duró el medio milenio previo a la recomposición de las civilizaciones.

Asociar la Reforma y el AGN con una cronología previa a los Plateados y las Calamidades resulta complicado, y también en este caso debemos buscar puntos de encuentro. En los textos preservados se menciona varias veces una catastrófica sequía ocurrida alrededor de 2015 EC (o AD, o DC; podría ser un error de traducción, es necesario revisarlo). Aunque otros sucesos calamitosos, como temblores, elevación del nivel del mar, huracanes y demás, se mencionan en un periodo de cincuenta a sesenta años, su magnitud y alcance aumentan en la última parte de la colección, pese a lo cual son modestos en comparación con el sismo que dividió la costa occidental y la inundación que dio nueva forma al delta del Río Grande.

Insisto en la probabilidad de que la traducción no sea confiable. Algunos textos varían en calidad de preservación y, para mi sorpresa y disgusto, muchos discrepan en la severidad o magnitud de los acontecimientos, en particular de los relativos al clima. Mientras que un documento considera que un invierno cálido fue el presagio de un catastrófico cambio de clima, otro resta importancia al mismo periodo o destaca un invierno frío en otra región.

A pesar de lo preocupante de ese patrón, sospecho que la mayoría de los lectores de estos documentos percibían los sesgos, así como las mentiras o manipulaciones que se les presentaban.

Encontré la mención de un ataque nuclear moderado en el año 2022 EC. No pude discernir quiénes eran los bandos enfrentados, sólo que el ataque ocurrió en otro continente, muy lejos de grandes centros de población y en un clima frío. Esto me hace pensar que se trató de una demostración de fuerza más que de un acto bélico, si se puede creer algo tan insensato. Pero cuando esto se asocia con la datación de la lluvia de ceniza resultado de la radiación, implica que el año 2000 AE de nuestro calendario podría equivaler al de 2022 EC del previo a las Calamidades. Si se me apura, sin embargo, creo que estos dos años están separados en realidad por un periodo de tiempo, una década o un siglo. Pese a la lentitud con que avanza mi investigación, estoy convencido de que estos pasos van en el sentido correcto y de que la información que encuentre será vital para nuestro futuro.

Si algo les sucediera a las bóvedas de la Montaña del Cuerno, nuestra civilización perdería todo vínculo con el pasado y las advertencias que nos dejó. Por tanto, promoveré la mejor traducción posible de los últimos volúmenes de los textos preservados, así sea sólo para que los líderes mundiales sepan qué fue de nuestros antepasados y eviten en el futuro un desastre igual. Me inquieta en especial el cambio climático de factura humana, trampa en la que las sociedades en progreso podrían caer con facilidad. Especulo que esto ya sucede en algunas partes, pero confío en que las naciones presentes eviten lo que nuestros ancestros no fueron capaces de prevenir.

Si bien incompleta, la traducción que incluí en la página siguiente pinta un cuadro desolador de la espada que pende sobre nosotros.

Nuevos estudios <POR TRADUCIR> sequía actual en Medio Oriente (?) es la peor en la región <POR TRADUCIR> últimos novecientos años <POR TRADUCIR> Exacerbada por el calentamiento global <POR TRADUCIR> La lluvia disminuyó 40% <POR TRADUCIR> Pozos profundos que han secado los acuíferos <POR TRADUCIR> malogro de los cultivos <POR TRADUCIR> millones huyen a ciudades ya sobrepobladas <POR TRADUCIR> inestabilidad política <POR TRADUCIR> guerra civil <POR TRADUCIR> crisis de refugiados en toda la región <POR TRADUCIR> hacia reinos vecinos <POR TRADUCIR> consecuencias políticas en el mundo entero

Ésta es una pieza esencial del rompecabezas que debemos completar si esperamos comprender el mundo anterior al nuestro y nuestra aparición en el actual.

Aunque no soy más que un hombre curioso, quizá pueda dar un paso en la niebla que nos rodea y abrir brecha. Tienes suficiente de tu madre en ti, Cal, para que goces de saber cómo operan las cosas. Ojalá estas copias de mis estudios te interesen. Espero que me ayudes a disipar esa niebla.

Tío Julian

Sé que estás muy versado en la historia de tu Casa, una parte de la cual te enseñé yo mismo. Aun así, supuse que querrías tener estos documentos, en lugar de depender de la supervivencia de las bibliotecas de Norta y de tu imperfecta memoria. Sí, dije imperfecta. Lamento que el expediente de mi Casa y de tu madre no sea tan extenso; por desgracia, en mi juventud no me interesaba casi nada mi legado. Y por alguna razón, mi linaje no está tan bien documentado como estirpe de reyes. Qué extraño.

Tío Julian

César Calore ~ Zira Cerolan
CESARIÓN
⚭ RIANNON RHAMBOS
JULIANA
⚭ GARION SAVANNA
P. Supremo de las Tierras Bajas
FYRIAS
caído en combate
JULIAS
⚭ ELLYN MACANTHOS
REALEZA DE LAS
TIERRAS BAJAS
TIBERIAS I
⚭ ALISE GLIACON
⚭ PRINCESA IRANE
de la comarca de los Lagos
JULIAS
caído en combate
CRISSAN
⚭ IRINA IRAL
TIBERIAS II
⚭ IRINA CALORE
FYRION
⚭ LADY CRESTINA
TITANOS
CÉSARA
⚭ LORD EVANDER
SAMOS
IRINA CALORE
⚭ TIBERIAS II
CÉSAR II
fallecido joven
JULIAS II
⚭ LADY SERENA
SKONOS
CRESTA CALORE
exiliado
LINAJE
DE CALORE
EN EL EXILIO
LINAJE
DE SAMOS
LINAJE DE
CALORE
JULIAS III
⚭ HELENA MERANDUS
MARCAS
⚭ PRINCESA ELISABETA
de las Mareas
TIBERIA
⚭ LORD ERIK
MERANDUS
IRINA
⚭ PRÍNCIPE CARLES
del País Bajo
SARIANE
⚭ PRÍNCIPE ORLEAN
de los Ríos
JULIAS
caído en combate
ARIÓN
⚭ MIRA OSANOS
LINAJE DE
MERANDUS
REALEZA DE LAS
TIERRAS BAJAS
REALEZA DE LAS
TIERRAS BAJAS
ANDURA
⚭ BRANNON BLONOS
MARCAS

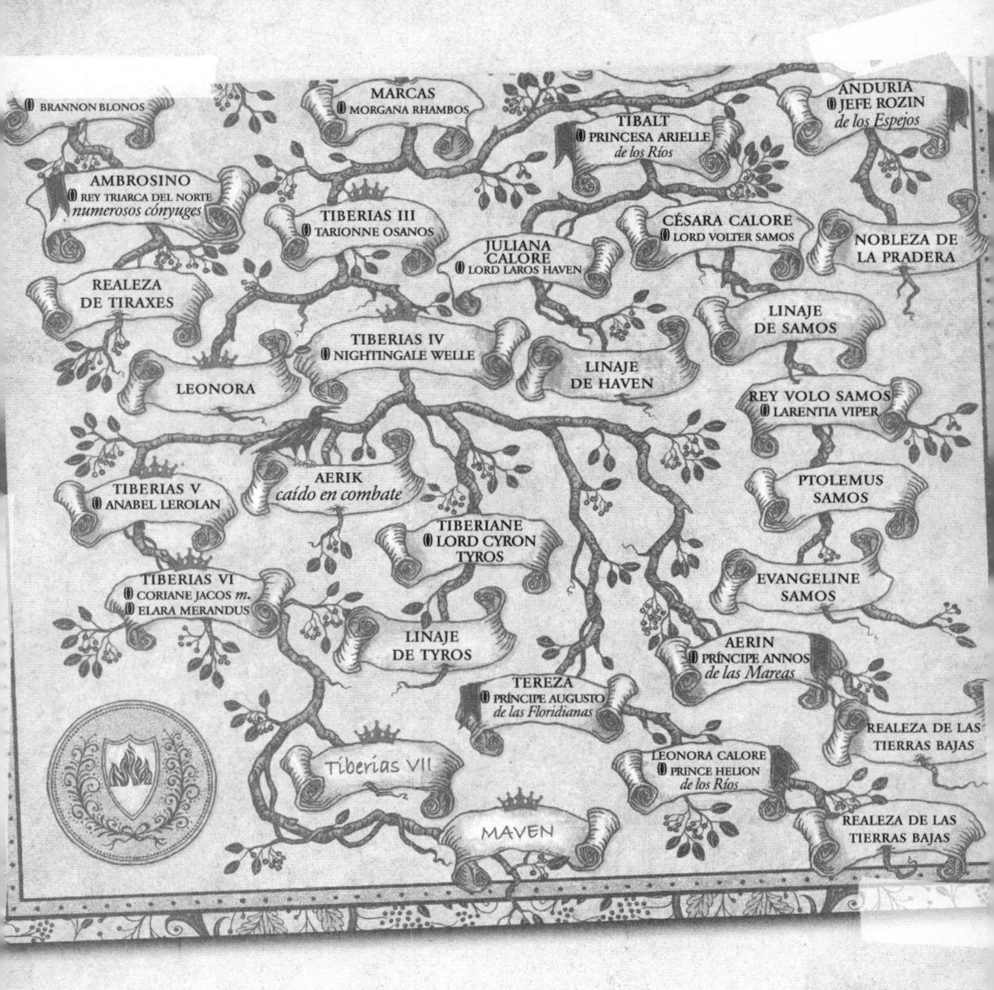
BRANNON BLONOS
MARCAS
MORGANA RHAMBOS
ANDURIA
JEFE ROZIN
de los Espejos
TIBALT
PRINCESA ARIELLE
de los Ríos
AMBROSINO
REY TRIARCA DEL NORTE
numerosos cónyuges
TIBERIAS III
TARIONNE OSANOS
CÉSARA CALORE
LORD VOLTER SAMOS
JULIANA CALORE
LORD LAROS HAVEN
NOBLEZA DE LA PRADERA
REALEZA DE TIRAXES
LINAJE DE SAMOS
TIBERIAS IV
NIGHTINGALE WELLE
LEONORA
LINAJE DE HAVEN
REY VOLO SAMOS
LARENTIA VIPER
AERIK
caído en combate
TIBERIAS V
ANABEL LEROLAN
PTOLEMUS SAMOS
TIBERIANE
LORD CYRON TYROS
EVANGELINE SAMOS
TIBERIAS VI
CORIANE JACOS m.
ELARA MERANDUS
LINAJE DE TYROS
AERIN
PRÍNCIPE ANNOS
de las Mareas
TEREZA
PRÍNCIPE AUGUSTO
de las Floridianas
REALEZA DE LAS TIERRAS BAJAS
Tiberias VII
LEONORA CALORE
PRINCE HELION
de los Ríos
MAVEN
REALEZA DE LAS TIERRAS BAJAS

Árbol genealógico de la familia Jacos

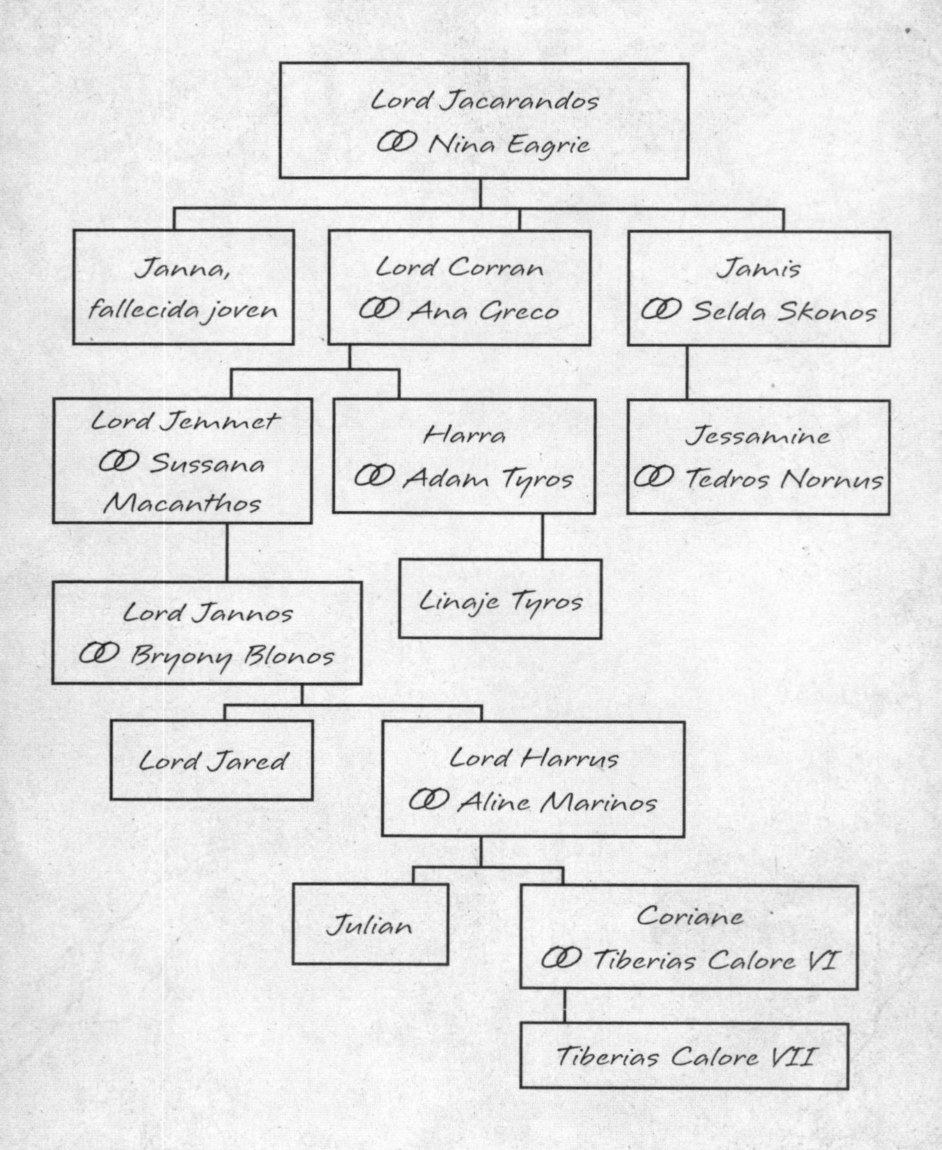

Los libros de historia nunca te han interesado mucho, aunque dudo que eso te importe.
—JJ

MONARCAS *de la* CASA DE CALORE

CÉSAR I

ENERO 1, 0 - OCTUBRE 3, 37 NE

Alexandro César Calore se consagró tanto a su nueva dinastía, reino e imagen que esperó dos meses antes de conquistar Norta, porque deseaba coronarse cuando sonaran las doce campanadas del año nuevo. Con el inicio de su reinado declaró el de una era distinta. Así, el calendario de Norta comienza justo en el instante en que la corona tocó una cabeza Calore. Al principio un guerrero, el rey César fue más tarde un hábil diplomático. Casó a su hija Juliana con el príncipe supremo de las Tierras Bajas, con lo que fortaleció una perdurable alianza que protegería la frontera sur de su reino. Creó también el rito de la prueba de las reinas. Salvo en circunstancias extraordinarias o a causa de un enlace matrimonial fuera del reino, todos los herederos al trono de Calore tendrían que casarse con la pretendiente más fuerte. Fundó la nueva capital, Arcón, donde construyó el Palacio del Fuego Blanco, sede del gobierno. Murió en un "accidente" durante un duelo que le traspasó el corazón. La espada de entrenamiento de su adversario había sido sustituida por una afilada. Según la leyenda, su última palabra fue "Fyrias", el nombre de su hijo menor, quien había muerto en una refriega en la frontera de los territorios en disputa. Tras una rápida investigación, su verdugo incidental fue ejecutado. Los historiadores especulan que fue su propio hijo quien concertó el asesinato.

CESARIÓN

OCTUBRE 3, 37 - JULIO 20, 44 NE

Seguir las huellas de un gran padre resultó difícil para Cesarión, quien creció con escaso conocimiento de la guerra y menos habilidad militar que aquél. Se ocupaba sobre todo de los lujos de la monarquía e inició la construcción del palacio de verano, la Mansión del Sol.

Antes del término de ésta, murió en el mar cuando su yate se hundió frente a las islas Bahrn. De acuerdo con testigos, se ahogó debido al peso acumulado de sus joyas y su corona, aunque también se afirma que fue devorado por tiburones. Es posible que su embarcación haya sido hundida por súbditos leales al finado rey César.

JULIAS I

JULIO 20, 44 - AGOSTO 1, 60 NE

En marcado contraste con su padre, Julias fue todo un guerrero, a veces en exceso. Combatía a menudo a los señores del norte del reino de la comarca de los Lagos. Su primogénito y heredero, Julias, murió en una de tales escaramuzas, a los diecisiete años de edad. Sumido en un profundo dolor, enfermó y falleció en silencio tras negarse a recibir tratamiento de un sanador de la piel.

TIBERIAS MAGNO

AGOSTO 1, 60 - NOVIEMBRE 10, 105 NE

El bisnieto de César Calore es considerado su verdadero sucesor y sigue siendo el monarca de la dinastía Calore que ha reinado durante el mayor periodo de tiempo. En el curso de sus cuarenta y cinco años en el trono, Tiberias I concluyó la Mansión del Sol, estrechó relaciones con la comarca de los Lagos y amplió las fronteras para incluir a la totalidad de la Fisura en los dominios de Norta. La resistencia de algunos reductos Samos al régimen Calore instó a Tiberias a dirigir un ejército a las colinas de la Fisura. Los rebeldes Samos fueron sometidos pero, contra la recomendación de sus consejeros, Tiberias no erradicó a esa dinastía, a la que concedió clemencia a cambio de su lealtad y su territorio. El gobierno de la Fisura fue entregado a la Casa de Laris, aunque la de Samos permaneció como una de las más fuertes del reino. El rey Tiberias fue el primero que estableció, en toda Norta, ciudades tecnológicas Rojas. Su reino cosecharía durante siglos los beneficios de su régimen y creció en poderío económico y tecnológico. Después de muchos años sin que su esposa diera a luz, se separó de ella y se casó con una princesa lacustre, quien le dio tres hijos. Murió en paz mientras dormía.

TIBERIAS II

NOVIEMBRE 10, 105 - MAYO 30, 107 NE

Tiberias II sucedió ya mayor a su padre y gobernó menos de dos años. Falleció de una afección apenas referida como "nerviosa". A pesar de lo breve de su reinado, pronto se hizo patente que no era apto para el trono, así que, si hubiese perdurado, quizás habría sido manipulado por los miembros de su consejo y los grandes señores de Norta.

CÉSAR II

MAYO 30, 107 - DICIEMBRE 9, 118 NE

Como el joven rey César II aún no tenía edad para reinar cuando accedió al trono, su abuela, la princesa lacustre Iranne, y su madre, Irina Calore, gobernaron. Su tío, el príncipe Fyrion Calore, impugnó ante autoridades extranjeras a un soberano extranjero y reclamó el trono, para el que dijo estar más calificado. Lanzó con su esposa, respaldada por la familia Titanos, a la que pertenecía, una avanzada militar contra César II, la cual fue vencida por las fuerzas de la reina regente y la princesa

Césara. Esta última, hija de Tiberias Magno, se había integrado por matrimonio a la Casa Samos, cuyo apoyo fue decisivo para que César II conservara el poder. El príncipe Fyrion fue ejecutado por su tentativa de usurpación, en tanto que a su pequeño hijo, el príncipe Cresta Calore, se le exilió de Norta. Pese a que engendró en el oeste una rama de la Casa de Calore, los registros de esta dinastía se perdieron o destruyeron. Si aún existe, el linaje de Fyrion sería la única rama restante del árbol genealógico Calore además de la reinante.

César II fue un joven enfermizo, bajo la constante vigilancia de guardias Skonos, y requería sanación de la sangre con regularidad. Se asegura que se "pudrió" por dentro y murió a los veinticinco años. No tuvo hijos; se rumorea que su dolencia se debió a que sus padres, Tiberias II y la reina Irina, eran primos hermanos.

JULIAS II

DICIEMBRE 9, 118 - MARZO 22, 140 NE

Como César II no tuvo hijos, la corona pasó a su hermano menor, quien contrajo matrimonio con Serena Skonos, una de las guardianas permanentes del finado rey. Julias II no mostró las enfermedades genéticas que aquejaron a su hermano. Por tal razón, algunos historiadores creen que en realidad no fue concebido por Tiberias II, y que su madre, la reina Irina, tuvo un romance con alguien en la corte. Julias II fue indiferente a esas murmuraciones, ya que su madre era Calore de nacimiento, y él, por tanto, descendiente directo de César. Además, poseía las habilidades ancestrales de un quemador, como todos los reyes Calore previos. Si su madre hubiese sido infiel, habría sido muy extraño que Julias II heredara dicha habilidad y no la de su verdadero padre. Por lo demás, su régimen fue tranquilo, ya que los reinos de Norta, las Tierras Bajas y la comarca de los Lagos estaban en paz. Durante sus veintidós años de gobierno emprendió una campaña de construcción de coliseos y extendió en todo el país la práctica del Primer Viernes. Casó a dos de sus hijas con príncipes de las Tierras Bajas y afianzó así los lazos entre los dos reinos.

JULIAS III

MARZO 22, 140 - DICIEMBRE 28, 151 NE

Pese a la insistencia de su padre, Julias III evitó el rito de la prueba de las reinas y se casó por amor con Helena, de la Casa de Merandus. Los historiadores se preguntan abiertamente si el joven príncipe fue influido por la habilidad de su consorte antes que por un idilio entre ambos. Después de su coronación, su hijo inició un viaje por Norta. Mientras éste visitaba la frontera en la Cascada de la Doncella, su caravana fue atacada por bandidos Rojos y él perdió la vida. En represalia, Julias III arrasó los poblados fronterizos Rojos y los reemplazó por una ciudad-fortaleza. Ordenó a los Rojos que construyeran Corvium y después reclutó a la mayoría para su ejército. El resto fue deportado a ciudades tecnológicas en todo el reino para servir como obreros. Ningún Calore volvió a usar el nombre de Julias en su descendencia, considerado de mala suerte desde entonces.

MARCAS

DICIEMBRE 28, 151 - DICIEMBRE 12, 159 NE

Al igual que su padre, el rey Marcas renunció al rito de la prueba de las reinas, aunque no por amor, sino para establecer una alianza más sólida con las Tierras Bajas. Se casó con Elisabeta, princesa de las Mareas. A pesar de que reinó sólo ocho años, su era es considerada una época fructífera, gracias en buena medida a la influencia de su madre, de la Casa de Merandus, y de su esposa. Inepto y poco inteligente, delegó sus deberes en éstas, quienes iniciaron una campaña de mejoramiento de la infraestructura y la economía de Norta. La reina Elisabeta emprendió el proyecto del Camino Verde, que uniría a Norta con su país nativo. La reina viuda Helena dirigió su atención a ampliar de una frontera a otra la red eléctrica, que llegó incluso a remotas comunidades Rojas. Cuando el rey Marcas murió, como consecuencia de una caída cuando se encontraba en estado de ebriedad, ambas reinas prosiguieron su labor durante el gobierno de su único heredero.

ARIÓN

DICIEMBRE 12, 159 - FEBRERO 2, 188 NE

El rey Arión compartía la pasión de su madre por la arquitectura y juntos construyeron el ahora icónico puente de Arcón. Durante este periodo, espías de las Casas de Merandus y de Iral asistieron a los jefes militares de la Pradera en su guerra fronteriza con la comarca de los Lagos. Respaldados por el tesoro de Norta y el rey mismo, los ejércitos de la Pradera ocuparon valiosas tierras agrícolas en la región de Minnowan y se expandieron más allá del Río Grande. El rey Arión utilizó esta táctica para debilitar al vecino más cercano de Norta, pues sabía que el choque de estos dos reinos sería inevitable en el futuro. Influido por su madre y su abuela, decretó que su línea de sucesión dependería de la habilidad de Calore, no del género. Por tanto, heredó el trono a su primogénita, Andura, a quien le siguió el hijo de su hermano menor, Marcas.

ANDURA

FEBRERO 2, 188 - SEPTIEMBRE 27, 199 NE

Como primera monarca reinante de Norta, Andura enfrentó considerable oposición de la nobleza y su gobierno. Por efecto de la primera prueba de los príncipes, se casó con un hijo de la Casa de Blonos, quien fue su príncipe consorte. Afamada guerrera y diplomática, logró ocultar su participación en las guerras de la Pradera con los lacustres. Mantuvo una precaria paz con el norte mientras aumentaba en secreto los ejércitos de su reino, para lo que también reclutó a las mujeres Rojas y permitió el alistamiento de las Plateadas. Su único hijo no heredó su habilidad como quemadora y para mantener la paz respetó el decreto de sucesión dictado por su padre. Su hermano menor fue el siguiente en la línea de sucesión hasta su deceso durante un levantamiento Rojo en Harbor Bay. Por entonces, sublevaciones similares cobraban fuerza en Norta, la comarca de los Lagos y las Tierras Bajas, donde los amos Plateados pugnaban por mantener el control de una inmensa población Roja. El hijo de Andura, Ambrosino, abandonó Norta a la muerte de ésta y buscó fortuna en occidente. Sobresaliente sanador de la sangre, casi inmortal por virtud de su habilidad, vive aún (tiene más de cien años de edad) como triarca de Tiraxes.

TIBERIAS III

SEPTIEMBRE 27, 199 - MARZO 30, 222 NE

En su calidad de primogénito del hermano de la reina Andura, Tiberias fue el heredero al trono tras la desaparición de su padre. Ascendió en una caótica época de rebelión Roja y debilitamiento de relaciones con la comarca de los Lagos. Uno de sus primeros actos fue convocar a una cumbre con la monarquía de ese reino, pero las negociaciones se interrumpieron pronto y la Guerra Lacustre se materializó. El conflicto se prolongaría más de un siglo y reclamaría millones de vidas Plateadas y Rojas. Se ha sugerido que en realidad se trató de una guerra de cólera, aunque también de conveniencia, ya que permitió contener a la población Roja en Norta y la comarca de los Lagos.

LEONORA

MARZO 30, 222 - ENERO 3, 237 NE

Así como su madre, Leonora fue la primogénita de un rey Calore, así que heredó el trono. Se negó al rito de la prueba de los príncipes y nunca se casó, aunque Mariane Nolle fue su consorte y recibió el rango de princesa. Leonora fue la primera Calore reinante que abandonó Norta, para recorrer las Tierras Bajas y visitar a sus primos y diversos dignatarios. También visitó Corvium en numerosas ocasiones, con objeto de inspeccionar el Obturador, un páramo en rápida expansión que fungía como frontera de guerra entre las trincheras lacustres y de Norta. Por decreto suyo, sus sobrinas y sobrinos se educaron parcialmente en el frente, para aprender de primera mano sobre los asuntos militares.

TIBERIAS IV

ENERO 3, 237 - SEPTIEMBRE 2, 270 NE

En apego a la tradición militar fijada por sus antepasados, Tiberias IV fue general del ejército antes de suceder a su hermana. Supervisó como rey más de treinta años de guerra y al final de su régimen inició una campaña clandestina contra la comarca de los Lagos. Empleó una vasta red de espías, encabezada por la Casa de Iral, para infiltrar bastiones lacustres, rastrear movimientos de tropas, sabotear cadenas de suministro y asesinar a figuras clave del gobierno y el ejército. Su segundo hijo, Aerik, murió en represalia por uno de esos crímenes: mientras pasaba revista a sus tropas en la frontera lacustre, fue emboscado por lacustres disfrazados de Rojos. Tras su muerte, Tiberias IV pasaba en el frente casi todo el tiempo, en tanto su heredero reinaba desde la capital y aprendía el arte de gobernar.

TIBERIAS V

SEPTIEMBRE 2, 270 - AGOSTO 1, 296 NE

Después de cumplir el rito de la prueba de las reinas, Tiberias contrajo matrimonio con Anabel, de la Casa de Lerolan, gobernante tradicional de Delphie. Mantuvo también un consorte, Robert Iral, al que incluso coronó como príncipe. La reina Anabel y el príncipe Robert fueron grandes mecenas durante el reinado de su monarca. Aunque menos proclive al ejército que su padre, Tiberias V educó parcialmente a su hijo en el frente, a fin de que se preparara para dirigir un reino en guerra. Aun en pleno conflicto con la comarca de los Lagos, su reinado se consideró próspero para los Plateados de Norta. Falleció de una extenuante enfermedad cancerosa pese a los mejores esfuerzos de sus sanadores de la piel.

TIBERIAS VI

AGOSTO 1, 296 NE, AL PRESENTE

Antes de ascender al trono, Tiberias VI se negó al rito de la prueba de las reinas y escandalizó a la corte cuando contrajo nupcias con Coriane Jacos, dama de una casa Plateada relativamente baja y pobre.

CANCIÓN REAL

Como de costumbre, Julian le regaló un libro.

Igual que hacía un año, y que hacía dos, y que cada celebración o fiesta que él podía encontrar entre los cumpleaños de su hermana. Ella conservaba esos supuestos regalos sobre las repisas. Algunos habían sido hechos de corazón, y otros simplemente para dejar espacio en la biblioteca que él llamaba su habitación, donde las columnas de libros eran tan altas e inestables que incluso a los gatos se les dificultaba sortear esos montones laberínticos. Los temas variaban, desde relatos de aventuras de invasores de la Pradera hasta recargadas colecciones de poemas sobre la insípida corte real que ambos se esmeraban en evitar. "Éste será más útil como combustible", decía Coriane cada vez que él le legaba otro volumen aburrido. Cuando cumplió doce años, Julian le obsequió un texto antiguo escrito en un idioma que ella desconocía y que sospechaba él fingía comprender.

Pese a su aversión por la mayoría de las historias de su hermano, ella mantenía su creciente colección estrictamente alfabetizada en ordenadas repisas, con los lomos al frente para que exhibieran los títulos de los libros, encuadernados en piel. La mayor parte quedaría sin tocar, abrir ni leer, lo cual era una tragedia para la que ni siquiera Julian podía hallar palabras con que lamentarse. Nada hay tan terrible como una historia que no se cuenta. Pero Coriane conservaba esos tomos de todas formas, bien limpios y lustrados, de manera que sus letras grabadas en oro brillaban bajo la brumosa luz del verano o los grises rayos del invierno. "De Julian" eran los garabatos que se leían en cada uno, y ella estimaba esas palabras sobre casi cualquier otra cosa. Sólo los regalos que él le había hecho de corazón le eran más queridos: las guías y manuales forrados de plástico, que yacían escondidos entre las páginas de una genealogía o enciclopedia. Unos cuantos tenían el honor de reposar junto a su cabecera, metidos bajo el colchón, para poder sacarlos de noche y devorar los esquemas técnicos y los estudios sobre máquinas. Cómo armar, desarmar y dar mantenimiento a motores de transporte, aviones, equipo de telegrafía y hasta lámparas y estufas.

Su padre reprobaba esto, como era costumbre. Una hija Plateada de una Gran Casa noble no debía tener los dedos manchados de aceite para motor, las uñas rotas por herramientas *prestadas* ni los ojos rojos por tantas noches dedicadas a forcejear infatigablemente acompañada con libros inapropiados. Pero Harrus Jacos olvidaba su recelo cada vez que la pantalla de vídeo en la sala de la finca sufría un cortocircuito y hacía sisear chispas y mostraba imágenes borrosas. *Repárala, Cori, repárala.* Ella hacía lo que su padre le ordenaba, con la esperanza de convencerlo de una vez por todas, sólo para que sus modestas reparaciones fueran desdeñadas días después, y olvidado todo su buen trabajo.

Le alegraba que él se hubiese marchado a la capital a ayudar a su tío, el Señor de la Casa de Jacos, porque así ella podría pasar su cumpleaños junto a las personas que más quería: su hermano, Julian, y Sara Skonos, quien había llegado específicamente para la ocasión. *Cada día está más guapa,* pensó Coriane cuando vio arribar a su más querida amiga. Habían pasado varios meses desde su último encuentro, la fecha en que Sara cumplió quince años y se mudó a la corte de forma definitiva. Y aunque era cierto que no había transcurrido tanto tiempo, la joven ya parecía diferente, más avispada. Sus pómulos sobresalían notoriamente bajo su piel, de algún modo más pálida que antes, como si se hubiera ajado. Y sus ojos grises, en otro tiempo estrellas relucientes, parecían oscuros, llenos de sombras. Pese a todo, aún sonreía con facilidad, como lo hacía siempre que estaba con los chicos Jacos. *En realidad, con Julian,* sabía Coriane. Y su hermano era también el mismo de siempre, con su amplia sonrisa y en posesión de una distancia que ningún muchacho, por insensible que fuera, habría pensado en mantener. Tenía una conciencia quirúrgica de sus movimientos, y Coriane la tenía de él. A sus diecisiete años, no era demasiado joven para hacer una proposición matrimonial, y ella sospechaba que la concretaría en los meses venideros.

Julian no se había tomado la molestia de envolver su regalo; era hermoso de por sí. Estaba encuadernado en piel y tenía rayas del dorado grisáceo de la Casa de Jacos, así como la Corona Ardiente de Norta grabada en la cubierta. No había título en la carátula ni en el lomo, y Coriane supo que sus páginas no ocultaban guía alguna. Puso mala cara.

—Ábrelo, Cori —le dijo él mientras le impedía arrojar el libro a la exigua pila en que se acumulaban otros presentes.

Todos ellos eran insultos velados: unos guantes para esconder sus manos *toscas*, algunos vestidos poco ponibles para una corte que ella se negaba a visitar y una caja de dulces ya abierta que su padre le prohibía comer. Todos se habrían esfumado para la hora de la cena.

Coriane hizo lo que se le pidió, y cuando abrió el libro vio que las páginas de color crema se hallaban en blanco. Arrugó la nariz, sin preocuparse por ofrecer el aspecto de una hermana agradecida. Julian no requería tales mentiras, y no las creería de todas formas. Más aún, no había nadie ahí que fuera a reprenderla por ese comportamiento. *Mamá está muerta; papá, ausente, y la prima Jessamine continúa felizmente dormida*. Julian, Coriane y Sara eran los únicos ocupantes de la pérgola, tres gotas sueltas en la empolvada tinaja de la finca Jacos. Aquel era un salón enorme, igual que el vacío siempre presente en el pecho de Coriane. Ventanas arqueadas daban a un rosaleda enmarañada, otrora pulcra, que no había visto en una década las manos de un jardinero. Al suelo le urgía una buena barrida, y las cortinas doradas estaban grises de arenilla y probablemente también de telarañas. Incluso el retrato sobre la tiznada chimenea de mármol echaba de menos su marco de oropel, que había sido rematado muchos meses atrás. El hombre que miraba desde la descarnada tela era el abuelo de Coriane y Julian, Janus Jacos, a quien sin duda le desalentaría el estado de la familia: nobles caídos en desgracia que explotaban su antiguo apellido y tradiciones, y que se las arreglaban cada año con menos.

Julian echó a reír, con su tono acostumbrado. *De exasperación complaciente,* sabía Coriane. Ésa era la mejor forma de describir su actitud. Dos años mayor que ella, siempre estaba presto a recordarle su superioridad en edad e inteligencia. Con dulzura, desde luego. Como si no importara.

—Es para que escribas en él —continuó su hermano al tiempo que deslizaba sus finos y largos dedos sobre las páginas—. Tus pensamientos, lo que haces durante el día.

—Sé qué es un diario —replicó ella y cerró el libro de golpe. A él no le importó ni se ofendió; la conocía mejor que nadie. *Incluso si ignoro el significado de las palabras*—. Y mis días no son dignos de que deje constancia de ellos.

—¡Tonterías! Eres muy interesante cuando te lo propones.

Ella sonrió.

—Tus bromas han mejorado, Julian. ¿Por fin has hallado un libro que te enseñe un poco de humor? —y añadió, con los ojos puestos en Sara—: ¿O una persona?

Aunque él se avergonzó y las mejillas se le azularon de sangre plateada, el rostro de Sara no mostró ninguna alteración.

—Hago curaciones, no milagros —dijo con una voz melodiosa.

La risa de los tres hizo eco y llenó durante un grato momento el vacío de la finca. El viejo reloj sonó en un rincón, como si anunciara la hora fatídica de Coriane: la inminente llegada de su prima Jessamine.

Julian se levantó y desplegó su desgarbada figura en tránsito a la edad adulta. Le faltaba mucho por crecer todavía, tanto a lo alto como a lo ancho. Coriane, por el contrario, había mantenido la misma estatura durante años y no daba señas de cambiar. Era ordinaria en todo, desde el azul casi incoloro de sus ojos hasta el lacio cabello castaño que se negaba a crecer más allá de sus hombros.

—No irás a comer esto, ¿verdad? —preguntó él, mientras tendía la mano en dirección a su hermana, hurtaba de la caja un par de caramelos confitados y obtenía en respuesta un manotazo. *¡Al demonio con los buenos modales! Esos dulces son míos*—. ¡Cuidado! —la previno—. Se lo diré a Jessamine.

—Eso no será necesario —resonó en el vestíbulo lleno de columnas la voz atiplada de la anciana prima.

Coriane cerró los ojos con un siseo de fastidio, como si deseara con todas sus fuerzas echar de su vida a Jessamine Jacos. *Pero sería inútil, por supuesto; no soy una susurro,* sólo una arrulladora. Y a pesar de que podría haber dirigido contra Jessamine sus escasas destrezas, eso no habría acabado bien. Por vieja que fuese, su voz y habilidad eran todavía muy agudas, mucho más rápidas que las suyas. *Terminaré fregando suelos con una sonrisa si la pongo a prueba.*

Adoptó entonces una expresión cortés y, cuando se volvió, vio a su prima apoyada en un bastón enjoyado, uno de los pocos objetos bellos que quedaban en esa casa. Claro que pertenecía a la peor de sus habitantes. Jessamine había dejado de frecuentar a los sanadores de la piel Plateados desde hacía mucho tiempo, para *envejecer con dignidad,* como ella decía, pese a que lo cierto era que la familia ya no podía permitirse tales tratamientos de manos de los más talentosos miembros de la Casa de Skonos, y ni siquiera de sanadores aprendices de baja cuna. La piel le colgaba ahora, gris de tan pálida que estaba, con manchas violáceas de la edad que se esparcían por sus manos y su cuello, arrugados ambos. Esa mañana cubría su cabeza con una pañoleta de seda amarillo limón, para ocultar su cada vez más escaso pelo blanco que cubría apenas su cuero cabelludo, y llevaba un vestido suelto y largo que hacía juego con él, aunque había ocultado bien los bordes apolillados. Jessamine era experta en el arte de la ilusión.

—No seas malo, Julian, y lleva esto a la cocina, ¿quieres? —dijo mientras tocaba los caramelos con la uña larga de uno de sus dedos—. El personal estará muy agradecido.

Coriane tuvo que hacer un esfuerzo para no reír. *El personal* constaba de apenas un mayordomo Rojo más viejo que Jessamine, que ni siquiera tenía *dientes,* y del cocinero y dos jóvenes sirvientas, de quienes se esperaba se ocupasen del mantenimiento de toda la finca. Pese a que podía ser que a ellos les agradara recibir las golosinas, era evidente que Jessamine no tenía la intención de permitirlo. *Irán a dar al cesto de basura, aunque lo más probable es que ella las guarde en su habitación.*

Julian pensó exactamente lo mismo, a juzgar por su expresión retorcida. Pero discutir con Jessamine era tan infructuoso como los árboles del viejo y podrido huerto.

—Desde luego, prima —respondió con una voz más propia de un funeral.

Su mirada era de disculpa, en tanto que la de Coriane era de resentimiento. Ella vio con poco velado desdén que Julian le ofrecía un brazo a Sara y que recogía con el otro su indecoroso regalo. Ambos ansiaban escapar del dominio de la anciana, pero se resistían a dejar a Coriane. Lo hicieron de todas formas, y se alejaron del salón a toda prisa.

De acuerdo, déjame aquí. Así lo haces siempre. Coriane fue abandonada de este modo a Jessamine, quien se había propuesto convertirla en una verdadera hija de la Casa de Jacos. Para decirlo llanamente, *en una hija muda.*

Y siempre la dejaba a su padre cuando él regresaba de la corte, después de largos días a la espera de que el tío Jared falleciese. El jefe de la Casa de Jacos, gobernador de la región de Aderonack, no tenía hijos, así que sus títulos pasarían a su hermano, y después a Julian. Al menos, no tenía hijos ya. Los gemelos, Jenna y Caspian, habían muerto en la guerra contra los Lacustres, y dejado a su progenitor sin un heredero de su sangre, por no hablar de su deseo de vivir. El padre de Coriane ocuparía ese sitio ancestral de un momento a otro, y no quería perder tiempo en hacerlo. Ella consideraba perversa esa conducta, en el mejor de los casos. No imaginaba que pudiera hacerle algo así a Julian, verlo consumirse de dolor sin hacer nada, por más enfados que él le infligiera. Aquél era un acto horrible, sin amor, y sólo pensar en ello le revolvía el estómago. *Pero yo no tengo la intención de estar al frente de nuestra familia, y papá es un hombre ambicioso, aunque falto de tacto.*

No sabía lo que él pensaba hacer con su eventual ascenso. La de Jacos era una Casa pequeña, poco importante, de gobernadores de un área atrasada con poco más que la sangre de una de las Grandes Casas para mantenerlos calientes durante la noche. Y con Jessamine, desde luego, para asegurarse de que todos fingieran que no se estaban ahogando.

Ésta tomó asiento con la gracia de una dama de la mitad de su edad y golpeó con su bastón el suelo sucio.

—¡Ridículo! —murmuró mientras sacudía una nube de motas de polvo que giraban en un rayo de sol—. ¡Qué difícil es hallar buenos ayudantes en estos tiempos!

Sobre todo cuando no puedes pagarlos, se mofó Coriane en su mente.

—Así es, prima. Muy difícil.

—Bueno, acerca ya esas cosas. Veamos lo que Jared ha enviado —dijo.

Alargó una mano con forma de garra que abría y cerraba agitadamente, y como este gesto le erizó la piel a Coriane, se mordió el labio para no decir algo inoportuno. Tomó en cambio los dos vestidos regalo de su tío y los dispuso en el sofá donde Jessamine se había sentado.

La prima los olfateó y examinó como hacía Julian con sus textos antiguos: entrecerró los ojos ante el bordado y el encaje, frotó la tela y tiró de invisibles hilos sueltos en ambos vestidos dorados.

—Parecen aceptables —dijo después de un largo momento—. Aunque son anticuados. Ninguno de ellos está a la última moda.

—¡Qué raro! —exclamó Coriane sin poder reprimirse, con palabras arrastradas.

¡Zas! El bastón volvió a golpear en el suelo.

—¡Sin sarcasmos! Son impropios de una dama.

Todas las que yo conozco parecen muy versadas en hacer sarcasmos, incluso tú, si es que puedo llamarte una dama. La verdad es que Jessamine no había asistido a la corte durante al menos una década. No tenía idea de cuál era la última moda y, cuando ingería demasiada ginebra, ni siquiera recordaba qué rey estaba en el trono.

—¿Es Tiberias VI o V? No, todavía es el IV; la antigua llama no *morirá*.

Coriane le recordaba amablemente que quien los gobernaba entonces era Tiberias V.

Su hijo, el príncipe heredero, sería Tiberias VI cuando su padre falleciera. Aunque con su sedicente gusto por la guerra, ella se preguntaba si el príncipe viviría tanto como para portar una corona. La historia de Norta estaba llena de incendiarios Calore que morían en batalla, especialmente príncipes segundos y primos. Coriane deseaba en secreto que el príncipe muriera, así fuese sólo para ver qué pasaba. Hasta donde sabía, si podía darse crédito a las lecciones de Jessamine, él carecía de hermanos, y los primos Calore eran pocos, por no decir débiles. Norta había combatido durante un siglo a los Lacustres, pero una guerra interna se cernía en el horizonte, una guerra entre las Grandes Casas para llevar al trono a otra familia. La Casa de Jacos no estaba involucrada en ello en absoluto. Su insignificancia era una constante, lo mismo que la prima Jessamine.

—Bueno, si los mensajes de tu padre son de fiar, estos vestidos deberán ser útiles muy pronto —continuó, al tiempo que dejaba los presentes.

Sin consideración de la hora ni de la presencia de Coriane, sacó de su vestido una botella de ginebra y tomó un buen sorbo. El aroma del enebro se esparció por el aire.

Coriane frunció el ceño y apartó la mirada de sus manos, que ya se ocupaban en estrujar los guantes nuevos.

—¿El tío se encuentra bien?

¡Zas!

—¡Qué pregunta tan tonta! No ha estado bien desde hace años, como bien sabes.

El rostro de Coriane ardió en color plata, con un bochorno metálico.

—Quería decir mal, peor. ¿Se encuentra *peor*?

—Harrus lo cree así. Jared ya no abandona sus aposentos en la corte y es raro que asista a banquetes, menos aún a reuniones administrativas o al consejo de gobernadores. Tu padre lo sustituye cada vez más. Por no mencionar el hecho de que tu tío parece decidido a beberse hasta la última gota de las arcas de la Casa de Jacos —dijo la anciana antes de tomar otro trago de ginebra, ironía que casi hizo reír a Coriane—. ¡Qué egoísta!

—Sí, qué egoísta —balbuceó la joven.

No me has deseado feliz cumpleaños, prima. Pero no insistió en ese asunto. Duele ser llamado ingrato incluso por una sanguijuela.

—Otro libro de Julian, ya veo. ¡Ah!, y guantes. Magnífico, Harrus aceptó mi sugerencia. ¿Y de Skonos?

—Nada.

Por lo menos todavía. Sara le había pedido esperar, porque su regalo no era algo que pudiese apilarse con los otros.

—¿Nada? ¡Pero si viene aquí a disfrutar de nuestra comida, a ocupar espacio...!

Coriane hizo cuanto pudo para que las palabras de Jessamine flotaran y se alejaran de ella como nubes en un cielo despejado por el viento. Se concentró en el manual que había leído la noche anterior. *Baterías. Cátodos y ánodos, los de uso primario se desechan, los secundarios pueden recargarse...*

¡Zas!

—¿Sí, Jessamine?

Una mujer muy vieja y de ojos saltones sostenía la mirada de Coriane, con la irritación inscrita en cada arruga.

—No hago esto para beneficiarme, Coriane.

—Ciertamente, no es para mí —siseó ella, sin poder evitarlo.

Jessamine cacareó en respuesta, con una risa tan crispada que habría podido escupir polvo.

—Eso es lo que querrías, ¿verdad? Creer que sufro por diversión tu mala cara y tu amargura. ¡Piensa menos en ti, Coriane! No hago esto más que por la Casa de Jacos, por nosotros. Sé mejor que vosotros lo que somos. Y recuerdo lo que fuimos cuando vivíamos en la corte, negociábamos tratados y éramos para los reyes Calore tan indispensables como su llama. *Recuerdo*. No hay peor castigo ni dolor que la memoria.

Revolvió el bastón en su mano y comenzó a contar con un dedo las joyas que pulía cada noche: zafiros, rubíes, esmeraldas, un diamante. Pese a que Coriane no sabía si eran obsequios de pretendientes, amigos o familiares, componían el tesoro de Jessamine, cuyos ojos destellaban como las gemas mismas.

—Tu padre será Señor de la Casa de Jacos y tu hermano después de él. Eso te deja en necesidad de un Señor propio. ¿O deseas permanecer aquí por siempre? *—como tú.* La insinuación era clara, y Coriane descubrió que no podía hablar a causa de un súbito nudo en la garganta; lo único que pudo hacer fue sacudir la cabeza. *No, Jessamine, no quiero quedarme aquí. No quiero ser tú*—. Muy bien —dijo la prima e hizo sonar su bastón una vez más—. Emprendamos el día.

Esa noche, Coriane se sentó a escribir. Su pluma fluyó por las páginas del regalo de Julian derramando tinta a la manera en que un cuchillo vertería sangre. Escribió acerca de todo. De Jessamine, su padre, Julian. De la aprensión de que su hermano la abandonaría para sortear solo el huracán que se avecinaba. Tenía a Sara ahora. Los había sorprendido besándose antes de la cena, y aunque sonrió, fingió reír y aparentó darse por satisfecha con la vergüenza de ambos y sus vacilantes explicaciones, Coriane se sintió abatida por dentro. *Sara era mi mejor amiga, lo único que me pertenecía*. Pero ya no. Al igual que Julian, ella pondría tierra de por medio, hasta que Coriane fuera abandonada únicamente con el polvo de un hogar desatendido y una vida olvidada.

Porque por más que Jessamine lo dijera, se pavoneara y mintiera sobre las supuestas posibilidades de Coriane, lo cierto era que no había nada que hacer. *Nadie se casará conmigo, al menos no quien yo quiera*. Rechazaba y aceptaba esa realidad al mismo tiempo. *No dejaré nunca este lugar,* escribió. *Estas paredes doradas serán mi sepulcro.*

Jared Jacos recibió dos funerales.

El primero acaeció en la corte, en Arcón, bajo una brumosa lluvia de primavera. El segundo sucedería una semana después, en la finca de Aderonack. El cadáver del tío se sumaría así a la tumba familiar y descansaría en un sepulcro de mármol que había sido pagado con una de las joyas del bastón de Jessamine. La esmeralda se vendió a un comerciante de piedras preciosas al este de Arcón, en presencia de Coriane, Julian y su vetusta prima. Jessamine mantuvo un aire distante y no se molestó en mirar cuando la gema verde pasó de manos del nuevo Lord de Jacos a las del joyero Plateado. *Un hombre común,* supo Coriane. No llevaba colores de Casas notables, pero era más acaudalado que ellos, con ropas elegantes y un sinfín de alhajas encima. *Aunque nosotros seamos nobles, este señor podría comprarnos a todos si quisiera.*

La familia vistió de negro, como era la costumbre. Coriane tuvo que pedir prestado un traje para la ocasión, uno entre los muchos y horrendos vestidos de luto de Jessamine, quien había supervisado y asistido a más de una docena de sepelios de la Casa de Jacos. A pesar de que el atuendo le picaba, la joven permaneció quieta mientras salían del barrio de mercaderes en dirección al majestuoso puente que cruzaba el río Capital y que unía ambos lados de la urbe. *Jessamine me reprendería o me azotaría si comenzara a rascarme.*

Ésta no era la primera visita de Coriane a la capital, y ni siquiera la décima. Había estado muchas veces ahí, a menudo por invitación de su tío, para exponer la supuesta fuerza de la Casa de Jacos. Una noción absurda. Su familia no sólo era pobre, sino también débil y pequeña, en especial tras la desaparición de los gemelos. No era digno rival de los frondosos árboles genealógicos de las Casas de Iral, Samos, Rhambos y otras, linajes ricos que podían soportar el enorme peso de sus numerosas relaciones. Su lugar como Grandes Casas estaba firmemente cimentado en la jerarquía de la nobleza y el gobierno. Tal no sería el caso de los Jacos si el padre de Coriane, Harrus, no hallaba la forma de demostrar su valía ante sus pares y su rey, y ella no veía a su alrededor ningún medio para lograrlo. Adeμronack se situaba en la frontera con los Lacustres y era un territorio de pocos habitantes y densos bosques que nadie tenía necesidad de aserrar. Los Jacos no podían reclamar minas y talleres, ni siquiera fértiles tierras agrícolas. No había nada de utilidad en ese rincón del mundo.

Coriane había atado a su cintura un cinto dorado con el cual ceñir su impropio vestido de cuello alto a fin de parecer un poco más presentable, aunque de ninguna manera a la moda. Se dijo que no le importaban las murmuraciones de la corte ni las burlas de las demás damiselas, que la veían como si fuera un bicho raro o, peor aún, una *Roja*. Todas ellas eran jóvenes crueles y tontas que esperaban con ansia cualquier noticia de la prueba de las reinas. Pero nada de esto, desde luego, tenía trazas de verdad. ¿Acaso no era Sara una de ellas? Una hija de Lord Skonos que se preparaba para ser una sanadora y que poseía habilidades muy promisorias. Esto sería suficiente para que sirviera a la familia real si seguía por este camino.

"Pero eso no es lo que quiero", le confió a Coriane meses antes, durante una visita. "Será un desperdicio que dedique mi vida a sanar cortes de papel y patas de gallo. Mis aptitudes serían más útiles en las trincheras del Obturador o en los hospitales de Corvium. Allí mueren soldados todos los días, ¿sabes? Rojos y Plateados por igual, a causa de las bombas y las balas Lacustres, desangrados porque personas como yo nos quedamos aquí."

No le habría dicho eso a nadie más, y menos que nadie a su padre. Tales palabras eran más aptas para la medianoche, cuando dos muchachas podían susurrar sus sueños sin ningún temor a las consecuencias.

—Yo quiero construir cosas —le dijo Coriane a su mejor amiga en una de esas ocasiones.

—¿Construir qué, Coriane?

—¡Aviones, aeronaves, vehículos, pantallas de vídeo... hornos! No sé, Sara, no sé. Sólo quiero... hacer algo.

Sara sonrió y sus dientes se encendieron bajo un tenue rayo de luna.

—Te refieres a hacerte a ti misma, ¿verdad, Cori?

—Eso no es lo que acabo de decir.

—No tenías que hacerlo.

—Ahora veo por qué Julian te quiere tanto.

Esto hizo callar a Sara al instante, y poco después se quedó dormida. Coriane, en cambio, permaneció con los ojos abiertos mientras veía sombras en las paredes y se preguntaba ciertas cosas.

Ahora, en el puente, en medio de un caos de vivos colores, hizo lo mismo. Daba la impresión de que nobles, ciudadanos y comerciantes flotaban ante ella, con la piel fría, el paso lento y una mirada insensible y oscura, cualquiera que fuese su color. Bebían con avidez esa mañana; un hombre ya saciado no dejaba de tomar agua mientras otros morían de sed. Los otros eran los Rojos, por supuesto, portadores de las insignias que los señalaban. Los criados vestían uniformes, algunos con rayas de colores de la Gran Casa a la que servían. Sus movimientos eran decididos y su mirada firme, y corrían a cumplir sus órdenes y diligencias. *Al menos tienen un propósito*, pensó Coriane. *En cambio yo...*

Sintió el impulso de asirse al farol más cercano y estrecharlo entre sus brazos, para no ser una hoja llevada por el viento o una piedra caída al agua. Para no volar o ahogarse, o ambas cosas. No ir donde otra fuerza quisiera, fuera de su control.

La mano de Julian se cerró alrededor de su muñeca, con lo que la obligó a cogerlo del brazo. Él lo hará, pensó, y una tensa cuerda se relajó en ella. *Julian me mantendrá en este sitio.*

Más tarde escribió un fragmento del funeral oficial en su diario, salpicado de manchas de tinta y tachaduras. Pese a ello, su ortografía mejoraba, lo mismo que su letra. No mencionó nada sobre el cadáver del tío Jared, cuya piel era más blanca que la luna, desprovista de sangre por el proceso de embalsamamiento. No anotó que le había temblado el labio a su padre, lo que delató el dolor que realmente sentía por la muerte de su hermano. Sus líneas no señalaron que dejó de llover justo durante la ceremonia, ni el cúmulo de lores que llegó a honrar a su tío. Ni siquiera se ocupó de mencionar la presencia del rey y su hijo, Tiberias, quien cavilaba con sus cejas oscuras y una expresión más oscura todavía.

Mi tío ha muerto, escribió en lugar de todo eso. *Y no sé por qué, pero en cierto modo lo envidio.*

Como siempre, guardó el diario cuando terminó bajo el colchón de su habitación, junto con el resto de sus tesoros. Es decir, un modesto surtido de herramientas, celosamente protegido y que cogió del abandonado cobertizo al fondo de la casa: dos destornilladores, un pequeño martillo, un juego de pinzas puntiagudas y una llave inglesa oxidada y casi inservible. *Casi.* También había un rollo de alambre alargado que había extraído cuidadosamente de una antigua lámpara que estaba en un rincón y que nadie echaría de menos. Al igual que el resto de la propiedad, la casa de los Jacos en el oeste de Arcón era un lugar en decadencia. Y húmedo también, en medio del temporal, lo que daba a los viejos muros la apariencia de una cueva empapada.

Llevaba puesto todavía su vestido negro y su cinto dorado, y presuntas gotas de lluvia se adherían a sus pestañas, cuando Jessamine irrumpió en su habitación. Para afligirla con naderías, desde luego. No había banquete que no entusiasmara a la anciana prima, sobre todo si iba a celebrarse en la corte. Ella haría ver a Coriane lo más presentable posible con el poco tiempo y los medios disponibles, como si su vida dependiera de ello. *Tal vez así sea, más allá de la vida a la que aspire. Quizá la corte necesite otro instructor de etiqueta para los hijos de los nobles, y ella cree que conseguirá ese puesto si hace milagros conmigo.*

Incluso la propia Jessamine desea escapar.

—Nada de eso... —Jessamine farfulló y le enjugó las lágrimas con un paño. Con otra pasada, esta vez de un gredoso lápiz negro, hizo resaltar sus ojos. Luego aplicó en sus mejillas un polvo púrpura para que diera la ilusión de estructura ósea. No le untó nada en los labios, porque Coriane nunca había dominado el arte de no ensuciar de pintalabios sus dientes o el vaso de agua—. Supongo que con esto es suficiente.

—Sí, Jessamine.

Aunque a la vieja le deleitaba la obediencia, la actitud de Coriane le dio qué pensar. Era obvio que la chica estaba triste, después del sepelio.

—¿Qué te pasa, niña? ¿Es el vestido?

Las negras y descoloridas sedas y los banquetes y esta corte asquerosa me tienen sin cuidado. Nada de esto importa.

—No me pasa nada, prima. Sólo tengo un poco de hambre.

Coriane intentó tomar la salida fácil de lanzar a Jessamine una falla para ocultar otra.

—¡Lo siento por tu apetito! —replicó ésta y entornó los ojos—. Recuerda que debes comer con refinamiento, como un ave. Siempre debe haber comida en tu plato. Picotea, picotea, *picotea*......

Picotea picotea, picotea. La joven sintió estas palabras como uñas afiladas que repiquetearan sobre su cráneo, pero forzó una sonrisa de cualquier modo. Esto estiró las comisuras de sus labios, lo que le dolió tanto como esos términos, la lluvia y la sensación de decaimiento que la había perseguido desde el puente.

Abajo, Julian y su padre aguardaban ya, arrimados a la humeante hoguera de la chimenea. Llevaban puestos trajes idénticos, negros y con cintos de un oro pálido que les cruzaban el pecho, del hombro a la cadera. Lord Jacos tocó tímidamente la recién adquirida insignia que colgaba de su banda, un trozo de oro martillado tan viejo como su casa.

Aunque insignificante en comparación con las gemas, distintivos y medallones de los demás gobernadores, bastaba por lo pronto.

Julian quiso llamar la atención de Coriane y le guiñó un ojo, pero su aire abatido lo detuvo. No se separó de su lado hasta que llegaron al banquete; había sujetado su mano en el vehículo de alquiler, y la condujo del brazo cuando atravesaron las magníficas puertas de la Plaza del César. El Palacio del Fuego Blanco, su destino, se extendía a su izquierda, desde donde dominaba el costado sur de la embaldosada plaza, ahora rebosante de nobles.

Jessamine zumbaba de emoción, pese a su edad, y no dejó de sonreír e inclinar la cabeza frente a todos los que pasaban junto a ella. Incluso sacudía la mano y permitía que las largas mangas de su vestido negro y oro se deslizaran en el aire.

Quiere comunicarse por medio de la ropa, comprendió Coriane. ¡Vaya tontería! Igual que el resto de esta danza, que culminará con la desgracia y caída de la Casa de Jacos. ¿Para qué posponer lo inevitable? ¿Para qué participar en un juego en el que es inútil que esperemos competir? No lo concebía. Su cerebro sabía más de circuitos eléctricos que de la alta sociedad, y desesperaba por entender alguna vez esta última. No había ninguna lógica en la corte de Norta, ni en su familia. Y ni siquiera en Julian.

—Ya sé lo que le pediste a papá —masculló al tiempo que procuraba mantener el mentón lo más cerca posible del hombro de su hermano.

La chaqueta de Julian apagó su voz, aunque no lo bastante para que él alegara que no la había oído.

Sus músculos se tensaron debajo de ella.

—Cori…

—Debo admitir que no lo entiendo. Pensé que… —se le quebró la voz—. Pensé que querrías estar con Sara ahora que tendremos que mudarnos a la corte.

Pediste ir a Delphie, trabajar con los eruditos y excavar ruinas antes que aprender a ser un lord a la diestra de nuestro padre. ¿Por qué tenías que hacer eso? ¿Por qué, Julian? Estaba, además, la pregunta más difícil de todas, que ella no tenía fuerzas para formular: ¿Cómo podrías dejarme?

Él soltó un largo suspiro y la estrechó contra su pecho.

—Sí, querría estarlo… quiero *estarlo*. Pero…

—¿Pero…? ¿Ha sucedido algo?

—No, nada. Ni bueno ni malo —añadió, y ella percibió un regusto de sonrisa en su voz—. Sólo sé que Sara no dejará la corte si me quedo aquí con papá. Y no puedo hacerle eso. Este lugar… no la retendré en este nido de víboras.

Coriane sintió una punzada de dolor por su hermano y por su noble, desinteresado e insensato corazón.

—Le permitirías ir al frente, entonces.

—La palabra *permitir* no existe en mi vocabulario. Ella debe ser capaz de tomar sus propias decisiones.

—¿Y si su padre, Lord Skonos, se opone? *—como es inevitable que suceda.*

—Me casaré con ella conforme a lo planeado y la llevaré conmigo a Delphie.

—Tú lo planeas todo siempre.

—Al menos lo intento.

Pese a la oleada de felicidad de saber que su hermano y su mejor amiga se casarían, una conocida aflicción se dejó sentir en las entrañas de Coriane. *Estarán juntos y tú te quedarás sola.*

Julian le apretó la mano súbitamente, tenía los dedos calientes a pesar de la llovizna.

—Y claro que te mandaré buscar a ti también. ¿Crees que te dejaría enfrentarte a la corte sola con papá y Jessamine? —la besó en la mejilla y parpadeó—. Deberías tener un mejor concepto de mí, Cori.

Ella forzó una amplia y blanca sonrisa que centelló bajo las luces del palacio. No sintió nada de esa chispa. *¿Cómo es posible que Julian sea tan sagaz y tan tonto al mismo tiempo?* Esto la intrigó y entristeció en rápida sucesión. Aun si su padre accedía a que Julian fuera a estudiar a Delphie, a ella jamás se le permitiría hacer algo semejante. No poseía gran inteligencia, personalidad ni belleza, ni tampoco era una guerrera. Su utilidad residía en el matrimonio, en la alianza que éste acarrearía, y nada de eso se encontraba en los libros o la protección de su hermano.

El Fuego Blanco se engalanaba con los colores de la Casa de Calore —negro, rojo y plata imperial— en todas sus columnas de alabastro. Las ventanas titilaban con la luz interior y el bullicio de una fiesta estrepitosa llegaba desde el espléndido vestíbulo, guarnecido por los centinelas del rey, cubiertos con sus trajes y caretas llameantes. Cuando pasó junto a ellos, todavía cogida de la mano de Julian, Coriane se sintió menos una dama que una prisionera camino al calabozo.

Coriane hizo todo lo que pudo por comer de su plato. Y también se debatió entre embolsarse o no unos tenedores con incrustaciones de oro. ¡Si tan sólo la Casa de Merandus no hubiera estado al otro lado de la mesa! Todos sus miembros eran susurros y leían la mente, de tal forma que era probable que conociesen sus intenciones tan bien como ella misma. Sara le había dicho que debía ser capaz de sentir si uno de ellos se metía en su cabeza, así que se mantuvo rígida y nerviosa para estar atenta a su cerebro. Esto la volvió pálida y callada, y no dejar de mirar ni un segundo los alimentos que había separado para no ingerirlos.

Julian intentó distraerla, al igual que Jessamine, aunque esta última lo hizo sin querer. Casi se desvivía por alabar todo lo concerniente a Lord y Lady Merandus, desde sus prendas combinadas (él de traje, ella de vestido, ambos titilantes como un oscuro cielo estrellado) hasta las riquezas de sus territorios ancestrales (ubicados principalmente en

Haven, entre ellos el moderno suburbio de Ciudad Alegre, un lugar que Coriane sabía que distaba mucho de ser feliz). La prole de los Merandus se mostró decidida a ignorar a la Casa de Jacos, y se mantenía concentrada en sí misma alrededor de la mesa elevada donde la familia real comía. Incapaz de contenerse, Coriane dirigió también una furtiva mirada en esa dirección.

Tiberias V, rey de Norta, ocupaba el centro, naturalmente, muy erguido en su silla ornamentada. Su uniforme de gala negro estaba decorado con puntadas de seda carmesí y galones plateados, al nivel mismo de la perfección. Era un hombre hermoso, más que apuesto, con ojos de oro líquido y pómulos que harían llorar a los poetas. Incluso su barba, suntuosamente salpicada de gris, estaba afeitada con pulcritud y una meticulosa finura. Según Jessamine, la prueba de las reinas en su honor fue un baño de sangre de damas belicosas en pugna por el cetro. A ninguna pareció importarle que el rey no fuese a quererla jamás. Sólo deseaban dar a luz a sus hijos, preservar su confianza y ganarse una corona. Eso fue lo que hizo la reina Anabel, una olvido de la Casa de Lerolan. Ahora estaba sentada a la izquierda del rey, con una sonrisa de desprecio y los ojos puestos en su único hijo. Abierto en el cuello, su uniforme militar dejaba ver una conflagración de joyas rojas, anaranjadas y amarillas como la explosiva habilidad que poseía. Pese a ser pequeña, su corona era difícil de ignorar: gemas negras que parpadeaban cada vez que ella se movía, engastadas en una gruesa banda de oro rosado.

El amante del rey portaba en la cabeza una banda similar, aunque desprovista de piedras preciosas. Esto no parecía importarle, pues mantenía una sonrisa radiante y entrelazaba sus dedos con los del monarca. Era el príncipe Robert, de la Casa de Iral. Aunque no tenía una gota de sangre noble, ostentaba ese título desde hacía décadas, por órdenes del rey. Lo mismo que la soberana, llevaba consigo un aluvión de gemas, rojas y azules como los colores de su casa, que su uniforme negro de gala volvía más impresionantes todavía, además de un largo cabello de ébano y una piel broncínea inmaculada. Su risa era musical y se imponía sobre las numerosas voces que resonaban en el salón. A juicio de Coriane, tenía una mirada bondadosa, algo extraño en una persona que llevaba tanto tiempo en la corte. Esto la apaciguó un poco, hasta que vio a los integrantes de su casa sentados junto a él, todos ellos serios y secos, con miradas inquietas y sonrisas salvajes. Intentó recordar sus nombres, pero sólo sabía uno: el de la hermana del príncipe, Lady Ara, Señora de la Casa de Iral, quien efectivamente lo parecía de pies a cabeza. Como si sintiera su vista, los oscuros ojos de Ara se volvieron hacia los de Coriane, quien tuvo que mirar para otro lado.

Hacia el príncipe, Tiberias VI algún día, aunque por lo pronto, sólo Tiberias. Era un adolescente, de la edad de

Julian, y una sombra de la barba de su padre le moteaba la mandíbula de modo disparejo. Prefería el vino, a juzgar por la copa vacía que en ese instante se le llenaba de nuevo, y el plateado color que se desplegaba en sus mejillas. Ella recordó que había estado presente en el funeral de su tío, como un hijo respetuoso imperturbablemente en pie junto a una tumba. Ahora sonreía con soltura e intercambiaba bromas con su madre.

Sus ojos se fijaron un momento en los de ella cuando miró por encima del hombro de la reina Anabel para detenerse en la joven Jacos, que iba con un vestido anticuado. Asintió rápidamente, en respuesta a la mirada de Coriane, antes de regresar a sus divertimentos y su vino.

—¡No puedo creer que ella lo permita! —dijo una voz al otro lado de la mesa.

Cuando Coriane se volvió, miró a Elara Merandus, quien contemplaba también a la familia real, con ojos sesgados y penetrantes y un gesto de desagrado. De la misma manera que los de sus padres, su traje refulgía, hecho como estaba de una seda azul oscuro tachonada de blancas gemas, aunque exhibía una blusa suelta con esclavina y mangas acuchilladas en lugar de un vestido. Su cabello era largo y muy lacio, y le caía sobre el hombro como una cortina rubio ceniza, con lo que ponía al descubierto una oreja cargada de un fulgor de cristales. Lo demás era igual de perfecto: unas largas y oscuras pestañas y una piel más pálida e impecable que la porcelana, con la gracia de algo rebajado y pulido hasta alcanzar un refinamiento palaciego. Cohibida ya, Coriane tiró del cinto dorado que ceñía su cintura. Nada deseaba más en ese trance que abandonar el salón y volver a casa.

—Te hablo a ti, Jacos.

—Disculpe mi sobresalto —repuso Coriane, e intentó no alterar la voz. Elara no se distinguía por su bondad ni, de hecho, por ninguna otra cosa. Ella reparó en que sabía muy poco acerca de esa joven susurro, a pesar de que era la hija de un Señor gobernante—. ¿Qué decía usted?

Elara entornó sus brillantes ojos azules con la gracia de un cisne.

—Hablaba de la reina, por supuesto. No sé cómo puede compartir la mesa con el amante de su esposo, y menos todavía con su familia. Eso es simple y llanamente un insulto.

Coriane miró de nuevo al príncipe Robert. Daba la impresión de que su presencia tranquilizaba al rey, y si eso le importaba en verdad a la reina, no lo demostraba. Mientras las miraba, las tres realezas coronadas conversaban civilizadamente entre sí, aunque el príncipe heredero y su copa habían desaparecido.

—*Yo* no lo permitiría —continuó Elara mientras apartaba su plato. Estaba vacío, limpio hasta la consunción. *Por lo menos ella tiene el temple suficiente para acabarse su comida*—. Y sería mi casa la que se sentara allí, no la de él. Esto es derecho de la reina y de nadie más.

Así que competirá en la prueba de las reinas…

—¡Desde luego que lo haré!

Coriane se estremeció de temor. ¿Acaso ella había…?

—Sí.

Una sonrisa siniestra atravesó el rostro de Elara.

Esto encendió algo en Coriane, que casi la hizo caer del susto. No había percibido nada, ni siquiera un roce en su cabeza, el menor indicio de que Elara escuchase sus pensamientos.

—Yo… —soltó—. Discúlpeme.

Sintió extrañas las piernas cuando se incorporó, tambaleantes después de haber estado sentada mientras se servían trece platos diferentes, aunque todavía bajo su control, por fortuna. *Blanco, blanco, blanco, blanco,* pensó e imaginó paredes blancas y papel blanco y un todo blanco en su cabeza. Elara sólo la miraba, con una mano en la boca para ocultar la risa.

—¿Cori…? —le oyó decir a Julian, pero eso no la detuvo.

Tampoco Jessamine, quien no querría provocar un escándalo. Y su padre no se dio cuenta de nada, absorto en algo que Lord Provos decía en ese momento.

Blanco, blanco, blanco, blanco.

Sus pasos eran acompasados, ni demasiado rápidos ni demasiado lentos. ¿Cuán lejos tendré que llegar?

Más lejos, dijo en su cabeza el ronroneo despectivo de Elara, y la sensación estuvo a punto de hacerle tropezar y caer. La voz retumbó a su alrededor y dentro de ella, de las ventanas a sus huesos, de los candelabros a la sangre que martilleaba en sus oídos. *Más lejos, Jacos.*

—Blanco, blanco, blanco, blanco.

No se percató de que susurraba esas palabras para sí, fervientes como un rezo, hasta que salió del salón, recorrió un pasaje y cruzó una puerta de cristal biselado. Un patio diminuto se alzaba en torno suyo, y despedía un perfume a lluvia y flores aromáticas.

—Blanco, blanco, blanco, blanco —murmuró una vez más, al tiempo que se sumergía en el jardín.

Unos magnolios contrahechos formaban un arco y componían una guirnalda de capullos blancos y hojas muy verdes. Casi no llovía ya, y se acercó a los árboles para guarecerse de las últimas gotas de la tormenta. Hacía más frío del que suponía, pero le agradó. El eco de Elara se había apagado.

Tras soltar un suspiro, se dejó caer sobre un banco de piedra bajo la arboleda. Lo sintió más frío aún, así que se envolvió entre sus brazos.

—Puedo ayudarle si quiere —dijo una voz cavernosa con palabras lentas y pesadas.

Ella abrió bien los ojos y se dio la vuelta. Imaginó que Elara la rondaba, o Julian, o Jessamine, para reprenderla por su abrupta salida. Pero, obviamente, la figura en pie a un metro escaso de donde estaba no era la de ninguno de ellos.

—Su alteza —dijo, y se levantó de un salto para inclinarse de forma apropiada.

El príncipe Tiberias se plantó a su lado, complacido bajo la oscuridad, con una copa en una mano y una botella semivacía en la otra. La dejó hacer y, amablemente, no dirigió comentario alguno sobre su mal comportamiento.

—Basta —dijo al fin y le indicó con un ademán que se enderezara.

Ella cumplió la orden a toda prisa y se volvió hacia él.

—Sí, su alteza.

—¿Gusta una copa, *milady*? —le preguntó, aunque ya llenaba el recipiente. Nadie con sus cinco sentidos habría rechazado una oferta de un príncipe de Norta—. No es un abrigo, pero la calentará lo suficiente. ¡Es una lástima que no se sirva whisky en estas ceremonias!

Coriane forzó un gesto de asentimiento con la cabeza.

—Sí, es una lástima —repitió, pese a que nunca había probado la fuerte y parda bebida.

Cogió la copa llena con manos temblorosas y sus dedos rozaron un momento los de él. Su piel estaba caliente como una piedra bajo el sol y ella sintió la necesidad imperiosa de agarrarle la mano, pese a lo cual se limitó a apurar un gran trago de vino tinto.

Él hizo lo propio, aunque sorbió directamente de la botella. *¡Qué vulgar!*, pensó Coriane mientras veía su garganta inflarse conforme deglutía. *Jessamine me desollaría viva si hiciera eso.*

El príncipe no se sentó a su lado, sino que guardó su distancia para que ella sintiera únicamente un destello de su calor. Esto le bastó para saber que la sangre se le calentaba aun en la humedad. Coriane se preguntó cómo se las arreglaba para llevar puesto un traje tan elegante sin derramar una gota de sudor. Una parte de ella deseó que se sentara, porque sólo de esa forma disfrutaría del calor indirecto de sus habilidades. Pero eso habría sido impropio de ambos.

—Usted es la sobrina de Jared Jacos, ¿verdad? —inquirió con un tono cortés y sumamente educado; quizás un profesor de etiqueta lo había seguido desde la cuna. Tampoco en esta ocasión esperó a que respondiera—. Reciba mis condolencias, desde luego.

—Gracias. Me llamo Coriane —se presentó ella, pues previó que él no le preguntaría.

Sólo cuestiona aquello cuya respuesta ya conoce.

Él bajó la cabeza en señal de asentimiento.

—Sí. Y yo le ahorraré la vergüenza de presentarme.

A pesar de su decoro, Coriane sintió que sonreía. Sorbió de nuevo un poco de vino, aunque no supo qué más hacer. Jessamine no la había instruido mucho sobre la manera de conversar con la realeza de la Casa de Calore, y menos aún con el futuro rey. *No hables si no te lo piden,* era todo lo que recordaba, así que apretó los labios hasta formar con ellos una fina línea.

Tiberias dejó escapar una carcajada al verla. Puede ser que ya estuviera un poco ebrio.

—¿Sabe usted lo irritante que es tener que llevar la batuta en todas las conversaciones? —preguntó entre risas—.

Hablo con Robert y mis padres más que con cualquier otra persona sólo porque eso es más fácil que arrancarles palabras a otros.

¡Cuánto lo siento!, exclamó ella para sí.

—Eso es horrible —dijo tan recatadamente como pudo—. Quizá cuando sea rey pueda proponer algunos cambios en la etiqueta de la corte.

—Sería agotador —murmuró él en respuesta, entre tragos de vino—. Y poco importante, dado el contexto. Hay una guerra en marcha, por si no lo sabía.

Tenía razón. El vino la había calentado un poco.

—¿Una guerra? —preguntó—. ¿Dónde? ¿Cuándo? No he oído sobre eso.

El príncipe se dio la vuelta en seguida y vio que Coriane sonreía un poco por su reacción. Rio nuevamente e inclinó la botella hacia ella.

—¡Esta vez sí que me ha sorprendido, Lady Jacos!

Sin dejar de sonreír, se acercó al banco y se sentó a su lado. No tan cerca para tocarla, aunque ella se paralizó de todas formas y olvidó su tono gracioso. Él fingió que no lo notaba. Ella se esmeró en mantenerse tranquila y alerta.

—Estoy aquí bebiendo bajo la lluvia porque mis padres no ven con buenos ojos que me embriague frente a la corte —su calor se intensificó, junto con su molestia interior. A ella le deleitó esa sensación, porque la libró del frío que le calaba los huesos—. ¿Cuál es el pretexto de usted? No, espere, déjeme adivinar; la sentaron con la Casa de Merandus, ¿no es así?

Ella apretó los dientes y asintió.

—Quien asignó los sitios seguro que me odia.

—Los organizadores de fiestas odian sólo a mi madre. No es muy dada a los adornos, las flores ni los esquemas de asientos y ellos creen que descuida sus deberes como reina. Claro que eso es absurdo —añadió rápidamente y tomó otro trago—. Forma parte de más consejos de guerra que mi padre y se prepara lo suficiente por ambos.

Coriane recordó a la reina con su uniforme y un esplendor de insignias en el pecho.

—Es una mujer impresionante —dijo y no supo qué más agregar.

Su mente retornó un segundo al momento en que Elara Merandus miró indignada a la familia real debido a la supuesta capitulación de la reina.

—Así es —afirmó él mientras su mirada iba a dar a la copa de ella, ahora vacía—. ¿Le apetece el resto? —interrogó, y esta vez esperó a que contestara.

—No debería hacerlo —respondió, al tiempo que dejaba la copa sobre el banco—. Tengo que regresar al salón. Jessamine, mi prima, debe estar ya furiosa conmigo.

Espero que no me sermonee toda la noche.

El cielo se había ennegrecido y las nubes se habían disipado, llevándose la lluvia consigo para develar brillantes estrellas. La calidez física del príncipe, derivada de su habilidad como quemador, había creado un aura agradable que Coriane se resistía a abandonar. Respiró hondo, inhaló una última bocanada de los magnolios y se obligó a ponerse en pie.

Tiberias se incorporó de un salto, aunque sin descuidar sus buenos modales.

—¿Desea que la acompañe? —preguntó como lo haría todo un caballero.

Ella adivinó la renuencia en sus ojos y lo apartó con un gesto.

—No, no nos impondré ese castigo.

Los ojos de él relampaguearon.

—Ahora que habla de castigos, si Elara vuelve a susurrarle algo, trátela con la misma cortesía.

—¿Cómo... cómo sabe que fue ella?

Un tormentoso nubarrón de emociones cruzó el rostro del príncipe heredero, la mayoría de ellas desconocidas para Coriane, excepto la ira.

—Ella y cualquiera saben que mi padre convocará pronto la prueba de las reinas. No dudo que se haya infiltrado ya en la cabeza de todas las jóvenes, para conocer a sus enemigas y a sus presas —vació la botella con una celeridad casi violenta, aunque ésta no permaneció así mucho tiempo. Algo echó chispas en la muñeca de él, una explosión de amarillo y blanco que hizo arder una llama bajo el cristal, en cuya jaula verde quemó las últimas gotas de alcohol—. Me han dicho que su técnica es precisa, casi perfecta. Usted no la percibirá si ella no quiere.

Coriane sintió que tragaba hiel. Se concentró en la llama de la botella, así fuera sólo para evitar la mirada de Tiberias. Mientras observaba, el calor cuarteó el cristal, sin romperlo.

—Sí —dijo con un tono grave—. No lo percibo.

—Usted es una arrulladora, ¿no? —la voz de él era de súbito tan fuerte como su llama, de un amarillo terrible e intenso detrás del cristal verde—. Dele una ración de su propia medicina.

—No podría. No poseo la destreza para hacerlo. Además, tenemos leyes. No usamos las habilidades contra los nuestros, fuera de los canales apropiados…

Esta vez la risa de él fue sardónica.

—¿Y Elara Merandus cumple la ley? Si ella comienza; responda usted, Coriane. Así es como se acostumbra a hacer en mi reino.

—No es su reino todavía —se oyó farfullar, aunque a él no le importó; de hecho, sonrió en forma misteriosa.

—¡Sabía que tenía arrojo, Coriane Jacos! Oculto en su interior.

No es arrojo. Lo que silbaba dentro de ella era cólera, aunque nunca podría darle voz. Él era el príncipe, el futuro rey, y ella no era nadie en absoluto, lo que representaba una mala excusa para una hija Plateada de una Gran Casa. En lugar de erguirse como deseaba, hizo una reverencia más.

—Su alteza —dijo y fijó los ojos en las botas de él.

El príncipe no se movió, no acortó la distancia entre ellos como lo habría hecho uno de los protagonistas de los libros de Coriane. Tiberias Calore se apartó y la dejó partir sola, de regreso a una guarida de lobos sin otro escudo que su corazón.

Tras avanzar unos pasos, ella oyó que la botella se hacía trizas contra los magnolios.

Un príncipe extraño y una noche más extraña todavía, escribió después. *No sé si volveré a verlo. Pero parecía estar solo también. ¿No deberíamos estar solos los dos juntos?*

Al menos Jessamine estaba demasiado embriagada para reprenderme por haber salido tan deprisa.

La vida en la corte no era ni mejor ni peor que en la finca. La gobernación trajo consigo mayores ingresos, aunque ni por asomo los suficientes para elevar a la Casa de Jacos más allá de las comodidades básicas. Coriane no tenía aún una doncella ni la quería, mientras que Jessamine no cesaba de graznar que le hacía falta una asistente. Al menos la casa de Arcón era más fácil de mantener que la finca de Aderonack, que se clausuró después de que la familia fuera trasplantada a la capital.

La echo de menos en cierto modo, escribió Coriane. *El polvo, los jardines enzarzados, el vacío y el silencio. Tantos rincones que fueron míos, lejos de mi padre y de Jessamine, e incluso de Julian.* Lo que más lamentaba era la pérdida del garaje y los anexos. A pesar de que la familia no había tenido un vehículo utilizable desde hacía años, y menos todavía un chófer, los restos permanecían. Ahí estaba el armazón descomunal del vehículo privado de seis plazas cuyo motor había sido transferido al suelo como si se tratase de un órgano. Estropeados calentadores de agua y viejas calderas desmontadas en busca de partes útiles, por no mencionar las arcaicas herramientas del ya remoto personal de jardinería, llenaban los diversos cobertizos y dependencias. *Dejo atrás varios rompecabezas inconclusos, piezas que no volverán a juntarse nunca. Parece un desperdicio. No de los objetos, sino de mí. ¿Tanto tiempo dedicado a pelar alambres o contar tornillos para qué? ¿Para adquirir conocimientos que no usaré jamás? ¿Conocimientos menospreciados, inferiores, absurdos para todos? ¿Qué hice de mí durante quince años? Una gran estructura de nada. Supongo que echo de menos la vieja casa porque estaba conmigo en mi vacuidad, en mi silencio. Creía que detestaba la finca, pero creo que odio más la capital.*

Lord Jacos rechazó la petición de su hijo, desde luego. Su heredero no iría a Delphie a traducir ruinosos documentos ni a archivar artefactos despreciables. *No tiene ningún sentido hacerlo,* dijo, como no veía tampoco ningún sentido en casi todo lo que Coriane hacía, una opinión que expresaba con regularidad.

Ambos hijos se abatieron cuando sintieron que su escapatoria les era arrebatada. Incluso Jessamine notó su desaliento, aunque no les dijo nada a ninguno de los dos. Coriane sabía que su vieja prima había sido indulgente con ella en sus primeros meses en la corte, o que lo había sido más con la bebida. Porque por mucho que hablara de Arcón y Summerton, aparentemente ninguna de las dos le gustaba gran cosa, si su consumo de ginebra servía de referencia para ello.

Las más de las veces, Coriane podía escabullirse durante la siesta diaria de Jessamine. Recorrió la ciudad a pie en innumerables ocasiones, con la esperanza de hallar un sitio que fuera de su agrado, del cual asirse en el recién agitado mar de su vida.

No encontró ese lugar, pero sí a una persona.

Él le pidió que le llamara Tibe después de varias semanas. Un sobrenombre de familia, que usaban la realeza y unos cuantos amigos muy queridos.

—De acuerdo —dijo Coriane al aceptar su solicitud—. Decir *su alteza* era ya un poco desagradable.

Volvieron a verse por casualidad, en el inmenso puente que cruzaba el río Capital y unía ambos lados de Arcón. Era una maravillosa estructura de acero retorcido y hierro apuntalado que sostenía tres niveles de calzadas, plazas y centros de comercio. Más que las tiendas de sedas y los restaurantes de lujo que se alzaban sobre la corriente, a Coriane le interesó el puente mismo, su construcción. Intentó calcular cuántas toneladas de metal estaban bajo sus pies, para lo que sumergió su mente en una oleada de ecuaciones. Al principio no reparó en los centinelas que caminaban en su dirección, ni en el príncipe al que seguían. Él estaba lúcido esta vez, sin una botella en la mano, y ella pensó que pasaría sin mirarla.

En cambio, se detuvo a su lado y ella sintió su calor como un reflujo delicado, similar al roce del sol estival.

—Lady Jacos —le dijo mientras seguía su mirada hasta el acero del puente—, ¿ha descubierto algo interesante?

Ella inclinó la cabeza, aunque no quiso hacer el ridículo con otra reverencia fallida.

—Eso creo —contestó—. Me preguntaba encima de cuántas toneladas de metal estaremos posados, con la esperanza de que nos soporten.

El príncipe soltó una risotada teñida de nerviosismo. Movió los pies como si comprendiera de repente que, en efecto, se hallaban a una gran altura sobre el agua.

—Intentaré no pensar en eso —murmuró—. ¿Quiere compartir otra noción aterradora?

—¿De cuánto tiempo dispone usted? —preguntó ella al tiempo que esbozaba una sonrisa.

La esbozó apenas, porque algo arrastró al resto hacia abajo. La jaula de la capital no era un lugar grato para Coriane.

Ni para Tiberias Calore.

—¿Me haría el favor de acompañarme? —inquirió éste y le extendió un brazo.

Esta vez Coriane no percibió vacilación en él, ni las elucubraciones de una interrogante. El príncipe ya conocía la respuesta.

—Desde luego.

Y deslizó su brazo en el de él.

Ésta será la última ocasión en que un príncipe sujete mi brazo, pensó mientras atravesaban el puente. En lo sucesivo, pensaría lo mismo cada vez que sucediera, y siempre estaría equivocada.

A principios de junio, una semana antes de que la corte abandonara Arcón por el más pequeño pero igual de grandioso palacio de verano, Tibe llevó a alguien para que la conociera. Iban a reunirse en el este de Arcón, en el jardín escultórico a las puertas del teatro Hexaprin. Coriane llegó temprano porque Jessamine había empezado a beber durante el desayuno y ella estaba impaciente por escapar. Por una vez, su relativa pobreza resultó una ventaja. Sus prendas eran ordinarias, visiblemente Plateadas, rayadas como estaban con el dorado y amarillo de su casa, más allá de lo cual no eran nada notables. No portaba joya alguna que la señalara como una dama de una Gran Casa, alguien digno de mención, y ni siquiera la seguía un sirviente en uniforme. Los demás Plateados que vagaban entre esa colección de mármoles tallados apenas la miraron, y por una vez le agradó que así fuera.

La cúpula verde del Hexaprin se erguía en lo alto y se proyectaba sobre ella con el sol todavía en el cielo. Un cisne negro de liso e impoluto granito se posaba en la cúspide, con el largo cuello arqueado y las alas extendidas, cada una de cuyas plumas había sido esculpida con esmero. Era un monumento hermoso al exceso Plateado, *quizá de factura Roja,* intuyó ella y miró a su alrededor. No había ningún Rojo cerca; trajinaban en la calle. Algunos se detenían a mirar el teatro y alzaban los ojos a un lugar al que nunca entrarían. *Puede ser que algún día traiga a Eliza y a Melanie.* Se preguntó si esto les gustaría a las doncellas o si tal muestra de caridad las avergonzaría.

No alcanzó a resolverlo. La llegada de Tibe borró todos sus pensamientos.

Él carecía de la belleza de su padre pero era guapo a su manera. Tenía una mandíbula sólida que forcejeaba aún por desarrollar una barba, expresivos ojos dorados y una sonrisa maliciosa. Sus mejillas cambiaban de color cuando bebía y su risa se hacía más intensa, igual que su calor expansivo, aunque en ese momento estaba sobrio como un juez, y agitado. *Nervioso,* se dio cuenta Coriane mientras avanzaba para recibirla en compañía de su séquito.

Él vestía en esta ocasión con sencillez, *aunque no tan modestamente como yo*. No llevaba uniforme, insignias ni nada que indicara que aquél fuese un evento oficial. Portaba una chaqueta simple de color gris sobre una camisa blanca, pantalones de color rojo oscuro y botas negras tan bien lustradas que resplandecían como un espejo. Los centinelas no iban tan informales. Sus caretas y su indumentaria llameante eran signo suficiente del derecho de primogenitura del heredero.

—Buenos días —dijo y ella vio que golpeteaba su costado con los dedos—. Pensé que podríamos ver *Ocaso de invierno*. Es nueva, de las Tierras Bajas.

Coriane sintió que el corazón le daba un vuelco ante esa posibilidad. El teatro era una extravagancia que su familia apenas podía permitirse y Tibe lo sabía, a juzgar por el brillo en sus ojos.

—¡Claro! Suena maravilloso.

—Bueno —respondió él y enganchó el brazo de ella sobre el suyo.

Aunque esto era ya algo natural para ambos, el brazo de ella se crispó cuando sintió el de él. Coriane había decidido tiempo atrás que lo que existía entre ellos sería sólo amistad. *Él es un príncipe y está atado a la prueba de las reinas,* se decía; de cualquier forma, podía disfrutar de su presencia.

Dejaron el jardín y se dirigieron a los embaldosados peldaños del teatro y a la plaza con una fuente en la entrada. La mayoría se detenía para abrirles camino mientras miraba al príncipe y a una dama noble dirigirse en dirección al edificio. Algunos tomaron fotografías, cuyas luces radiantes deslumbraron a Coriane cuando a Tibe sólo le provocaron sonrisas; ya estaba habituado a este tipo de cosas. En realidad, tampoco a ella le importó. Se preguntó, de hecho, si no habría una manera de atenuar el resplandor de las cámaras para que no incordiaran a los circunstantes. No dejó de pensar en lámparas, cables y vidrios polarizados hasta que Tibe habló.

—Robert vendrá con nosotros, por cierto —dijo mientras cruzaban el umbral y pisaban un mosaico de cisnes negros con el gesto de echar a volar.

Al principio, Coriane apenas lo oyó, asombrada por la belleza del Hexaprin, con sus paredes de mármol, sus vertiginosas escaleras, su explosión de flores y su techo reflectante del que colgaba una docena de dorados candelabros.

Un segundo después cerró la boca, y cuando se volvió hacia Tibe vio que se había avergonzado en extremo, más que nunca antes.

Parpadeó preocupada. Vio en su imaginación al amante del rey, al príncipe que no era miembro de la familia real.

—Por mí, no hay problema —dijo y procuró no alzar la voz. Comenzaba a formarse ya una muchedumbre, ansiosa de entrar a la función de matiné—. ¿Lo hay para ti?

—No, no, me complace mucho que él venga. Yo... yo se lo pedí —el príncipe tropezaba con las palabras por alguna razón que Coriane no entendía—. Quiero que te conozca.

—¡Ah! —exclamó ella, y no supo qué más decir. Después miró su vestido (ordinario, pasado de moda) y frunció el ceño—. Me habría gustado vestir otro atuendo. No todos los días se conoce a un príncipe —añadió, y casi le guiñó un ojo a Tiberias.

Él lanzó una carcajada de alivio y buen humor.

—Ingeniosa, Coriane, muy ingeniosa.

Evitaron las taquillas y la entrada general al recinto. Tibe la hizo subir por una de las sinuosas escaleras para ofrecerle una vista mejor del enorme vestíbulo. Al igual que sobre el puente, ella se preguntó quién había construido aquel lugar, aunque en el fondo lo sabía. Trabajadores Rojos, artesanos Rojos y quizás unos cuantos magnetrones. Sintió la usual punzada de incredulidad. ¿Cómo es posible que los sirvientes produzcan tanta belleza y se les considere inferiores? Son capaces de maravillas diferentes a las nuestras.

Adquirían habilidad mediante el desempeño de su oficio y la práctica, más que por nacimiento. ¿Eso no es incluso mejor que la fuerza Plateada? Pero no pensó demasiado en esas cosas. No lo hacía nunca. *Así es la vida.*

El palco real se situaba al final de un largo pasillo alfombrado decorado con retratos. El príncipe Robert y la reina Anabel aparecían en muchos de ellos, ambos grandes mecenas de las artes en la capital. Tibe los señaló con orgullo y se detuvo ante un retrato de Robert y su madre en traje de ceremonia.

—Anabel *aborrece* ese cuadro —dijo una voz al fondo del corredor.

Lo mismo que su risa, la voz del príncipe Robert era melodiosa, y Coriane se preguntó si habría sangre arrulladora en su familia.

El príncipe se deslizó silenciosamente por la alfombra, con zancadas largas y elegantes. *Un seda,* supo entonces Coriane, y recordó que pertenecía a la Casa de Iral. Su aptitud era la agilidad, el equilibrio, lo que le confería una presencia ligera y destreza de acróbata. Su larga cabellera se derramaba en un hombro y relucía en ondas oscuras de un azul casi negro. Mientras se acercaba, Coriane advirtió un tono gris en sus sienes y líneas de expresión alrededor de su boca y sus ojos.

—No cree que nos representen con justicia, son demasiado agraciados; ya conoces a tu madre —continuó hasta detenerse frente al cuadro. Apuntó al rostro de Anabel y después al suyo. Ambos irradiaban juventud y vitalidad, con hermosas facciones y ojos chispeantes—. Yo opino que eso está bien. Después de todo, ¿quién no necesita un poco de ayuda de cuando en cuando? —agregó, con un guiño amable—. Descubrirás eso muy pronto, Tibe.

—No, si puedo evitarlo —replicó este último—. Posar para un retrato es quizás el acto más aburrido en el reino.

Coriane le dirigió una mirada.

—Pero un precio bajo por una corona.

—¡Bien dicho, Lady Jacos, bien dicho! —proclamó Robert entre risas al tiempo que agitaba su cabello—. Debes ser prudente, muchacho. ¿Acaso ya has olvidado tus modales?

—Claro que no —respondió Tibe y le hizo una seña a ella para que se acercara—. Tío Robert, ésta es Coriane, de la Casa de Jacos, hija de Lord Harrus, gobernador de Aderonack. Coriane, éste es el príncipe Robert, de la Casa de Iral, compañero jurado de su real majestad, el rey Tiberias V.

La reverencia de ella había mejorado en los últimos meses, aunque no mucho. De todos modos intentó hacerla, pero Robert tiró de ella para darle un abrazo. Él olía a lavanda y a… ¿pan horneado?

—Es un placer conocerla al fin —dijo mientras retrocedía. Por una vez, Coriane no se sintió examinada. Él no traslucía la menor maldad y le sonreía cordialmente—. Vamos, la función está a punto de comenzar —al igual que

Tibe, la cogió del brazo y le palmeó la mano como un abuelo cariñoso—. Usted se sentará a mi lado, por supuesto.

Algo se tensó en el pecho de Coriane, una sensación desconocida. ¿Era… felicidad? Así lo creyó.

Sonrió ampliamente, y cuando miró por encima del hombro vio que Tibe los seguía, la observaba y exhibía una sonrisa de alivio y regocijo.

Tibe fue con su padre al día siguiente a pasar revista a las tropas en una fortaleza en Delphie, lo que dejó a Coriane en libertad de visitar a Sara. La Casa de Skonos poseía una residencia opulenta en las lomas del oeste de Arcón, pero disfrutaba asimismo de algunas cámaras en el Palacio del Fuego Blanco, por si la familia real tenía necesidad en algún momento de un hábil sanador de la piel. Sara la recibió sola en las puertas, con una sonrisa perfecta para los vigilantes y una advertencia para ella.

—¿Qué pasa? ¿Ocurre algo? —susurró Coriane tan pronto como llegaron a los jardines frente a los aposentos de los Skonos.

Sara la llevó más allá, entre los árboles, hasta que estuvieron cerca de una pared cubierta de enredaderas y flanqueada por unos rosales inmensos que las ocultaban a ambas. Una vibración de pánico invadió a Coriane. ¿Qué habrá sucedido? ¿Les ha pasado algo a los padres de Sara? *¿Julian se equivocó y ella nos abandonará para irse a la guerra?* De manera egoísta, esperaba que tal no fuera el caso. Quería a

Sara tanto como Julian, pero no estaba tan dispuesta como él a verla partir, ni siquiera en pos de sus aspiraciones. Ese solo pensamiento la llenó de pavor e hizo que las lágrimas acudieran a sus ojos.

—¿Te vas a ir, Sara... te irás a...? —tartamudeó, aunque su amiga la frenó con un gesto.

—No tiene nada que ver conmigo, Cori. ¡Y no te atrevas a llorar! —añadió y se obligó a reír mientras la abrazaba—. Lo siento, no era mi intención alarmarte. Sólo quería que habláramos a solas.

Coriane se sintió aliviada.

—Doy gracias a mis colores —dijo entre dientes—. ¿Qué exige entonces tanto misterio? ¿Tu abuela ha vuelto a pedirte que le depilaras las cejas?

—No, y espero que no vuelva a hacerlo.

—¿Entonces qué?

—Has conocido al príncipe Robert.

Coriane echó a reír.

—¿Y eso qué importa? Estamos en la corte, todos *conocen* a Robert...

—Todos lo conocen, pero no todos tienen audiencias privadas con el amante del rey. De hecho, él no es bien visto, en absoluto.

—No imagino por qué. Es quizá la persona más amable de este lugar.

—Por envidia antes que nada, y algunas de las Casas más tradicionales piensan que no está bien que se le haya elevado tanto. *Cortesano* es el término que más se usa contra él.

Las mejillas de Coriane se encendieron de rabia y de pena por Robert.

—Bueno, si conocerlo y estimarlo es un escándalo, no me preocupa en lo más mínimo. Ni a Jessamine, en realidad; se emocionó mucho cuando le expliqué…

—El escándalo no se debe a Robert, Coriane —Sara la cogió de las manos y ella sintió que algo de la habilidad de su amiga penetraba en su piel. Un tacto fresco que significaba que la herida que se había hecho el día anterior desaparecería en un abrir y cerrar de ojos—. Se debe al príncipe heredero y a ti, a su cercanía. Todos saben que la familia real está muy unida, en particular en lo que se refiere a Robert. Lo valora y protege sobre todas las cosas. Si Tiberias quiso que vosotros dos os conocierais es que…

A pesar de la sensación agradable, Coriane se apartó de Sara.

—Somos amigos. Esto no puede ni podrá ser nunca otra cosa —forzó una risa muy distinta a la habitual—. No es posible que tú creas que Tibe me ve como algo más, que *quiera* o *pueda querer* algo más de mí, ¿o sí?

Supuso que su amiga reiría con ella, que desdeñaría todo esto como una broma. En cambio, Sara jamás se había mostrado tan seria.

—Todo apunta a que sí, Coriane.

—Pues te equivocas. Yo no, tampoco él, y además hay que pensar en la prueba de las reinas. Tendrá que ser pronto, él ya es mayor de edad y a mí nadie me elegiría nunca.

Sara la cogió otra vez de las manos y se las apretó suavemente.

—Creo que él lo haría.

—¡No me digas eso...! —susurró Coriane —miró las rosas, pero lo que veía era el rostro de Tibe. Ya le era conocido, después de varios meses de amistad. Conocía su nariz, sus labios, su mandíbula y más que nada sus ojos. Despertaban algo en ella, una afinidad que no sabía que pudiera tener con otra persona. Se veía en ellos, su propio dolor, su propia alegría. *Somos iguales*, pensó. *Buscamos algo que nos mantenga firmes, solos los dos en una habitación llena de gente*—. Es imposible. Y decirme esto, darme esperanzas con él... —suspiró y se mordió el labio—. No necesito esa pena adicional. Él es mi amigo y yo lo soy de él. Eso es todo.

Sara no era dada a las fantasías ni a las ilusiones. Se ocupaba de curar huesos fracturados, no corazones rotos. Así que Coriane no tuvo otro remedio que creerle, aun contra sus propias reservas.

—Amigos o no, eres la favorita de Tibe. Y sólo por eso debes cuidarte. Él acaba de colocar una diana en tu espalda y todas las jóvenes de la corte lo saben.

—Todas las jóvenes de la corte apenas saben quién soy, Sara.

De cualquier modo, volvió alerta a casa.

Y esa noche soñó que unos puñales envueltos en seda la hacían pedazos.

No habría prueba de las reinas.

Transcurrieron dos meses en la Mansión del Sol y la corte esperaba el anuncio con cada amanecer. Damas y caballeros importunaban al rey con la pregunta de cuándo elegiría el príncipe a una esposa de entre sus hijas. Pero él no se dejaba presionar y enfrentaba a todos con sus bellos e impasibles ojos. La reina Anabel adoptó la misma actitud y no daba indicio alguno del momento en que su hijo cumpliría su más importante deber. Sólo el príncipe Robert tenía el descaro de sonreír, con plena conciencia de la tempestad que se avizoraba en el horizonte. Los rumores aumentaron con el paso de los días. Se preguntaban si acaso Tiberias era igual que su padre y prefería a los hombres sobre las mujeres, pese a lo cual estaría obligado a escoger una reina que le diera hijos. Otros fueron más listos y seguían el rastro de las migajas que Robert tenía la bondad de ofrecerles, las cuales pretendían ser señales útiles y gentiles. "El príncipe ha puesto en claro su decisión y ningún ruedo lo hará cambiar de parecer".

Coriane Jacos cenaba regularmente con Robert, lo mismo que con la reina Anabel. Ninguno de los dos escatimaba elogios para la joven, tanto así que los chismosos se preguntaban si la Casa de Jacos era en verdad tan débil como parecía. "¿Es un ardid?", inquirían. "¿Una mala tapadera para esconder un rostro poderoso?" Los cínicos entre ellos tenían otras explicaciones. "Ella es una arrulladora, una manipuladora. Miró al príncipe a los ojos e hizo que se enamorara de ella. No sería la primera ocasión en que alguien infringe nuestras leyes por una corona."

A Lord Harrus le deleitaba esta renovada atención. La usó como palanca para cambiar el futuro de su hija por tetrarcas y crédito. Pero era un mal practicante de un juego complicado. Perdía todo lo que le prestaban, porque apostaba a las cartas tanto como a los certificados del Tesoro y emprendía negocios costosos e irreflexivos para *mejorar* la región bajo su mando. Fundó dos minas a instancias de Lord Samos, quien le aseguró que había ricas vetas de hierro en las montañas de Aderonack. Ambas fracasaron en cuestión de semanas, sin producir otra cosa que tierra.

Julian era el único que tenía conocimiento de esas quiebras, y procuraba esconderlas a su hermana. Tibe, Robert y Anabel hacían lo propio, para resguardarla de los chismes más arteros, y se aliaron con Julian y Sara en el propósito de mantener a Coriane dichosamente sumida en su ignorancia. Claro que ella se enteraba de todo, a pesar de tantas precauciones. Y para que su familia y amigos no se preocuparan, para tenerlos *a ellos* felices, aparentaba ser la misma de siempre. Sólo su diario sabía del precio de tales mentiras.

Papá nos llevará directo a la ruina. Se ufana de mí con sus supuestos amigos, a los que les dice que seré la próxima soberana de este reino. Nunca antes me había prestado atención, e incluso ahora es ínfima y no por mi bien. Si me ama hoy es debido a otro, a Tibe. Sólo cuando alguien más ve valor en mí, él se digna a hacer lo mismo.

Por culpa de su padre soñaba en una prueba de las reinas en la que no ganaba, por lo que se le descartaba y regresaba a la antigua finca. Una vez ahí, se las arreglaba para descansar por siempre en el sepulcro familiar, junto al quieto y desnudo cuerpo de su tío. Cuando el cadáver se movía y unas manos se dirigían a su garganta, despertaba empapada en sudor y ya no podía conciliar el sueño el resto de la noche.

Julian y Sara me creen débil, frágil, una muñeca de porcelana que se hará añicos si la tocan, escribió. *Peor todavía, empiezo a creer que están en lo cierto. ¿De veras soy tan quebradiza? ¿Tan inútil? Seguramente podría ayudar de algún modo, si Julian preguntara, ¿no? ¿Las lecciones de Jessamine son todo lo que puedo hacer? ¿En qué me estoy convirtiendo en este lugar? Dudo que recuerde incluso cómo reparar un circuito estropeado. Ya no me reconozco. ¿En esto consiste volverse adulto?*

Por culpa de Julian, soñaba en una hermosa habitación cuyas puertas y ventanas estaban cerradas y en la que nada ni nadie le hacía compañía, ni siquiera los libros. No había nada que la perturbara. La habitación se convertía siempre en una jaula de barrotes dorados que se encogía hasta herir su piel, y entonces despertaba.

No soy el monstruo que los rumores imaginan. No he hecho nada, no he manipulado a nadie. Ni siquiera he intentado utilizar mi habilidad desde hace meses, pues Julian ya no tiene tiempo para enseñarme. Pero ellos no lo creen. Veo cómo me miran, incluso los susurros de la Casa de Merandus. Incluso Elara. No la he oído dentro de mi cabeza desde el banquete, cuando sus mofas me arrojaron a los brazos de Tibe. Quizás esto le enseñó más que entrometerse. O tal vez teme mirarme a los ojos y oír mi voz, como si yo fuera un digno rival de sus susurros afilados. No lo soy, por supuesto. Estoy totalmente indefensa contra personas como ella. Quizá debería darle las gracias a quien inició el rumor. Impide a depredadores como ella convertirme en su presa.

Por culpa de Elara, soñaba que unos ojos azul hielo seguían cada uno de sus pasos y la veían ponerse una corona. La gente se inclinaba bajo su mirada y se burlaba cuando ella se volvía, pues conspiraba contra su reina recién coronada. Le temía y la odiaba en la misma medida, cada cual un lobo a la espera de que ella se revelara como un cordero. En el sueño entonaba una canción sin palabras que no hacía sino aumentar la sed de sangre de sus enemigos. A veces la mataban, otras la ignoraban y otras más la metían en una celda. Todos estos casos le impedían dormir por igual.

Hoy Tibe me ha dicho que me ama, que quiere casarse conmigo. No le creo. ¿Por qué querría tal cosa? Soy una persona insignificante, sin belleza ni intelecto, sin fuerza ni poder para ayudar a su reino. No soy para él más que una carga y un motivo de preocupación. Necesita alguien fuerte a su lado, una persona que sonría a los chismes y venza sus propias dudas. Tibe es tan débil como yo, un muchacho solitario sin un camino propio. Yo sólo complicaré las cosas. Sólo le traeré penas. ¿Cómo es posible que haga eso?

Por culpa de Tibe, soñaba que dejaba la corte para siempre, como Julian quería hacerlo para impedir que Sara se quedase ahí. Los lugares variaban cada noche. Huía a Delphie, Harbor Bay o las Tierras Bajas, o incluso a la comarca de los Lagos, cada una de ellas representada con matices de negro y gris. Ésas eran ciudades fantasmas que la devoraban y la escondían del príncipe y la corona que ofrecía. Pero también la asustaban. Y estaban vacías siempre, incluso de espíritus. En estos sueños, ella terminaba sola. Despertaba calmadamente de ellos en la mañana, con lágrimas secas y el corazón afligido.

Pese a todo, no tenía fuerzas para decirle que no.

Cuando Tiberias Calore, heredero del trono de Norta, se hincó a sus pies con un anillo en la mano, ella lo aceptó. Sonrió. Lo besó. Le dio el sí.

—Me has hecho más feliz de lo que creí ser nunca —le dijo Tibe.

—Conozco esa sensación —observó ella, y hablaba en serio.

Era feliz, sí, a su manera, y hasta donde sabía.

Pero hay una diferencia entre una vela en la oscuridad y un amanecer.

Hubo oposición entre las Grandes Casas. Después de todo, la prueba de las reinas era su derecho a casar al más noble de los hijos con la más talentosa de las hijas. Las Casas de Merandus, Samos y Osanos habían sido alguna vez las favoritas y sus hijas no se habían preparado para ser reinas sólo para que una cualquiera les arrebatara la corona. Pero el rey se mantuvo firme. Y había precedentes. Al menos dos reyes Calore se habían casado fuera del valladar de la prueba de las reinas. Tibe sería el tercero.

Como para pedir perdón por el desaire de la prueba de las reinas, el resto de las nupcias fue rígidamente tradicional. Se aguardó hasta que Coriane cumpliera los dieciséis años en la primavera siguiente para obtener el compromiso de matrimonio, lo que permitió a la familia real convencer, amenazar y comprar la aceptación de las Grandes Casas. Al cabo, todos aceptaron las condiciones. Coriane Jacos sería reina, pese a lo cual sus hijos estarían sujetos a bodas de conveniencia política. Aunque ella discrepó, Tibe se doblegó a este acuerdo y ella no pudo negarse.

Jessamine se atribuyó el mérito de todo, desde luego. Mientras cubrían a Coriane con su vestido de novia, una hora antes de que se casara con un príncipe, la vieja prima gorjeó al otro lado de un gran espejo:

—¡Mira tu porte, esos huesos son Jacos! Esbelta, grácil, como un ave.

Ella no sentía nada de eso. *Si fuera un ave, podría irme volando con Tibe.* Su diadema, la primera de muchas, se le clavaba en la cabeza. No era un buen augurio.

—Después se vuelve tolerable —susurró la reina Anabel en su oído.

Quiso creerle.

En ausencia de su madre, Coriane había aceptado a Anabel y a Robert como sus padres sustitutos. En un mundo perfecto, incluso ella habría llegado al altar del brazo de Robert, en reemplazo de su padre, quien no se reponía aún de sus cuitas. Como regalo de bodas, Harrus había pedido una asignación de cinco mil tetrarcas; al parecer no entendía que los presentes suelen darse a la novia, no solicitárseles a ella. Pese a su inminente posición suprema, había perdido su gobernación debido a malos manejos. Ya en terreno resbaladizo a causa del heterodoxo matrimonio de Tibe, la familia real no pudo ayudarle y la Casa de Provos asumió alegremente el gobierno de Aderonack.

Después de la ceremonia y el banquete, y de que Tibe se quedara dormido en su nueva habitación, Coriane garabateó en su diario. Su caligrafía era apresurada, confusa, con letras torcidas y páginas manchadas de tinta. Ya no escribía muy a menudo.

Acabo de casarme con un príncipe que un día será rey. Los cuentos de hadas suelen terminar aquí. Las historias no van más allá de este momento, y temo que hay una buena razón para ello. Hoy prevaleció una sensación de temor, una nube negra de la que no puedo librarme aún. Es un malestar en lo más hondo de mi ser, que consume mis fuerzas. O quizás he contraído una enfermedad, lo cual sería enteramente posible. Sara lo sabrá.

Sueño todavía con sus ojos. Los de Elara. ¿Es posible... podría ser ella la que me provoca estas pesadillas? ¿Los susurros pueden hacer algo así? Debo saberlo. Debo. Debo. DEBO.

Para su primera aparición como princesa de Norta, empleó a un tutor apropiado y llevó a Julian a su casa, a fin de que ambos le ayudaran a poner a punto su habilidad y a defenderse de lo que ella denominaba *molestias,* palabra cuidadosamente elegida. Una vez más, había decidido no revelarle a nadie sus problemas e impedir que su hermano se preocupara, igual que su nuevo esposo.

Ambos estaban distraídos, Julian con Sara y Tibe con otro bien guardado secreto.

El rey estaba enfermo.

Pasaron dos largos años antes de que la corte supiera que sucedía algo.

—Es así desde hace tiempo —dijo Robert, con una mano en la de Coriane.

Estaba en un balcón con él, cuyo rostro era la imagen misma de la aflicción. El príncipe conservaba todavía su garbo y sus sonrisas, pero su vigor se había marchitado y su piel se había vuelto oscura y cenicienta, sin vida. Daba la impresión de que moría junto con el rey. Pero la de Robert era una dolencia del corazón, no de los huesos y la sangre, como decían los sanadores sobre las enfermedades del monarca. Tiberias estaba invadido por un corrosivo cáncer que le generaba tumores y putrefacción.

Robert temblaba pese a que el sol no se había puesto todavía, por no hablar del aire cálido del verano. Coriane sentía sudor en la nuca, pero tenía frío dentro, como él.

—Los sanadores de la piel no pueden hacer nada. ¡Sería otra cosa si Tiberias se hubiera fracturado la columna!

La risa de Robert sonó hueca, como una canción sin notas. El rey no había muerto aún y su compañero era ya un esqueleto. Y aunque ella temía por su suegro, pues sabía que le aguardaba una dolorosa muerte por enfermedad, le aterraba perder a Robert también. *No puede sucumbir a esto. No se lo permitiré.*

—Está bien, no hace falta explicar —murmuró. Contuvo sus lágrimas, a pesar de que cada palmo de su ser esperaba que las derramara. ¿Cómo es posible que esté pasando esto? ¿Acaso no somos Plateados? ¿No somos dioses?—. ¿Él necesita algo? ¿Lo necesitas tú?

Robert esbozó una sonrisa vacía. Lanzó una mirada al vientre de ella, no redondeado aún por la vida que llevaba dentro. Un príncipe o una princesa, Coriane no lo sabía.

—A él le habría gustado conocerlo.

La Casa de Skonos lo probó todo, incluso hacerle al rey transfusiones de sangre con la cual sustituir la suya propia. Pero su mal, cualquiera que fuese, no desapareció. Lo debilitaba cada día más rápido. Aunque por lo común permanecía a su lado en su alcoba, esta vez Robert había dejado solo a Tiberias con su hijo, y Coriane sabía la razón. El fin se acercaba. La corona sería transferida y había cosas que únicamente Tibe podía conocer.

El día en que el rey murió, Coriane señaló la fecha y coloreó con tinta negra la página de su diario. Hizo lo mismo meses después, por Robert. Él ya no tenía ánimos para vivir y su corazón se negó a palpitar. Algo lo corroía también, y al final se lo tragó por completo. No pudo hacerse nada. Nadie pudo impedir que emprendiera el vuelo a las tinieblas. Coriane lloró amargamente mientras entintaba en su diario el último día de aquel príncipe.

Mantuvo esa tradición. Páginas negras para muertes negras. Dedicó una a Jessamine, cuyo cuerpo ya era simplemente demasiado viejo para continuar. Otra a su padre, quien halló su fin en el fondo de una botella.

Y tres más para los abortos que sufrió con el paso de los años. Todos acontecieron de noche, justo después de una violenta pesadilla.

Coriane tenía veintiún años y estaba embarazada por cuarta vez.

No se lo dijo a nadie, ni siquiera a Tibe. No quería causarle ese dolor. Sobre todo, no quería que nadie lo supiera. Si de verdad Elara Merandus la atormentaba todavía y volvía a su cuerpo en contra de sus hijos por nacer, no quería ningún anuncio acerca de un posible bebé en el palacio.

Los temores de una reina frágil no eran motivo para desterrar a una Gran Casa, y menos aún a una tan poderosa como la de Merandus. Elara continuaba en la corte, y era la última de las tres favoritas de la prueba de las reinas que no se había casado todavía. No se le insinuaba a Tibe. Al contrario, pedía con regularidad que se le contara entre las damas de Coriane, y con igual regularidad su solicitud era rechazada.

Será una sorpresa cuando la busque, pensaba Coriane mientras repasaba su modesto pero indispensable plan. *La pillaré desprevenida, lo bastante sorprendida para que yo pueda actuar*. Había practicado con Julian, Sara y hasta Tibe. Sus habilidades estaban mejor que nunca. *Venceré*.

El baile de despedida que señalaba el fin de la temporada en el palacio de verano era la situación perfecta. ¡Tantos invitados, tantas mentes! Acercarse a Elara sería fácil. Ella no imaginaría que la reina Coriane habría de dirigirle la palabra, y menos aún que la arrullaría. Pero haría ambas cosas.

Se cercioró de vestirse para la ocasión. Incluso ahora, con la riqueza de la corona a su alcance, se sentía fuera de lugar con sus sedas de oro y carmesí, una niña que jugara a disfrazarse contra las damas y caballeros a su alrededor. Tibe silbó como siempre, le dijo que estaba hermosa y le aseguró que era la única mujer para él, en este mundo o en cualquier otro. Aunque normalmente esto la apaciguaba, ahora estaba nerviosa, atenta a la tarea que pendía sobre sí.

Todo avanzaba demasiado lento y demasiado rápido para su gusto: la cena, el baile, el encuentro con tantas sonrisas despreciativas y tantos ojos entrecerrados. Ella era todavía la reina arrulladora para muchas de esas personas, una mujer que había llegado al trono a fuerza de conjuros. *¡Ojalá fuera cierto! ¡Ojalá fuese yo lo que ellos creen! Porque entonces Elara sería un ser sin importancia, y yo no pasaría despierta cada noche, con miedo a dormir, con miedo a soñar*.

Su oportunidad llegó bien avanzada la noche, cuando el vino escaseaba y Tibe había optado por su precioso whisky. Se apartó de su lado y dejó que Julian se ocupara de su embriagado rey. Ni siquiera Sara reparó en que su soberana se escabullía, para cruzarse en el camino de Elara Merandus cuando pasó cadenciosamente junto a las puertas de la terraza.

—¿Querría salir un momento conmigo, Lady Elara? —le preguntó con los ojos muy abiertos, concentrados como un láser en los de ella.

Cualquiera que hubiese pasado por ahí habría notado que su voz sonaba como una música y un coro al mismo tiempo, elegante, sugerente, peligrosa. Era un arma tan devastadora como la llama de su esposo.

Sin titubear, Elara fijó sus ojos en los de Coriane, y la reina sintió que su corazón latía con fuerza. *Concéntrate,* se dijo. *¡Concéntrate, maldita sea!* Si la Merandus no lograba ser subyugada, ella se vería condenada a algo peor que sus pesadillas.

Pero lenta, perezosamente, Elara dio un paso atrás, sin romper el contacto visual.

—Sí —respondió desganada y empujó con una mano la puerta que conducía a la terraza.

Mientras salían juntas, Coriane la cogió de un hombro, para impedir que vacilara. La noche estaba húmeda y calurosa; eran los últimos estertores del verano en el norte del valle ribereño. Coriane no sintió nada de esto. Los ojos de Elara eran lo único que tenía en la cabeza.

—¿Ha estado jugando con mi mente? —fue directo al grano.

—Desde hace tiempo no —respondió Elara, con la mirada perdida.

—¿Cuándo fue la última vez?

—El día de su boda.

Coriane parpadeó sobresaltada. *¿Hace tanto?*

—¿Qué...? ¿Qué hizo usted?

—La hice tropezar —una sonrisa sutil alteró las facciones de Elara—. La hice tropezar con su vestido.

—¿Eso... fue todo?

—Sí.

—¿Y los sueños? ¿Y las pesadillas?

Elara no contestó. *Porque no tiene nada que decir,* comprendió Coriane. Tomó aire y aguantó las ganas de llorar. *Estos temores son míos. Lo han sido siempre. Siempre lo serán. Algo me pasaba antes de llegar a la corte y me pasa todavía tanto tiempo después.*

—Volvamos —siseó al fin—. No recuerde nada de esto.

Cuando se apartó, rompió el contacto visual que tan desesperadamente había necesitado para mantener a Elara bajo control.

Como quien acaba de despertar, Elara parpadeó rápidamente. Le lanzó a la reina una mirada de confusión antes de alejarse a toda prisa, de regreso a la fiesta.

Coriane siguió la dirección contraria, hacia la balaustrada de piedra que ceñía la terraza. Se inclinó sobre ella e intentó recuperar el aliento, intentó no gritar. La vegetación se extendía bajo a sus pies, un jardín de fuentes y rocas a más de diez metros bajo ella. Durante un segundo de parálisis, contuvo el impulso de saltar.

Al día siguiente puso un guardia a su servicio, para que la protegiera de cualquier habilidad Plateada que alguien quisiera usar en su contra. Si no de Elara, seguramente de alguien más de la Casa de Merandus. No podía creer que su mente escapara a su control, feliz un segundo y angustiada al siguiente, como si diera tumbos entre sus emociones al modo de una cometa al viento.

El guardia pertenecía a la Casa de Arven, la Casa silente. Se llamaba Rane y era un salvador vestido de blanco que juró defender a su reina contra toda adversidad.

Llamaron Tiberias al bebé, como era la costumbre. A Coriane no le agradaba ese nombre, pero lo aceptó a petición de Tibe, quien le aseguró que llamarían Julian al siguiente. Era un bebé rollizo que sonrió pronto, reía a menudo y crecía a pasos agigantados. Lo apodaron Cal para distinguirlo de su padre y su abuelo. El mote prosperó.

El chico era el sol en el cielo de Coriane. En los días difíciles, disipaba la oscuridad. En los buenos, iluminaba el mundo. Cuando Tibe partió varias semanas al frente, ahora que la guerra volvía a intensificarse, Cal la mantuvo a salvo. Tenía unos meses de vida y ya era mejor que cualquier otro escudo del reino.

Julian adoraba al niño, le llevaba juguetes y le leía. Cal solía desarmar cosas y colocarlas mal, para deleite de Coriane. Ella dedicaba largas horas a volver a juntar los regalos que él destrozaba, lo cual divertía a ambos.

—Será más corpulento que su padre —dijo Sara. Ella era no sólo la principal dama de honor de Coriane, sino también su doctora—. Es un muchacho vigoroso.

Aunque estas palabras habrían fascinado a cualquier otra madre, a Coriane le asustó. *Más corpulento que su padre, un muchacho vigoroso.* Sabía lo que eso significaba para un príncipe Calore, un heredero de la Corona Ardiente.

Él no será un soldado, escribió en su diario. *Le debo eso. Los hijos e hijas de la Casa de Calore han combatido durante demasiado tiempo, este país ha tenido siempre un rey guerrero. Durante demasiado tiempo hemos estado en guerra, en el frente y… y dentro también. Puede ser que escribir estas cosas se considere un crimen, pero soy una reina. Soy la reina. Puedo decir y escribir lo que pienso.*

Al paso de los meses, Coriane pensaba cada vez más en el hogar de su infancia. La finca había desaparecido, demolida por los gobernadores Provos, despojada de sus recuerdos y fantasmas. Estaba demasiado cerca de la frontera Lacustre para que Plateados de verdad vivieran ahí, aunque las hostilidades se restringían a los territorios bombardeados del Obturador. Pocos Plateados caían, mientras que los Rojos morían a millares. Se les reclutaba en todos los rincones del reino y se les obligaba a servir y combatir. *Mi reino,* sabía

Coriane. *Mi esposo firma cada renovación de reclutamiento, no detiene el ciclo jamás, sólo se queja del calambre en su mano.*

Miró a su hijo en el suelo, que sonreía con un solo diente y golpeaba entre sí un par de piezas de madera. *Él no será igual,* murmuró.

Las pesadillas regresaron con toda su fuerza. Esta vez soñaba que su bebé crecía, vestía una armadura, lideraba a soldados y los lanzaba contra una cortina de humo. Él los seguía y no regresaba nunca.

Ojerosa y cansada, escribió el que sería el penúltimo episodio de su diario. Las palabras parecían haber sido talladas en la página. No había dormido en tres días; no habría soportado volver a soñar que su hijo agonizaba.

Los Calore son criaturas del fuego, tan fuertes y destructivas como su llama, pero Cal no será como ellos. El fuego puede destruir, el fuego puede matar, pero también puede crear. El bosque quemado en el verano florecerá en la primavera, mejor y más fuerte que antes. La llama de Cal construirá y enraizará sobre las cenizas de la guerra. Las armas callarán, el humo se disipará y los soldados, Rojos y Plateados por igual, volverán a casa. Después de cien años de guerra, mi hijo traerá la paz. No morirá combatiendo. No lo hará. NO LO HARÁ.

Tibe se había marchado a Fort Patriot, en Harbor Bay. Pero Arven estaba en su puerta, y su presencia formaba una burbuja de alivio. *Nada puede tocarme mientras él esté aquí,* pensó al tiempo que alisaba el sedoso cabello de Cal. *La única persona que hay en mi cabeza soy yo.*

La niñera que llegó a recoger al bebé notó la agitación de la reina, sus manos temblorosas, sus ojos vidriosos, pero no dijo nada. No le correspondía hacerlo.

Otra noche llegó y se fue. Una vez más, Coriane no pudo dormir, y escribió el último pasaje de su diario. Dibujó flores alrededor de cada palabra. Capullos de magnolia.

La única persona que hay en mi cabeza soy yo.

Tibe no es el mismo ya. La corona lo ha cambiado, como lo temiste. El fuego está dentro de él, el fuego que hará arder el mundo entero. Y está en tu hijo, en el príncipe cuya sangre no cambiará nunca y que jamás se sentará en un trono.

La única persona que hay en mi cabeza soy yo.

La única persona que no ha cambiado eres tú. Eres todavía la niña en una habitación empolvada, olvidada, no deseada, fuera de lugar. Eres la reina de todo, la madre de un hijo hermoso, la esposa de un rey que te ama, y a pesar de eso no eres capaz de sonreír.

A pesar de eso no haces nada.

A pesar de eso estás vacía.

La única persona que hay en tu cabeza eres tú.

Y es una persona insignificante.

Es nada.

A la mañana siguiente, una doncella encontró su corona nupcial rota sobre el suelo, una explosión de perlas y oro retorcido. Había plata en ella, sangre oscura tras el paso de las horas.

El agua de la bañera era negra.

El diario quedó inconcluso, y no fue visto por quien habría debido leerlo.

Sólo Elara vio sus páginas, y la lenta descomposición de la mujer que había en su interior.

Destruyó el libro como destruyó a Coriane.

Y sus noches siguieron sin sueños.

Mientras que los archivos de Delphie y las bibliotecas de Norta abundan en el relato Plateado de nuestra historia reciente, es mucho más difícil encontrar una perspectiva Roja. Naturalmente, estos documentos no fueron elaborados con rigor científico ni han sido bien conservados, de manera que hice todo lo posible por empezar a reunir un punto de vista Rojo. Las bóvedas de la Montaña del Cuerno complementaron mi investigación pero, aunque útiles, sus documentos también resienten deficiencias. Lo más provechoso fueron mis relaciones en la Guardia Escarlata, quienes me pusieron en contacto con gente valiosa. A diferencia de los Plateados, muchas comunidades Rojas han dependido de la tradición oral para transmitir su versión de los hechos. Por desgracia, en ocasiones esto es poco confiable, e hice cuanto pude para corroborar estas evidencias con textos históricos más concretos. Pese a la dificultad de tal empresa, considero indispensable que se haga todo lo posible por preservar otro ángulo de nuestra historia, no sea que olvidemos lo que aconteció antes que nosotros y qué fue de los Rojos de este mundo. Así pues, lo que tengo hasta ahora fue compilado de fuentes Rojas, en una mezcla de documentos y transcripciones de entrevistas.

Si bien soy tan responsable como cualquier otro Plateado del aberrante trato que han recibido los Rojos a lo largo de mi vida, y no merezco por ello perdón, espero que esta labor resulte útil para el futuro.

JJ

(El SEÑOR ELLDON hace girar un pequeño y brillante RUBÍ)

ELLDON: Este objeto ha pertenecido a mi familia durante cerca de trescientos años. Antes servíamos a reyes, los primeros de estas tierras. Los antiguos Calore, César y sus herederos. Dicen que él era bueno con sus sirvientes; su hijo no. Fue así como esto vino a dar a manos del abuelo del abuelo de mi abuelo, o quien haya sido. Antes había más, un collar entero lleno de rubíes. Pero desaparecieron al paso de los años, vendidos, intercambiados o perdidos. Éste es el único que quedó.

JACOS: ¿Fue robado?

ELLDON: Salvado. El yate del rey se hundía. Éste daba órdenes y empujaba a Rojos al agua en su intento por salvarse. Eso no agradó a mi abuelo y, en la confusión, arrancó los rubíes del cuello de Cesarión y lo empujó al mar.

JACOS: Comprendo.

ELLDON: Ese rey no era pariente suyo, ¿cierto?

JACOS: Lo más probable es que sí.

(El señor Elldon tiende la gema.)

ELLDON: ¿Quiere que se la devuelva?

JACOS: En absoluto.

El señor Tem Elldon, del sector Rojo de Arcón, asegura que un antepasado suyo causó la muerte del rey Cesarión, que se ahogó en un incidente marítimo en 44 NE.

eliminado de las afueras de Arcón para que diera paso a la barrera boscosa. Por decreto del rey Tiberias I, se ofreció a los Rojos la opción de trasladarse a la recién erigida comunidad tecnológica de Grand Town. Se les prometió empleo y exención de reclutamiento. La mayoría de ellos aprovecharon la oportunidad de vivir en la nueva ciudad, con servicios de agua corriente y electricidad, así como empleo seguro, dotación continua de raciones de alimento y la promesa de recibir educación. El gran

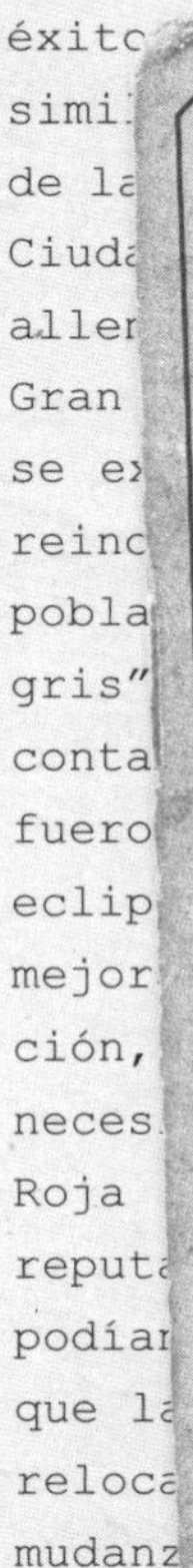

éxito
simi
de la
Ciuda
allen
Gran
se ex
reinc
pobla
gris"
conta
fuero
eclip
mejor
ción,
neces
Roja
reput
podían
que la
reloca
mudanz

VIVIENDA NUEVA • AGUA CORRIENTE • ELECTRICIDAD • RACIONES

NO NO NO NO

TRASLÁDATE HOY

GRAND TOWN (GRAY)
CIUDAD NUEVA
CIUDAD ALEGRE

~ *por DECRETO REAL del REY TIBERIAS* ~

TODOS LOS ROJOS que emigren a una ciudad tecnológica recibirán un empleo con SALARIO (NO) JUSTO y, junto con su familia, quedarán EXENTOS del SERVICIO MILITAR OBLIGATORIO.

Domina un oficio, vive bien, sirve al reino

COMO ESCLAVO

Aunque supervisado por Plateados, el centro era atendido por Rojos, los favorecidos por los supervisores o quienes habían pagado un soborno para ocupar un puesto menos agotador. Sus mensajes diarios eran guardados e ignorados junto con otra documentación oficial.

De los archivos del Centro Administrativo de Ciudad Nueva:

1 de junio de 144 NE: aún desbordado de trabajo a causa de los deportados del norte. Disponer de individuos no calificados es más peligroso que difícil. Dos fueron desmembrados ayer en los talleres y otro estuvo a punto de incendiar un almacén en el sector de las armas. Hemos pedido a los supervisores que aceleren la capacitación de los Rojos de la Cascada de la Doncella, aunque sólo sea para evitar que se maten o maten a otros en las plantas manufactureras, pero no nos hacen caso. La capacitación tiene que aplicarse a discreción fuera del horario de labores. El centro ya organiza a voluntarios para que preparen a los doscientos supervivientes. La mayoría son menores de dieciocho años y fueron separados de sus familias; son demasiado jóvenes para que se les reclute con el resto de sus comunidades en el norte. Todavía se hacen intentos para mejorar la vivienda, en especial para los más jóvenes.

Lo anterior corresponde a las severas medidas de Julias III contra las comunidades Rojas de la Cascada de la Doncella tras la muerte de su hijo a manos de bandidos Rojos. Las obligó a derribar sus aldeas y a construir en la frontera la ciudad-fortaleza de Corvium. En castigo, además, miles de Rojos fueron reclutados en el ejército o deportados a ciudades tecnológicas.

De los archivos de la
Patrulla Roja en Harbor Bay:

… podemos ocultar a nuestra gente en toda la ciudad, ahora que los Plateados están al acecho. No saben quién mató al hermano de la reina, sólo que fue un Rojo de la Alianza. Hasta donde sabemos, ésta fue arrestada. Un susurro identificó a uno de sus miembros y lo golpeó hasta hacerlo trizas. Todas las casas de seguridad y rutas de escape fueron extirpadas como un diente con caries. Intentamos cooperar, o al menos lo fingimos, para mantenernos a salvo. No es mucho lo que podemos hacer por la Alianza. No fue muy inteligente en esto. No lo fue en absoluto, y nosotros pagaremos las consecuencias…

Este informe de un oficial de la Patrulla Roja alude al asesinato del hermano y heredero de la reina Andura, el príncipe Marcas, en 197 NE, víctima de un levantamiento Rojo en Harbor Bay. Supongo que la "Alianza" mencionada es un antecedente de la Guardia Escarlata.

Aumentan las movilizaciones de la comarca de los Lagos en el río, parecen soldados Rojos. Curiosamente, no se dirigen al sur sino que doblan al este y río arriba en la bifurcación. Todos pagan la tarifa completa de antemano. Este año he llevado dos veces al mismo grupo. Otros barqueros dicen que han hecho igual. ~~sentimiento extraño sobre esto.~~ Esta gente me produce una sensación extraña. No están huyendo, eso está claro. Y no actúan por órdenes de los Plateados. Pagan demasiado bien nuestra discreción.

Los soldados Rojos me ofrecieron monedas que habrían pagado el doble de mi barca si los movilizaba rápido. Pagaron otra vez en la frontera. No pude resistirme. Los llevé al Ohius, en la frontera de Norta. Terreno peligroso. No me arriesgaré de nuevo. No conozco sus nombres todavía, pero van al norte, a juzgar por su prisa. Muy, muy al norte.

Los contrabandistas lacustres previnieron a los barqueros en la bifurcación. Los Plateados serán implacables en los puestos fronterizos y tienen órdenes de destruir nuestros navíos si desembarcamos en sus orillas. Ha habido problemas con los Rojos en los Lagos, suficientes para mantener vigilada la frontera. Están al acecho.

CNEL. FARLEY: Esto comenzó despacio, en pequeño, para que pasara inadvertido. La caída de un puente retrasa transportes y caravanas durante unos días. Una ciudadela no recibe a tiempo un envío de municiones. Las tropas no pueden emprender la marcha. Hay que redoblar esfuerzos para que se cumpla el plan y los oficiales se sienten frustrados, hechos polvo. Quizás uno da un mal paso y se abre la cabeza. Tal vez sus hijos están de visita y acaban perdidos en el bosque. Ese tipo de cosas.

JACOS: Ese tipo de cosas.

CNEL. FARLEY: Parece novato, Jacos. Pensé que ya había estudiado este asunto, que había visto cosas peores.

JACOS: No es lo mismo leerlo que escucharlo, coronel. ¿Dice que esto empezó en el ejército?

CNEL. FARLEY: Así es. Mi unidad no fue asignada a una ciudadela o legión específica, era itinerante. Éramos buenos para la guerra, para matar. Los Plateados nos mandaban adonde nos necesitaran, al frente u otra parte.

JACOS: ¿A la comarca de los Lagos?

CNEL. FARLEY: Sobre todo a la frontera, aunque sí, nos despachaban a todos lados.

JACOS: Creo que ahora es usted quien parece un poco verde, coronel.

CNEL. FARLEY: Eso es lo que hacían, enviarnos solos. Para que detuviéramos un disturbio como pudiéramos. Para que apartáramos a una madre de su hijo por la fuerza. Nada de eso nos sentaba bien.

JACOS: ¡Ya lo creo!

CNEL. FARLEY: Nuestro superior era un oficial Plateado con gusto por la bebida y la comida, en general los privilegios de su cargo en las ciudadelas. Siempre que nos presentáramos donde debíamos, los detalles no le importaban.

JACOS: Como que volaran puentes y mataran oficiales.

CNEL. FARLEY: Así es. Manteníamos pequeño el círculo. Mi unidad era la única al principio. Todos veníamos del Hud, del norte, un área fría y desierta. Quien aprende a

recorrerla aprende a cazar. Centinela estuvo conmigo desde el inicio, igual que Carmesí. Era nuestro mejor contacto con los Ribereños.

JACOS: ¿Los Ribereños?

CNEL. FARLEY: Así les llamamos a los barqueros y contrabandistas de los territorios en disputa. Son invaluables para cruzar la frontera o atravesar el río. No se nos permitía viajar con armamento, pero ellos nos mantenían armados cuando lo necesitábamos.

JACOS: Así que los generales de la comandancia apodados Centinela y Carmesí formaban parte de su unidad. ¿Cómo conoció a los otros?

CNEL. FARLEY: Nuestros caminos se cruzaron al paso del tiempo. La mayoría de ellos hacía lo mismo que nosotros. Saboteaban a los Plateados con planes que no pasaban de una o dos semanas. Fueron Palacio y Cisne quienes nos unieron, nos dieron un objetivo. Conocían a los Plateados mejor que nosotros. Sabían cómo pensaban, cómo actuaban. Y que

si queríamos influir de verdad, esto debía ser más grande que nosotros.

JACOS: ¡Vaya si lo lograron! ¿Le gustaría hablar del incidente del Hud? Se le conoce como el Anegamiento de las Tierras Altas.

(Farley mira fijamente un largo rato)

CNEL. FARLEY: Y un carajo.

Aunque el calendario de los territorios en disputa es distinto al de Norta y ese barquero dista de ser un erudito, triangulo sus aventuras con una fecha posterior a 300 NE. De esta conversación, sospecho que esos soldados Rojos que operaban en la frontera eran Farley, la general Centinela, el general Carmesí y el germen de lo que después sería la Guardia Escarlata.

JACOS: Antes de Cazadora, ¿cuál era su nombre clave en la Guardia Escarlata?

GRAL. FARLEY: Cordero. Y el de mi padre era Carnero.

JACOS: Era muy joven cuando se alistó.

GRAL. FARLEY: Sí.

JACOS: Y ayudaba a su padre en sus misiones en la comarca de los Lagos. A sembrar agentes en posiciones clave, sabotear el comercio y el transporte Plateados, contrabandear, reunir inteligencia, cometer asesinatos, etcétera.

GRAL. FARLEY: También eran mis misiones.

JACOS: ¡Claro! Y se le seleccionó para la infiltración de Norta.

GRAL. FARLEY: Sí.

JACOS: ¿Qué edad tenía cuando su madre y su hermana murieron?

(Farley no responde)

JACOS: ¿Le gustaría hablar del incidente del Hud?

GRAL. FARLEY: Y un carajo.

DE LOS REGISTROS MILITARES
DE LA MONTAÑA DEL CUERNO
Y EL CENTRO DE DEFENSA DE MONTFORT:

Nuestros espías en la comarca de los Lagos reportaron un suceso importante en el norte, en la costa de la bahía del Hud. Con base en nuestra inteligencia, varios ataques y actos de sabotaje en todo el reino pueden atribuirse a un pequeño grupo situado en una aldea remota. El rey de la comarca de los Lagos tomó duras represalias y agitó las aguas de esa bahía para extinguir literalmente los primeros carbones de rebelión. Aún a la espera del recuento de bajas, informes preliminares lo estiman en cientos. He pedido que se envíe un agente a investigar para que nos informe. Lo que más me interesa es ese supuesto grupo, su organización y tamaño. Todo indica que posee una enorme capacidad de coordinación y movilización, por no hablar de su sagacidad. Varios de sus miembros han sido capturados pero se han mostrado reacios al interrogatorio. A la usanza militar, dosifican su información; nadie conoce el plan general. Veremos cómo reaccionan.

El Anegamiento de las Tierras Altas, muy probablemente a principios de la primavera de 315 NE.

Jacos: Entiendo que usted desempeñó una parte nada despreciable en los acontecimientos recientes, sobre todo en los relacionados con Mare Barrow.

Sr. Whistle: ¡No fue gran cosa! La chica es una buena ladrona. Yo vendía lo que ella robaba; me quedaba con algo para compensar las molestias.

Jacos: También la presentó con la general Diana Farley y la Guardia Escarlata.

(El señor Whistle entrecierra los ojos y sùbe los hombros.)

Jacos: No me responda si no quiere, señor. Mi único deseo es conocer todos los ángulos de esta historia.

Whistle: Sabe que no me apellido Whistle, ¿cierto? Es un nombre en clave. La Guardia no es la única que los usa, ¿eh?

Jacos: Comprendo.

Whistle: Es parte de una gran organización, la red Whistle. Contrabandistas que operan en todo el país, en comunicación entre sí. Alguien en el sur mueve azúcar, en el norte

conseguimos baterías, y así sucesivamente. Indispensable, ¿sabe?, y uno tiene que traficar de todo. ¿De qué otra manera íbamos a sobrevivir en estas condiciones?

Jacos: Tiene razón. La Guardia Escarlata se infiltró pronto en la red Whistle, ¿no es así?

Whistle: ¿Se infiltró? No, se asoció con nosotros. Le ayudábamos a movilizarse y transmitir información, contrabandeábamos provisiones y personas. Pero nadie nos mandaba. Nadie aceptaba un deber si no lo quería. Ése fue el acuerdo, y la Guardia siempre lo honró.

Jacos: ¿Cuánto tiempo trabajó con la Guardia?

Whistle: ¿Yo? No mucho. Creo que fueron menos de dos años. Una vez que se pone en marcha, se mueve muy rápido.

Jacos: Y antes de sus negocios con esa organización, ¿cómo era la vida entonces? Supongo que vio muchas cosas.

Whistle: ¿Quiere decir que ya estoy viejo?

(El señor Whistle ríe.)

Whistle: Sí, he visto mucho. Lo bueno, lo malo. Los Pilares es mejor que casi cualquier otro

lugar. No es una ciudad tecnológica, y por suerte nunca tuve que atravesar una de ellas. Aun así, uno ve a chicos que son arrancados de su hogar, llevados a la fuerza. Cartas que al llegar postran a los padres de rodillas. Yo soy afortunado, no tengo hijos ni familia. Y mi infiltración era buena. Barría las calles para que a ojos de cualquier Plateado luciera como un trabajador más. Al menos eso cambió. Ahora, a nadie le preocupa el ejército, sólo piensan en lo que van a comer o cuándo un Plateado iracundo atacará su ciudad. No me quejo. Todo era peor antes de la Guardia, de la guerra. No sabíamos que podía mejorar. No lo esperábamos. Sabíamos qué les pasaba a los Rojos que protestaban. De las sublevaciones que fracasaban, de agitadores muertos por un discurso o una carta secreta. No servía de nada querer cambiar el mundo. Éste era demasiado grande, demasiado rígido, los Plateados siempre eran mejores que nosotros. Pero eso se acabó.

Jacos: Se acabó.

Whistle: Porque nos levantaremos, rojos como el amanecer.

CICATRICES DE ACERO

EL SIGUIENTE MENSAJE HA SIDO DESCIFRADO

CONFIDENCIAL, SE REQUIERE AUTORIZACIÓN DE LA COMANDANCIA

Día 61 de operación LACUSTRE, etapa 3.

Agente: Coronel CLASIFICADO.

Denominación: CARNERO.

Origen: Solmary, CL.

Destino: COMANDANCIA en CLASIFICADO.

—Operación LACUSTRE concluida antes de lo previsto, se considera exitosa. Canales y puntos de bloqueo de LAGOS PERIUS, MISKIN y NERON bajo control de la Guardia Escarlata.

—Agentes AZOTE y ÓPTICO controlarán avance de LACUSTRE, se mantendrán en estrecho contacto, abrirán canales con BASE MÓVIL y COMANDANCIA. Protocolo de tomar posición e informar, a la espera de órdenes de acción.

—Retorno a TRIAL con CORDERO en este momento.

—Resumen de LACUSTRE: muertos en combate: D. FERRON, T. MILLS, M. PERCHER (3).

—Heridos: PRESTO, ESPOLETA (2).

—Conteo de bajas Plateadas (3): guardaflora (1), coloso (1), ¿sanador de piel? (1).

—Conteo de bajas civiles: desconocido.

NOS LEVANTAREMOS, ROJOS COMO EL AMANECER.

—*Se avecinan tormentas.*

El coronel habla para llenar el silencio. Su ojo sano encuentra una grieta en la pared del compartimento y se clava en el horizonte. El otro mira fijamente, aunque apenas puede ver a través de una película de sangre escarlata. Esto no es ninguna novedad. Su ojo izquierdo ha estado así desde hace varios años.

Sigo su mirada a través de las tablillas de la madera traqueteante. Varias nubes oscuras se aglomeran a unos cuantos kilómetros, como si quisieran esconderse detrás de las arboladas montañas. Se oye un trueno a lo lejos. No le presto atención. Sólo espero que la tormenta no entorpezca la marcha del tren y nos obligue a pasar ocultos aquí un segundo más, bajo el suelo falso de un vagón de carga.

No tenemos tiempo para tormentas eléctricas ni conversaciones inútiles. Yo no he dormido desde hace días y tengo el semblante para probarlo. No quiero más que silencio y unas horas de descanso antes de que volvamos a la base, en Trial. Por suerte, aquí no hay mucho que hacer aparte de acostarse. Soy demasiado alta para caber en un espacio así, y el coronel también. Ambos tenemos que tumbarnos y agacharnos lo más posible en este sombrío cajón. Pronto será de noche y sólo la oscuridad nos hará compañía.

No puedo quejarme del medio de transporte. En el viaje a Solmary pasamos la mitad del trayecto en una barcaza que transportaba fruta; se atascó en el lago Neron y la mayor parte del cargamento se pudrió. Dediqué la primera semana de operaciones a lavar mi ropa para evitar aquella peste. Y nunca olvidaré el caos antes de que empezáramos en Lacustre, en Detraon. Después de tres días en un vagón de ganado, nos encontramos con que la capital Lacustre estaba totalmente fuera de nuestro alcance. Demasiado cerca del Obturador y el frente de guerra para tener defensas de tan mala calidad, una verdad que yo pasé gustosamente por alto. Pero no era un oficial entonces, ni fue mi decisión tratar de infiltrarnos en una capital Plateada sin la inteligencia ni el apoyo adecuados. Fue del coronel. Él no pasaba de ser un capitán en ese tiempo, con el nombre en clave de Carnero y demasiadas cosas que demostrar, demasiadas cosas por las cuales luchar. Yo simplemente me adherí a él, y era apenas poco más que un soldado. Tenía cosas que demostrar también.

Él mira el paisaje con los ojos entrecerrados aún. No para ver afuera, sino para no mirarme. *Está bien*. A mí tampoco me gusta mirarlo.

Mala sangre o no, formamos un buen equipo. La comandancia lo sabe, nosotros lo sabemos y por eso nos mantienen juntos todavía. Detraon fue nuestro único tropiezo en una marcha interminable por la causa. Y por ellos, por la Guardia Escarlata, dejamos en todo momento a un lado nuestras diferencias.

—¿Tiene alguna idea de adónde nos dirigimos ahora?

Al igual que el coronel, no soporto el pesado silencio.

Él aparta la mirada de la pared y frunce el ceño, aunque sin mirar todavía en mi dirección.

—Usted bien sabe que estas cosas no funcionan así.

Llevo dos años como oficial, dos más como soldado de la Guardia y una vida entera bajo su sombra. *Sé cómo funcionan estas cosas,* quisiera escupir.

Nadie sabe más de lo que debe. A nadie se le dice nada ajeno a su operación, su escuadrón, sus superiores inmediatos. La información es más peligrosa que cualquier arma que poseamos. Aprendimos esto pronto, después de décadas de alzamientos fallidos, todos frustrados por la captura de un Rojo a manos de un susurro Plateado. Ni siquiera el soldado mejor instruido puede resistir un ataque a la mente. Siempre les arrancan la verdad, sus secretos siempre son descubiertos. Así que mis agentes y mis soldados responden a mis órdenes, su capitán. Yo respondo a las del coronel, y él a las de la comandancia, quienquiera que ésta sea. Todo lo que sabemos es que debemos seguir adelante. Ésta es la única razón de que la Guardia haya perdurado tanto tiempo, y sobrevivido más que cualquier otra organización clandestina.

Pero ningún sistema es perfecto.

—Que no haya recibido nuevas órdenes no significa que no tenga *idea* de cuáles podrían ser —le digo.

Le tiembla la mejilla. Para fruncir el ceño o para sonreír, no lo sé. Aunque dudo que sea para esto último. El coronel no sonríe, al menos no de verdad. No lo ha hecho desde hace muchos años.

—Tengo mis sospechas —replica después de un largo momento.

—¿Y son...?

—Mías.

Siseo entre dientes. *Típico.* Y quizá para bien, si soy honesta conmigo. He tenido bastantes roces con los perros de caza Plateados para saber lo vital que es el sigilo de la Guardia. Mi mente sólo contiene nombres, fechas, operaciones, información suficiente para inutilizar los dos últimos años de trabajo en la comarca de los Lagos.

—Capitana Farley.

No usamos nuestros títulos o nombres en la correspondencia oficial. Yo soy Cordero, de conformidad con cualquier nota que pueda ser interceptada. Otra defensa. Si uno de nuestros mensajes cae en las manos equivocadas, si los Plateados descifran nuestro código, se las verán negras para dar con nosotros y desenredar nuestra vasta y exclusiva red.

—Coronel —respondo y él me mira por fin.

El pesar enciende su ojo sano, todavía con un conocido matiz azul. El resto ha cambiado con el paso de los años. Es notoriamente más duro, una masa correosa de músculos viejos enrollada como una serpiente bajo prendas raídas. Su cabello rubio, más claro que el mío, ha comenzado a caerse. Hay canas en sus sienes. No puedo creer que no lo haya visto antes. Ha envejecido. Aunque no se ha vuelto lento ni estúpido. Es tan astuto y peligroso como siempre.

Me quedo quieta bajo su rápida y silenciosa observación. Todo es una prueba para él. Cuando abre la boca, sé que la he superado.

—¿Qué sabe de Norta?

Esbozo una sonrisa cruel.

—Así que por fin han decidido expandirse...

—Le he hecho una pregunta, Corderito.

El sobrenombre es risible. Mido más de uno ochenta.

—Es otra monarquía como la de la comarca de los Lagos —suelto—. Los Rojos deben trabajar o alistarse. Se concentran en la costa, su capital es Arcón. Han estado en guerra con la comarca de los Lagos durante casi un siglo. Tienen una alianza con las Tierras Bajas. Su rey es Tiberias... Tiberias...

—Sexto —interviene. Reprende como un maestro, lo cual no significa que yo haya pasado mucho tiempo en la escuela. Por su culpa—. De la Casa de Calore.

Idiotas. El cerebro ni siquiera les alcanza para ponerles nombres diferentes a sus hijos.

—Quemadores —añado—. Reivindican la así llamada Corona Ardiente. Lógicamente, se oponen a los reyes ninfos de la comarca de los Lagos.

Conozco demasiado bien esta monarquía porque he vivido siempre bajo su régimen. Es tan interminable y persistente como las aguas de su reino.

—Así es. Se oponen, pero son horriblemente semejantes a ellos.

—Infiltrarnos en ella debe ser igual de fácil, entonces.

Alza una ceja para señalar el estrecho espacio que nos rodea. Tiene un aspecto casi divertido.

—¿Llama fácil a esto?

—No me han disparado hoy, así que yo diría que sí —contesto—. Además, Norta es ¿cuánto?, ¿la mitad de tamaño que la comarca de los Lagos?

—Con una población comparable. Ciudades densas, una base de infraestructura más avanzada...

—Tanto mejor para nosotros. Es sencillo esconderse en las multitudes.

Tensa la mandíbula, molesto.

—¿Tiene una respuesta para todo?

—Soy buena en lo que hago —afuera retumba otro trueno, más cerca que antes—. Así que vamos a Norta. A hacer lo mismo que hemos hecho aquí —insisto.

Mi cuerpo ya vibra de expectación. He esperado esto mucho tiempo. La comarca de los Lagos es sólo una parte de la rueda, una nación en un continente de muchas otras. Una rebelión limitada a sus fronteras fracasaría en definitiva, sofocada por las demás naciones del continente. En cambio, algo más grande, una ola que abarque dos reinos, otro cimiento por hacer explotar bajo los malditos pies de los Plateados... eso sí tiene posibilidades. Y una posibilidad es todo lo que necesito para hacer lo que debo.

El arma ilegal que cuelga de mi cintura no había sido nunca tan reconfortante.

—No olvide, capitana —me mira ahora, y ojalá no lo hiciera. *Es casi igual a ella*—, dónde residen realmente nuestras habilidades. Qué iniciamos, de dónde venimos.

Sin previo aviso, golpeo con el talón las tablas bajo nosotros. Él no se inmuta. Mi enfado no es una sorpresa.

—¿Cómo podría olvidarlo? —digo con sorna. Contengo el impulso de tirar de la larga trenza rubia que cae sobre mi hombro—. Mi espejo me lo recuerda cada día.

Aunque no gano nunca las discusiones con el coronel, esto lo siente al menos como un empate.

Mira de nuevo la pared. El último rayo de sol entra por ahí e ilumina la sangre de su ojo herido, que despide destellos rojos bajo la luz mortecina.

La exhalación del coronel está cargada de recuerdos.

—El mío también.

EL SIGUIENTE MENSAJE HA SIDO DESCIFRADO

CONFIDENCIAL, SE REQUIERE AUTORIZACIÓN DE LA COMANDANCIA

Agente: Coronel CLASIFICADO.

Denominación: CARNERO.

Origen: Trial, CL.

Destino: COMANDANCIA en CLASIFICADO.

—De vuelta en TRIAL con CORDERO.
—Confirmados los informes de contraofensiva Plateada en ADELA, CL.
—Se solicita permiso para enviar a RECESO y su equipo a observar / responder.
—Se solicita permiso para iniciar evaluación de viabilidad de contacto en NRT.

NOS LEVANTAREMOS, ROJOS COMO EL AMANECER.

EL SIGUIENTE MENSAJE HA SIDO DESCIFRADO
CONFIDENCIAL, SE REQUIERE AUTORIZACIÓN DE UN SUPERIOR

Agente: General CLASIFICADO.
Denominación: TAMBOR.
Origen: CLASIFICADO.
Destino: CARNERO en Trial, CL.

—Se otorga permiso para enviar a RECESO. Sólo a observar, operación VIGÍA.
—Se otorga permiso para evaluar viabilidad de contacto en NRT.
—CORDERO se hará cargo de la operación TELARAÑA ROJA y se pondrá en contacto con redes de contrabando y clandestinas en NRT, énfasis en la banda de mercado negro WHISTLE. Se anexan órdenes,

para su exclusivo conocimiento. Se le enviará a NRT en un plazo máximo de una semana.

—CARNERO se hará cargo de la operación BALUARTE. Se anexan órdenes, para su exclusivo conocimiento. Se le enviará a Ronto en un plazo máximo de una semana.

NOS LEVANTAREMOS, ROJOS COMO EL AMANECER.

Trial es la ciudad más grande en la frontera con los Lacustres, y sus intrincadas murallas y torres dan al lado contrario del lago de los Huesos Pardos y se adentran en el corazón de la campiña de Norta. Este lago cubre una ciudad sumergida que fue completamente saqueada por buzos ninfos. Entretanto, los esclavos de la comarca de los Lagos construyeron Trial en sus orillas, a modo de escarnio contra las ruinas anegadas y las inexploradas zonas de Norta.

Antes me preguntaba qué clase de idiotas son los que libran esta guerra Plateada si insisten en restringir los campos de batalla al desolado Obturador. La frontera norte es larga y sinuosa, sigue el curso del río y está casi totalmente arbolada en ambos lados, siempre protegida pero nunca atacada. Claro que el frío y la nieve son brutales en invierno, pero ¿qué hay de la primavera y el verano más recientes? *¿Y ahora?* Si Norta y la comarca de los Lagos no hubieran peleado durante un siglo, es de suponer que esta ciudad sería asaltada en cualquier momento. Pese a todo, no hay nada de eso, y nunca lo habrá.

Porque esta guerra no lo es en absoluto.

Es un exterminio.

Miles de soldados Rojos se alistan, combaten y mueren año tras año. Se les dice que deben luchar por sus reyes y defender a su país y a sus familias, quienes seguramente serían aplastados y derrocados si no fuera por su valentía obligatoria. Los Plateados se recuestan y mueven de un lado a otro sus legiones de juguete, para intercambiar golpes que al parecer nunca logran gran cosa. Los Rojos son demasiado ignorantes para notarlo. Es aberrante.

Sólo por una de un millar de razones yo creo en la causa y en la Guardia Escarlata. En cualquier otro caso, creer no vuelve fácil recibir una bala. Como pasó aquella vez en que regresé a Irabelle, sangrando por el abdomen, cuando no podía caminar sin la maldita ayuda del coronel. En esa ocasión tuve al menos una semana para descansar y sanar. Ahora dudo que esté aquí más de unos días antes de que vuelvan a mandarnos a otra parte.

Irabelle es la única base apropiada de la Guardia en la región, por lo menos hasta donde sé. Aunque hay varias casas de seguridad dispersas junto al río y en lo profundo del bosque, Irabelle es sin duda el corazón palpitante de nuestra organización. Parcialmente subterránea y totalmente invisible, la mayoría de nosotros la llamaríamos nuestro hogar si tuviéramos que hacerlo. Pero la mayoría no tenemos otro hogar más que la Guardia y los Rojos que nos acompañan.

La estructura es mucho más grande de lo necesario, así que un desconocido —o un invasor— se perdería fácilmente en ella. Es perfecta para buscar el silencio, por no hablar de que casi todas sus entradas y pasillos están provistos de compuertas. A una orden del coronel, el lugar entero se hunde, sumergido como el viejo mundo anterior a él. Esto lo vuelve húmedo y fresco en el verano y frío en el invierno, con paredes como capas de hielo. En cualquier estación, me gusta caminar por los túneles y hacer un patrullaje solitario a lo largo de sus oscuros corredores de cemento que todos han olvidado menos yo. Después de haber pasado un tiempo en el tren y de haber evitado la mirada acusadora y carmesí del coronel, el aire fresco y el túnel abierto a mis pies son lo más parecido a la libertad que haya conocido jamás.

El arma gira ociosamente en mi dedo con un preciso equilibrio que soy experta en mantener. No está cargada. No soy tonta. Aunque su peso letal no deja de ser agradable. *Norta*. La pistola da vueltas todavía. *Sus leyes de portación de armas son más estrictas que las de la comarca de los Lagos. Sólo se permite llevarlas a cazadores registrados. Y son pocos*. Éste es otro obstáculo que estoy ansiosa por vencer. Pese a que nunca he ido a Norta, imagino que es igual a la comarca de los Lagos: igual de Plateada, igual de peligrosa, igual de *ignorante*. Con un millar de verdugos y un millón destinado a la horca.

Hace mucho tiempo dejé de cuestionarme el motivo de que se permita que esto continúe. A mí no me enseñaron a aceptar la jaula de un amo, como lo hacen tantos. Lo que veo como una rendición exasperante es para muchos la única posibilidad de supervivencia. Supongo que tengo que agradecerle al coronel mi terca creencia en la libertad. No me dejó nunca pensar otra cosa. No me dejó nunca contentarme con mis circunstancias. Aunque no se lo diré jamás. Ha hecho demasiadas cosas como para merecer mi gratitud.

Yo he hecho lo mismo. Pienso que es justo. ¿Y acaso no creo en la justicia?

Me doy la vuelta cuando escucho unos pasos y deslizo el arma a mi costado, para mantenerla oculta. A otro miembro de la Guardia le daría igual, pero no a un agente Plateado. Pese a todo, no creo que uno de ellos nos encuentre aquí. No lo harán nunca.

Indy no se molesta en saludar. Se detiene a unos metros de mí, donde sus tatuajes destacan contra su piel canela incluso bajo la escasa luz. Unas espinas suben por un lado, desde su muñeca hasta la coronilla de su cabeza pelada al rape, y unas rosas descienden en curvas por el otro brazo. Su nombre en clave es Receso, aunque Jardín habría sido más apropiado. Es capitana como yo, una más entre los subalternos del coronel. Hay diez en total bajo su mando, cada uno con un destacamento mayor de soldados jurados que han prometido ser leales a sus capitanes.

—El coronel quiere verte en su oficina. Tiene nuevas órdenes —me dice y baja la voz, pese a que nadie puede oírnos en las profundidades de Irabelle—. No está de buenas.

Sonrío y la aparto para pasar. Es más baja que yo, como casi todos, así que tiene que hacer un esfuerzo para estar a la altura.

—¿Lo está alguna vez?

—Sabes a qué me refiero. Esto es distinto.

El destello en sus ojos oscuros revela un extraño temor. Lo he visto antes, en la enfermería, cuando se plantó junto al cuerpo de otra capitana, Saraline, cuyo nombre en clave es Piedad y que perdió un riñón en un decomiso de armas de rutina. Todavía está en recuperación. El cirujano temblaba, cuanto menos. *No es culpa tuya, no es labor tuya,* me dije. De todos modos, he hecho lo que he podido. No soy ajena a la sangre, y era la mejor médico disponible en ese momento, pero ésa fue la primera ocasión en que sostuve un órgano humano. *Por lo menos ella sigue viva.*

—Ya camina —me informa Indy, porque descifra la culpa en mi rostro—. Despacio, pero lo hace.

—Qué bien —digo, aunque omito añadir que debería haber caminado desde hace varias semanas.

No es culpa tuya, se repite en mi cabeza.

Cuando llegamos al eje central, ella dobla hacia la enfermería. No se ha apartado de Saraline más que para cumplir sus tareas y, aparentemente, las diligencias del coronel. Llegaron juntas a la Guardia y parecían hermanas de tan íntimas que eran. Luego fue obvio que *dejaron* de ser hermanas. A nadie le importa. No hay reglas que prohíban fraternizar en la organización, siempre y cuando el trabajo se haga y todos regresen vivos. Hasta ahora nadie en Irabelle ha sido tan necio o sensiblero para permitir que algo tan nimio como un sentimiento ponga en peligro nuestra causa.

Dejo a Indy con sus preocupaciones y me dirijo en dirección contraria, adonde sé que el coronel espera.

Su oficina sería una tumba maravillosa. No tiene ventanas, sus muros son de cemento y su lámpara siempre se apaga en el momento menos indicado. Hay lugares mucho mejores en Irabelle para que él se ocupe de sus asuntos, pero le agradan el silencio y los espacios cerrados. Es tan espigado que el techo a baja altura lo hace parecer un gigante. Quizá por eso le gusta tanto este lugar.

Su cabeza roza el cielo raso cuando se levanta para recibirme.

—¿Tiene nuevas órdenes? —pregunto, aunque ya conozco la respuesta.

Llevamos dos días aquí. Sé que no hay que esperar vacaciones de ningún tipo, incluso después del gran éxito de la operación Lacustre. Las vías centrales de tres lagos, clave cada uno de ellos para acceder a la comarca de los Lagos, nos pertenecen ya, y nadie se ha enterado. Para cuál alto propósito, no sé. Esto le incumbe a la comandancia, no a mí.

El coronel desliza sobre la mesa una hoja doblada y con el borde sellado. Tengo que abrirla con un dedo. ¡Qué raro! No había recibido nunca órdenes selladas.

Mis ojos vuelan por la página y se abren con cada palabra. Son órdenes de la comandancia, de lo más alto, por encima del coronel, directamente para mí.

—Éstas son…

Levanta una mano y me detiene en seco.

—La comandancia dice que son para su exclusivo conocimiento —asevera con una voz contenida, en la que de cualquier forma percibo molestia—. Es su operación.

Cierro un puño para mantener la calma. *Mi operación*. La sangre martillea en mis oídos, empujada por un pulso ascendente. Aprieto la mandíbula y hago rechinar los dientes para no sonreír. Veo las órdenes de nuevo para estar segura de que son reales. *Operación Telaraña Roja*.

Un momento después, me doy cuenta de que falta algo.

—No se le menciona a usted, señor.

Levanta la ceja del ojo enfermo.

—¿Esperaba otra cosa? No soy su *niñera*, capitana.

Se irrita. Su máscara de control amenaza con venirse abajo y él se entretiene con un escritorio ya prístino, del que sacude una mota de polvo inexistente.

Hago caso omiso del insulto.

—Muy bien. Supongo que tiene sus propias órdenes.

—Así es —dice al instante.

—Esto hay que celebrarlo, aunque sea modestamente.

Casi ríe.

—¿Qué quiere celebrar? ¿Ser un emblema? ¿O que aceptará una misión suicida?

Ahora sonrío de veras.

—Yo no lo veo así —doblo lentamente las órdenes y las meto en la bolsa de mi cazadora—. Esta noche brindaré por mi primera misión independiente y mañana partiré a Norta.

—*Para su exclusivo conocimiento,* capitana.

Cuando llego a la puerta, lo miro por encima del hombro.

—Como si usted no lo supiera ya —su silencio es admisión suficiente—. Además, voy a seguir bajo sus órdenes, así que podrá transmitir mis mensajes a la comandancia —agrego. No resisto la tentación de espolearlo un poco. Se lo merece por su idea de la niñera—. ¿Cómo le llaman a eso? ¡Ah, sí! El intermediario.

—Tenga cuidado, capitana.

Inclino la cabeza y sonrío mientras abro de un tirón la puerta de su oficina.

—Como siempre, coronel.

Por fortuna, no permite que se imponga otro incómodo silencio.

—Sus técnicos de televisión la aguardan en su cuartel. Será mejor que se apresure.

—Espero estar lista para la cámara.

Dejo escapar una risa falsa y finjo acicalarme.

Con una sacudida de su mano, él me aparta oficialmente de su vista. Me marcho con gusto y recorro los pasillos de Irabelle llena de entusiasmo.

Para mi sorpresa, la emoción que me hace palpitar no dura mucho. Pese a que he salido a toda velocidad hacia el cuartel para darle la buena noticia a mi equipo de soldados, mi paso disminuye pronto y mi deleite cede a la renuencia. Y al miedo.

Hay una razón para que nos llamen Carnero y Cordero, más allá de la obvia. Nunca me han enviado sin la guía del coronel. Él ha estado siempre ahí, como una red de protección que yo no he pedido jamás, pero con la que me he familiarizado. Él ha salvado mi vida tantas veces que ya he perdido la cuenta. Y es, en efecto, el motivo de que yo esté aquí y no en una aldea helada en la que perdería dedos cada invierno y amigos en cada ronda de reclutamiento. A pesar de que no siempre estamos de acuerdo, cumplimos invariablemente con nuestro trabajo y salimos vivos. Triunfamos donde otros no pueden. Sobrevivimos. Ahora debo hacer lo mismo sola. Ahora tengo que proteger a otros y ser responsable de sus vidas... y sus muertes.

Me detengo y me tomo unos momentos más para reponerme. La frescura de la sombra me tienta y apacigua. Me apoyo en la resbaladiza pared de cemento y permito que el frío se filtre en mí. *Debo ser como el coronel cuando forme mi equipo. Yo soy su capitana, su comandante, y tengo que ser perfecta. No hay lugar para errores y vacilaciones. Debemos avanzar a toda costa. Nos levantaremos, Rojos como el amanecer.*

Puede que el coronel no sea una buena persona, pero es un líder brillante. Eso ha bastado siempre. Y yo haré ahora todo lo posible para ser como él.

Pienso mejor en mi plan. Que el resto haraganee otro poco.

Entro sola a mi cuartel, con la frente en alto. Ignoro por qué me han elegido, por qué la comandancia quiere que sea yo quien proclame nuestro mensaje. Sin embargo, estoy segura de que es por una buena razón. Una joven que sostiene una bandera es una figura imponente… y desconcertante. Los Plateados podrán enviar hombres y mujeres a morir en el frente en igual medida, pero un grupo rebelde encabezado por una mujer es más fácil de subestimar. Y esto es justo lo que la comandancia desea. O simplemente prefiere que sea yo, y no uno de los suyos, la persona a la que al final se identifique y ejecute.

El primer técnico, prófugo de un arrabal a juzgar por su cuello tatuado, me hace señas para que me acerque a la cámara, ya en espera. Otro me ofrece una pañoleta roja y un mensaje escrito a máquina, que sólo será escuchado dentro de muchos meses.

Y cuando lo sea, cuando se deje oír de un extremo a otro de Norta y la comarca de los Lagos, caerá con la fuerza de un mazo.

Enfrento las cámaras sola, con el rostro oculto y unas palabras de acero.

Nos levantaremos, Rojos como el amanecer.

EL SIGUIENTE MENSAJE HA SIDO DESCIFRADO

CONFIDENCIAL, SE REQUIERE AUTORIZACIÓN DE LA COMANDANCIA

Agente: Coronel CLASIFICADO.

Denominación: CARNERO.

Origen: Trial, CL.

Destino: COMANDANCIA en CLASIFICADO.

—Equipo VIGÍA encabezado por RECESO enfrentó oposición en ADELA.

—Casa de seguridad en ADELA destruida.

—Resumen de VIGÍA: muertos en combate: R. INDY, N. CAWRALL, T. TREALLER, E. KEYNE (4).

—Conteo de bajas Plateadas: cero (0).

—Conteo de bajas civiles: desconocido.

NOS LEVANTAREMOS, ROJOS COMO EL AMANECER.

EL SIGUIENTE MENSAJE HA SIDO DESCIFRADO

CONFIDENCIAL, SE REQUIERE AUTORIZACIÓN DE UN SUPERIOR

Día 4 de la operación TELARAÑA ROJA, etapa 1.

Agente: Capitán CLASIFICADO.

Denominación: CORDERO.

Origen: Harbor Bay, NRT.

Destino: CARNERO en CLASIFICADO.

—Tránsito fluido por regiones ADERONACK, GRANDES BOSQUES, COSTA DE LAS MARISMAS.

—Tránsito difícil por región del FARO, fuerte presencia militar en NRT.

—Se estableció contacto con NAVEGANTES. Se entró a HARBOR BAY con su ayuda.

—Entrevista con EGAN, jefe de los NAVEGANTES. Se evaluará.

NOS LEVANTAREMOS, ROJOS COMO EL AMANECER..

Como cualquier buen cocinero podría decirlo, siempre hay ratas en la cocina.

El reino de Norta no es la excepción. Por sus grietas y fisuras se arrastra lo que la elite Plateada llamaría *alimañas*: ladrones, contrabandistas, desertores del ejército, adolescentes Rojos que huyen del alistamiento o débiles ancianos que intentan escapar al castigo del ocioso *crimen* de envejecer. En el campo, hacia la frontera Lacustre en el norte, esas personas se concentran en los bosques y las pequeñas aldeas, y buscan su seguridad en lugares donde los Plateados que se precian de serlo no se rebajarían a vivir. En cambio, en ciudades como Harbor Bay, donde los Plateados mantienen casas elegantes y legislación favorable, los Rojos recurren a medidas más desesperadas. Yo debo hacerlo así.

No es fácil llegar hasta el jefe Egan. Sus pretendidos colegas nos conducen a mí y a mi lugarteniente, Tristan, por un laberinto de túneles bajo las murallas de la ciudad costera. Volvemos sobre nuestros pasos más de una vez, con objeto de confundirme y de despistar a quien pretenda seguirnos. Casi doy por hecho que Melody, la ladrona de dulce voz y ojos de lince que nos guía, nos vendará los ojos. Por el contrario, permite que la oscuridad haga su labor, y cuando emergemos apenas puedo orientarme y rondar por la ciudad.

Tristan no es un hombre confiado, como buen soldado de la Guardia Escarlata. No se separa ni un instante de mí y mantiene una mano en su chaqueta, donde porta un largo cuchillo. Melody y sus hombres se toman a broma la obvia amenaza, y abren sus abrigos y mantones para exhibir sus propias armas cortantes.

—No te preocupes, *Pequeño* —le dice ella mientras alza una ceja en su dirección y a su altura descomunal—. Estáis bien protegidos.

Él enrojece de furia pero no suelta el arma. Y yo no olvido un segundo el puñal que llevo metido en la bota ni la pistola que guardo en el bolsillo trasero de mi pantalón.

Melody nos lleva por un mercado que vibra con los sonidos de rigor y el punzante aroma del pescado. Su robusto cuerpo se abre camino entre la muchedumbre, que se aparta para dejarla pasar. El tatuaje en su brazo, un ancla azul rodeada por una soga ondulada de color rojo, es advertencia suficiente. Es una Navegante, miembro de la organización de contrabando que la comandancia me encomendó sondear. Y a juzgar por la forma en que manda a su destacamento, tres de cuyos integrantes la siguen, es muy respetada y de alto rango.

Siento que me evalúa, a pesar de que dirige los ojos al frente. Por esto es que he decidido no traer a la ciudad al resto de mi equipo para nuestro encuentro con su jefe. Tristan y yo somos más que suficientes para evaluar esta organización, juzgar sus motivos y presentar un informe.

Todo indica que Egan ha adoptado el método opuesto.

Aunque espero hallar una fortaleza subterránea muy parecida a la nuestra en Irabelle, Melody nos encamina hacia la vieja torre de un faro cuyas paredes han sido desgastadas por el aire salado y la antigüedad. En otro tiempo, un fanal que ponía los barcos a buen recaudo, ahora está demasiado lejos del océano, pues la ciudad se ha adentrado en el puerto. Desde fuera, da la impresión de estar en el abandono, ya que sus ventanas están cerradas con postigos y las puertas atrancadas. Esto no significa nada para los Navegantes. Ni siquiera se molestan en ocultar su acercamiento, pese a que todos mis instintos claman discreción. En cambio, Melody nos lleva por el mercado al aire libre, con la cabeza en alto.

La multitud se mueve con nosotros como un banco de peces. Para servirnos de camuflaje. Para escoltarnos hasta el faro y una maltrecha puerta cerrada con llave. Esta acción me sorprende, y descubro que, en apariencia, los Navegantes están muy bien organizados. Es obvio que imponen respeto, por no decir que también lealtad. Ambos son premios muy valiosos para la Guardia Escarlata, algo que no puede comprarse con el dinero ni la intimidación. El corazón me salta en el pecho. Al parecer, los Navegantes son en efecto unos aliados viables.

Una vez a salvo en el faro, al pie de una interminable escalera de caracol, siento que una tensa cuerda se libera en mi pecho. Aunque poseo experiencia en infiltrarme en ciudades Plateadas y merodear por las calles con relativa concentración, no me gusta hacerlo. Sobre todo si no tengo al coronel a mi lado, quien es un escudo tosco pero eficaz contra cualquier cosa que pueda sucedernos.

—¿No teméis a los agentes de seguridad? —pregunto mientras uno de los Navegantes cierra la puerta a nuestras espaldas—. ¿Ellos no saben que estáis aquí?

Melody ríe de nuevo. Ya ha subido una docena de peldaños y continúa su ascenso.

—Claro que lo saben.

Los ojos de Tristan casi se salen de sus órbitas.

—¿Qué? —palidece, porque piensa lo mismo que yo.

—Que seguridad sabe que estamos aquí —repite ella y su voz produce eco en la torre.

Cuando pongo un pie en el primer peldaño, Tristan me agarra de la muñeca.

—No deberíamos estar aquí, capi… —murmura, como si hubiera perdido el control.

No le doy la oportunidad de decir mi nombre, de ir contra las reglas y protocolos que nos han protegido durante tanto tiempo. En cambio, le encajo el antebrazo en la tráquea y lo empujo con toda mi fuerza por las escaleras. Cae cuan largo es sobre varios peldaños.

El color me cambia de la vergüenza. Esto no es algo que me guste hacer, sea frente a propios o extraños. Tristan es un buen lugarteniente, aunque un tanto sobreprotector. No sé qué es más perjudicial: dejarles ver a los Navegantes que hay desacuerdo en nuestras filas o mostrarles temor. Espero que sea esto último. Después de alzar los hombros de forma calculada, doy un paso atrás y le ofrezco una mano a Tristan, pero no me disculpo. Él sabe por qué.

Y sin decir palabra, me sigue escaleras arriba.

Melody nos cede su lugar y siento sus ojos en cada pisada. Ciertamente me observa ahora. Y se lo permito, con un rostro y una actitud indiferentes. Hago cuanto puedo por ser como el coronel, impredecible e inquebrantable.

En la cresta del faro las ventanas tapiadas dan paso a una amplia vista de Harbor Bay. Construida literalmente sobre otra ciudad antigua, Bay es un nudo terrible. Sus estrechos recodos y callejones son más propios para caballos que para vehículos, y nosotros tuvimos que escurrirnos por pasadizos para no ser atropellados. Desde este mirador, puedo ver que todo gira en torno al famoso puerto, con demasiadas callejuelas, túneles y esquinas olvidadas como para ser patrulladas. Si se añade a todo esto una alta concentración de Rojos, se comprenderá que es un sitio ideal para el alzamiento de la Guardia Escarlata en la zona.

Nuestra inteligencia identificó esta urbe como la raíz más viable de la rebelión Roja en Norta. A diferencia de la capital, Arcón, donde la sede del gobierno demanda un orden absoluto, Harbor Bay no está sometida a un control tan estricto.

Pero no está desamparada. La base militar que se yergue sobre las aguas, Fort Patriot, divide en dos el perfecto semicírculo de la tierra y las olas. Éste es un eje para el ejército, la marina y la aviación de Norta, el único de su clase que sirve a los tres cuerpos de las fuerzas armadas Plateadas. Como el resto de la ciudad, sus muros y edificios están pintados de blanco y guarnecidos de tejados azules y altas torrecillas de plata. Intento memorizar todo esto desde mi atalaya. Quién sabe cuándo podrían ser de utilidad estos conocimientos. Y gracias a la absurda guerra que hoy se libra en el norte, Fort Patriot es enteramente ajeno a la ciudad que lo circunda. Los soldados no traspasan sus muros, en tanto que la seguridad mantiene a raya la urbe. Según ciertos informes, resguarda a los suyos, los ciudadanos Plateados, pues los Rojos de Harbor Bay se gobiernan en gran medida solos, con grupos y pandillas que preservan su propia versión del orden. Hay tres de ellos en particular.

La Patrulla Roja es una especie de fuerza policiaca que mantiene la justicia Roja que le es posible y protege y hace cumplir leyes que la seguridad Plateada no se molestará en vigilar. Resuelve controversias Rojas y crímenes cometidos contra los nuestros, para impedir más abusos a manos de la inclemente sangre Plateada. Su trabajo es reconocido, tolerado incluso, por los funcionarios de la ciudad, lo cual explica que yo no haya acudido a ella. Aunque puede ser que su causa sea noble, para mi gusto desfila demasiado cerca de los Plateados.

Los Piratas, una gavilla con pretensiones, me despiertan una desconfianza igual. Son violentos a decir de todos, un rasgo que yo admiraría normalmente. Su ocupación es la sangre, y causan la sensación de un perro rabioso. Salvajes, brutos y despiadados, sus miembros suelen ser ejecutados y rápidamente sustituidos. Mantienen el control de su sector en la ciudad mediante la opresión y el asesinato, y suelen estar en desacuerdo con su grupo rival, Los Navegantes.

A quienes debo evaluar.

—Supongo que tú eres Cordero.

Me vuelvo sobre mis talones, desde el horizonte que se extiende hacia todas las latitudes.

El hombre, que imagino es Egan, está dejado caer sobre las ventanas opuestas, sin saber o sin temer que nada más que un vidrio antiguo se halla entre él y una larga caída. Al igual que yo, monta una farsa, y muestra las cartas que quiere al tiempo que oculta el resto.

He acudido aquí únicamente con Tristan para producir cierta impresión. Flanqueado por Melody y una caterva de Navegantes, Egan ha optado por demostrar su fuerza. Para causar un impacto en mí. *Muy bien.*

Expone dos brazos musculosos y cubiertos de cicatrices a los que distinguen dos tatuajes de anclas. Me recuerda al coronel, pese a que no se parecen en absoluto. Egan es de baja estatura, rechoncho, fornido, con una piel achicharrada por el sol y una larga cabellera consumida por la sal y recogida en una trenza enredada. No me cabe la menor duda de que ha pasado la mitad de su vida en una barca.

—O al menos ése es el nombre en clave que te endilgaron —continúa, en medio de una sonrisa. Le falta un buen número de dientes—. ¿Estoy en lo cierto?

Me encojo de hombros, evasiva.

—¿Mi nombre importa?

—En absoluto. Sólo tus intenciones. ¿Las cuales son…?

Tan sonriente como él, avanzo hasta el centro de la sala, no sin eludir la depresión circular que antes ocupaba la lámpara.

—Creo que usted ya las conoce.

Mis órdenes indicaban que debía ponerme en contacto con esta pandilla, pero no hasta qué punto. Fue una omisión necesaria, ya que de lo contrario personas desconocidas podrían usar nuestra correspondencia contra nosotros.

—Bueno, conozco bastante bien las metas y tácticas de tu gente, pero me refiero a ti. ¿A qué has venido?

Tu gente. Estas palabras punzan y tironean mi cerebro. Las interpretaré después. Me gustaría más una pelea a golpes que este juego nauseabundo de toma y daca. Preferiría un ojo morado a un acertijo.

—Mi meta es establecer líneas abiertas de comunicación. Ustedes son una organización de contrabando, y tener amigos al otro lado de la frontera nos beneficiaría a ambas partes —con otra sonrisa cautivadora, paso los dedos por mi cabello trenzado—. Sólo soy un mensajero, señor.

—Yo no llamaría mensajero a una capitana de la Guardia Escarlata.

Tristan no se mueve esta vez. Es mi turno de reaccionar, a pesar de mi instrucción. Egan no pasa por alto mis ojos bien abiertos ni el color de mis mejillas. Sus asistentes, Melody en particular, tienen la audacia de sonreír entre ellos.

Tu gente. La Guardia Escarlata. Nos conoce.

—Entonces no soy la primera.

Exhibe otra sonrisa maniática.

—Ni de lejos. Hemos transportado mercancías de los tuyos desde... —mira a Melody mientras hace una pausa para llamar la atención— hace dos años, ¿no?

—Septiembre del trescientos, jefe —responde ella.

—Ah, sí. Por lo que veo, tú no sabes nada de eso, Oveja.

Reprimo el impulso de abrir la boca y protestar. *Discreción,* decían las órdenes. Dudo que se considere discreto lanzar a un criminal engreído desde su torre en decadencia.

—No es nuestra costumbre.

Y ésta es la única explicación que ofrezco. Porque aunque Egan se crea superior a mí, mucho más informado que yo, se equivoca. No tiene idea de lo que somos, de lo que hemos hecho y de cuánto más planeamos hacer. Ni siquiera puede imaginarlo.

—Bueno, tus camaradas pagan bien, eso es seguro —hace tintinear una pulsera de plata finamente trabajada, trenzada como una soga—. Espero que tú seas igual.

—Si hace lo que se le pide, así será.

—Entonces haré lo que se me pida.

Me basta con inclinarme hacia Tristan para que él se ponga en marcha. Llega junto a mí con dos pasos largos, de modo tan rápido y desgarbado que Egan echa a reír.

—¡Vaya que eres escuálido, campeón! —exclama—. ¿Cómo te dicen? ¿Espárrago?

Una comisura de mi boca se mueve, pero no sonrío. Por Tristan. Por más que coma o entrene, sus músculos no se fortifican. A él le da lo mismo. Es un pistolero, un francotirador, no un bravucón. Es más valioso a cien metros de distancia, con un buen rifle. No le haré saber a Egan que su nombre en clave es Huesos.

—Necesitamos información general sobre una red a la que llaman Whistle, y ser presentados ante ella —dice Tristan para formular mis peticiones en lugar de mí. Otra táctica del coronel que he adoptado—. Buscamos contactos viables en estas áreas clave.

Muestra un mapa en el que las ciudades e intersecciones importantes de todo el país aparecen marcadas con puntos rojos. Las conozco sin que sea necesario que las vea: las barriadas industriales de Gray Town y Ciudad Nueva;

la capital, Arcón; Delphie; la ciudad militar de Corvium, y muchas otras pequeñas poblaciones y aldeas. Aunque Egan no mira el documento, asiente; es la imagen misma de la confianza.

—¿Algo más? —pregunta fastidiado.

Tristan se vuelve hacia mí, como si me diera la última oportunidad de negarme a la orden final de la comandancia. Pero no lo haré.

—Tendremos que emplear pronto su red de contrabando.

—No hay ningún problema. Con los Whistle a su disposición, el país entero está a su alcance. Pueden traer y llevar cualquier cosa de aquí a Corvium si así lo quieren.

No me queda otro remedio que sonreír, con lo que muestro mis dientes.

Pero la sonrisa de Egan se atenúa un poco. Sabe que hay algo más.

—¿Cuál será el cargamento?

Con manos rápidas, arrojo a sus pies una pequeña bolsa de tetrarcas. Todos ellos de plata: Suficientes para convencerlo.

—Las personas adecuadas.

EL SIGUIENTE MENSAJE HA SIDO DESCIFRADO

CONFIDENCIAL, SE REQUIERE AUTORIZACIÓN DE UN SUPERIOR

Día 6 de la operación TELARAÑA ROJA, etapa 1.

Agente: Capitán CLASIFICADO.

Denominación: CORDERO.
Origen: Harbor Bay, NRT.
Destino: CARNERO en CLASIFICADO.

—NAVEGANTES dirigidos por EGAN aceptan condiciones. Se encargarán de transporte en región FARO una vez iniciada etapa 2 de TELARAÑA ROJA.
—Se informa que NAVEGANTES conocen organización GE. Otras células activas en NRT. ¿Buscar aclaraciones?

NOS LEVANTAREMOS, ROJOS COMO EL AMANECER.

EL SIGUIENTE MENSAJE HA SIDO DESCIFRADO
CONFIDENCIAL, SE REQUIERE AUTORIZACIÓN DE UN SUPERIOR

Agente: Coronel CLASIFICADO.
Denominación: CARNERO.
Origen: CLASIFICADO.
Destino: CORDERO en Harbor Bay, NRT.

—Ignórelo. Concéntrese en TELARAÑA ROJA.

NOS LEVANTAREMOS, ROJOS COMO EL AMANECER.

EL SIGUIENTE MENSAJE HA SIDO DESCIFRADO
CONFIDENCIAL, SE REQUIERE AUTORIZACIÓN DE UN SUPERIOR

Día 10 de la operación TELARAÑA ROJA, etapa 1.

Agente: Capitán CLASIFICADO.

Denominación: CORDERO.

Origen: Albanus, NRT.

Destino: CARNERO en CLASIFICADO.

—Se hizo contacto con red WHISTLE en región FARO y VALLE PRIMORDIAL, todo listo para etapa 2.

—Se busca acceso RÍO CAPITAL arriba.

—Ciudad ALBANUS, centro rojo más próximo a SUMMERTON (residencia temporal del rey Tiberias y su gob.).

—¿Valiosa? Se evaluará.

NOS LEVANTAREMOS, ROJOS COMO EL AMANECER.

Los lugareños la llaman Los Pilares. Ahora sé por qué. El río está muy crecido todavía, abastecido por los deshielos de primavera, y gran parte del poblado estaría bajo el agua si no fuera por los altos soportes sobre los que sus estructuras se levantan. Un redondel remata ominosamente la cumbre de una colina, como un firme recordatorio de quiénes son los dueños de este lugar y quiénes gobiernan este reino.

A diferencia de las grandes ciudades de Harbor Bay y Haven, aquí no hay murallas, puertas ni controles de sangre. Mis soldados y yo entramos por la mañana junto con el resto de los comerciantes que recorren el Camino Real.

Un agente Plateado inspecciona nuestras tarjetas de identidad falsas con una mirada indolente antes de hacernos señas para que pasemos, con lo que deja entrar una manada de lobos a su aldea de ovejas. Si no fuera por la ubicación de Albanus y su cercanía con el palacio de verano del rey, yo no le dedicaría otra mirada a este sitio. No hay nada de utilidad aquí, sólo leñadores explotados y sus familias, apenas lo bastante vivos para comer, y menos todavía para rebelarse contra un régimen Plateado. Pero Summerton está unos kilómetros río arriba, lo que vuelve a Albanus digna de mi atención.

Tristan memorizó la estructura de la ciudad antes de que llegáramos, o al menos intentó hacerlo. No nos serviría de nada consultar explícitamente nuestros mapas y hacer saber a todos que no somos de aquí. Él da la vuelta a la izquierda rápidamente. Los demás lo seguimos fuera del pavimentado Camino Real hasta la enlodada y transitada calzada que corre a lo largo de la ribera. Nuestras botas se hunden, pero nadie resbala.

Las casas de pilares se alzan a la izquierda, donde salpican la que creo que es la vereda del Caminante. Unos niños sucios nos ven pasar en lo que lanzan ociosamente al río piedras que besan la superficie. Más allá, pescadores en sus balsas tiran de redes refulgentes y llenan sus pequeñas embarcaciones con el botín del día. Ríen entre ellos, felices de trabajar. Felices de tener un empleo que los libra del alistamiento y una guerra sin sentido.

La Whistle que localizamos en Orienpratis, una ciudad de canteros a las afueras del Faro, es la razón de que estemos aquí. Nos aseguró que uno más de su calaña opera en Albanus, donde sirve de valla a los ladrones y los negocios no muy legales del poblado. Pero sólo nos dijo que había un Whistle, no el lugar donde lo encontraríamos. Y no porque no confiara en mí, sino porque no sabía quién opera en Albanus. De igual forma que la Guardia Escarlata, los Whistle guardan sus secretos aun entre ellos. Así que mantengo los ojos bien atentos.

El mercado de Los Pilares bulle de actividad. Lloverá pronto, y todos quieren concluir sus diligencias antes de que se inicie el aguacero. Me coloco la trenza sobre el hombro izquierdo. Es una señal. Sin mirar, sé que mis guardias se dispersan y forman las parejas de costumbre. Sus órdenes son claras: hacer un reconocimiento del mercado, sondear posibles pistas, buscar a Whistle en la medida de lo posible. Con sus paquetes de inofensivo contrabando —cuentas de vidrio, baterías, rancio café molido— intentarán abrirse paso hasta la valla. *Y yo haré lo mismo*. Un saquillo cuelga de mi cintura, pesado aunque pequeño, cubierto por el borde suelto de una tosca camisa de algodón. Contiene balas. Son desiguales, de diferentes calibres, aparentemente robadas. De hecho, salieron de las provisiones secretas en nuestra nueva casa de seguridad de Norta, una cueva bien provista, enclavada en la región de los Grandes Bosques. Pero nadie en la ciudad puede saberlo.

Como siempre, Tristan permanece a mi lado, y ya está más sereno. Las pequeñas ciudades y aldeas no son peligrosas para nuestros estándares. A pesar de que agentes de seguridad Plateados patrullan el mercado, hay pocos o se muestran indiferentes. No les importa si los Rojos se roban unos a otros. Reservan sus castigos para los valientes, para quienes se atreven a mirar a un Plateado a los ojos o a causar suficiente alboroto que los obligue a actuar e involucrarse.

—Tengo hambre —digo y me vuelvo hacia un puesto en el que se vende pan común y corriente.

Los precios son astronómicos en comparación con los que acostumbramos en la comarca de los Lagos, pero Norta no es apta para el cultivo de cereales. Su suelo es demasiado rocoso para tener éxito en la agricultura. Es un misterio cómo se mantiene este hombre de la venta de unos panes que nadie puede comprar. O lo sería para alguien más.

El panadero, un hombre demasiado fino para su ocupación, nos mira apenas. No tenemos aspecto de clientes promisorios. Llamo su atención cuando hago sonar las monedas que llevo en mi bolsillo.

Se vuelve al fin, con los ojos llorosos y muy abiertos. Le sorprende el ruido de las monedas en un lugar tan alejado de las ciudades.

—Lo que ve es lo que tengo.

No se anda por las ramas. Ya me simpatiza.

—Estas dos —respondo y señalo las mejores hogazas que tiene. No son gran cosa.

El hombre alza las cejas, coge el pan y lo envuelve en un papel viejo con ensayada eficiencia. Cuando saco las monedas de cobre y no regateo para conseguir un precio más bajo, su sorpresa aumenta. Al igual que su desconfianza.

—No la recuerdo —masculla.

Desvía la mirada a la derecha, donde un agente se ocupa en amonestar a unos niños desnutridos.

—Somos comerciantes —explica Tristan.

Se apoya en el desvencijado bastidor del puesto para inclinarse. Levanta una manga y deja ver algo en su muñeca. Una cinta roja que la rodea, y que ahora sabemos que es la señal que distingue a los Whistle. Es un tatuaje, y es falso. *Pero el panadero no lo sabe.*

Los ojos del hombre se detienen en Tristan apenas un momento antes de regresar a mí. No es tan bobo como parece.

—¿Y qué quieren vender? —pregunta mientras pone en mis manos una de las hogazas. Retiene la otra. Espera.

—De todo un poco —contesto.

Silbo entonces una melodía suave e inconfundible. Es la cadencia de dos notas que la Whistle anterior me enseñó. Inocente para los que ignoran.

El panadero no sonríe ni asiente. Su rostro no lo delata.

—Hay más oportunidades al anochecer.

—Como siempre.

—Por la vereda del Molino, a la vuelta de la esquina. Un carromato —añade—. Después de que el sol se oculte y antes de la medianoche.

Tristan asiente. Conoce el lugar.

Yo bajo la cabeza también; es un modesto gesto de gratitud. El panadero no hace lo propio. En cambio, enrosca los dedos en mi otra hogaza, que pone de nuevo en el mostrador. De un tirón rompe la envoltura y le pega un mordisco provocador. Algunas migas caen en su barba escasa, cada una de ellas un mensaje. Mi moneda ha sido canjeada por algo más valioso que un pan.

Por la vereda del Molino, a la vuelta de la esquina.

Contengo una sonrisa y me coloco la trenza al hombro derecho.

Mis soldados abandonan sus pesquisas en todo el mercado. Se mueven como un solo hombre, un banco de peces que sigue a su líder. Cuando nos abrimos camino hacia la salida, intento ignorar las protestas de dos miembros de la Guardia. Al parecer, alguien ha robado algo de sus bolsas.

—¡Tantas baterías y desaparecen en un segundo! Ni siquiera me he dado cuenta —rezonga Cara al tiempo que registra su mochila.

La miro.

—¿Ha sido tu comunicador?

Si perdió su transmisor, una radio minúscula que pasa nuestros mensajes en medio de chasquidos y pitidos, estamos metidos en un grave problema.

Por fortuna, sacude la cabeza cuando siente un bulto en su blusa.

—¡Aquí está! —dice.

Hago una forzada señal con la cabeza y me trago mi suspiro de alivio.

—¡Eh, me faltan unas monedas! —murmura otra de las nuestras, la musculosa Tye.

Se mete en los bolsillos unas manos cubiertas de cicatrices.

Esta vez estoy a punto de echar a reír. Llegamos al mercado en busca de un as del atraco y mis soldados han caído víctimas de un carterista. En otras circunstancias me enfadaría, pero este contratiempo es tan ínfimo que lo eludo con facilidad. Unas monedas perdidas no importan ahora. Después de todo, hace unas cuantas semanas el coronel llamó a nuestra tarea una misión suicida.

Pero vamos de un éxito a otro. Y seguimos enteramente vivos.

EL SIGUIENTE MENSAJE HA SIDO DESCIFRADO

CONFIDENCIAL, SE REQUIERE AUTORIZACIÓN DE UN SUPERIOR

Día 11 de la operación TELARAÑA ROJA, etapa 1.

Agente: Capitán CLASIFICADO.

Denominación: CORDERO.

Origen: Albanus, NRT.

Destino: CARNERO en CLASIFICADO.

—WHISTLE de ALBANUS/PILARES dispuesto a colaborar en etapa 2.

—Tiene espías en SUMMERTON/residencia temporal del rey.

—Mencionó también contactos en el ejército Rojo de CORVIUM. Serán buscados.

NOS LEVANTAREMOS, ROJOS COMO EL AMANECER.

EL SIGUIENTE MENSAJE HA SIDO DESCIFRADO

CONFIDENCIAL, SE REQUIERE AUTORIZACIÓN DE UN SUPERIOR

Agente: Coronel CLASIFICADO.

Denominación: CARNERO.

Origen: CLASIFICADO.

Destino: CORDERO en Albanus.

—Fuera de mandato, demasiado peligroso. Continúe con TELARAÑA ROJA.

NOS LEVANTAREMOS, ROJOS COMO EL AMANECER.

EL SIGUIENTE MENSAJE HA SIDO DESCIFRADO

CONFIDENCIAL, SE REQUIERE AUTORIZACIÓN DE UN SUPERIOR

Día 12 de la operación TELARAÑA ROJA, etapa 1.

Agente: Capitán CLASIFICADO.

Denominación: CORDERO.

Origen: Siracas, NRT.

Destino: CARNERO en CLASIFICADO.

—Propósito de etapa 1 TELARAÑA ROJA, introducir GE en NRT vía redes existentes. Ejército dentro de esas órdenes.

—Contactos de ejército Rojo invaluables. Serán buscados. Transmita mensaje a COMANDANCIA.

—En camino a CORVIUM.

NOS LEVANTAREMOS, ROJOS COMO EL AMANECER.

EL SIGUIENTE MENSAJE HA SIDO DESCIFRADO

CONFIDENCIAL, SE REQUIERE AUTORIZACIÓN DE UN SUPERIOR

Agente: Coronel CLASIFICADO.

Denominación: CARNERO.

Origen: CLASIFICADO.

Destino: CORDERO en Siracas.

—Desista. No avance a CORVIUM.

NOS LEVANTAREMOS, ROJOS COMO EL AMANECER.

EL SIGUIENTE MENSAJE HA SIDO DESCIFRADO

CONFIDENCIAL, SE REQUIERE AUTORIZACIÓN DE UN SUPERIOR

Agente: General CLASIFICADO.
Denominación: TAMBOR.
Origen: CLASIFICADO.
Destino: CORDERO en Siracas, CARNERO en OMITIDO.

—Avance a CORVIUM. Evalúe contactos del ejército Rojo para información y etapa 2/traslado de bienes.

NOS LEVANTAREMOS, ROJOS COMO EL AMANECER.

EL SIGUIENTE MENSAJE HA SIDO DESCIFRADO
CONFIDENCIAL, SE REQUIERE AUTORIZACIÓN DE LA COMANDANCIA

Día 12 de la operación TELARAÑA ROJA.
Agente: Capitán CLASIFICADO.
Denominación: CORDERO.
Origen: Corvium, NRT.
Destino: COMANDANCIA en CLASIFICADO, CARNERO en CLASIFICADO.

—Entendido.
—Evidentemente no es demasiado peligroso.

NOS LEVANTAREMOS, ROJOS COMO EL AMANECER.

EL SIGUIENTE MENSAJE HA SIDO DESCIFRADO

CONFIDENCIAL, SE REQUIERE AUTORIZACIÓN DE LA COMANDANCIA

Agente: Coronel CLASIFICADO.

Denominación: CARNERO.

Origen: CLASIFICADO.

Destino: COMANDANCIA en CLASIFICADO.

—Sírvase tomar nota de mi firme oposición a los nuevos sucesos en TELARAÑA ROJA. CORDERO debe ser mantenido a raya.

NOS LEVANTAREMOS, ROJOS COMO EL AMANECER.

EL SIGUIENTE MENSAJE HA SIDO DESCIFRADO

CONFIDENCIAL, SE REQUIERE AUTORIZACIÓN DE UN SUPERIOR

Agente: General CLASIFICADO.

Denominación: TAMBOR.

Origen: CLASIFICADO.

Destino: CARNERO en CLASIFICADO.

—Se toma nota.

NOS LEVANTAREMOS, ROJOS COMO EL AMANECER.

Puedo oler el Obturador desde aquí. Cenizas, humo, cadáveres.

—Es un día flojo. No hay bombas todavía.

Tye dirige la mirada al noroeste y a la distante neblina oscura que sólo puede ser el frente de esta guerra absurda. Ella misma sirvió en las filas, aunque en el lado opuesto del que estamos ahora. Combatió para sus amos Lacustres y perdió una oreja durante un invierno helado en las trincheras. No oculta su deformidad. Lleva recogido el cabello rubio de tal forma que todos vean el ruinoso muñón que su presunta lealtad le valió.

Tristan examina el paisaje por tercera ocasión y entrecierra los ojos en la mirilla telescópica de su rifle largo. Está tendido bocabajo, semioculto por la fibrosa hierba de primavera. Sus movimientos son lentos y metódicos, estudiados en el campo de tiro de Irabelle y en los densos bosques de la comarca de los Lagos. Las muescas del cañón, rasguños diminutos en el metal, brillan bajo el sol. Son veintidós en total, una por cada Plateado que ha sido abatido con esa misma arma. A pesar de su desquiciante paranoia, Tristan tiene un dedo índice asombrosamente estable.

Desde nuestra elevada posición tenemos una imponente vista del bosque circundante. El Obturador está unos kilómetros al noroeste, nublado incluso bajo el sol de la mañana, y Corvium un kilómetro y medio al este. No hay más poblados aquí. Ni siquiera animales. Estamos demasiado cerca de las trincheras para que veamos otra cosa que soldados. Pero se limitan al Camino de Hierro, la vía más importante que pasa por Corvium y va a dar al frente. En los últimos días hemos aprendido mucho de las legiones

Rojas, que reciben sin cesar soldados de reemplazo, que se baten en retirada una semana después con sus propios muertos y heridos. Llegan al amanecer y bien entrada la noche. Pese a que nosotros nos mantenemos a prudente distancia del camino, los oímos pasar. Cada legión consta de cinco mil, cinco mil de nuestros hermanos y hermanas Rojos resignados a ser blancos vivientes. Los convoyes de abastecimiento son difíciles de predecir, pues se movilizan cuando se les necesita, no de acuerdo a un calendario fijo. Están a cargo también de soldados Rojos y oficiales Plateados, estos últimos del tipo inservible. No es nada honroso estar al mando de un transporte lleno de comida podrida y vendas usadas. Estos convoyes son un castigo para los Plateados y una gracia para los Rojos. Y lo mejor es que no están bien resguardados. Después de todo, el enemigo Lacustre se encuentra al otro lado del Obturador, separado por kilómetros de páramos, trincheras y una explosiva artillería. Nadie mira los árboles al pasar. Nadie sospecha que otro enemigo ha traspasado ya sus paredes de cristal de diamante.

Veo el Camino de Hierro desde esta prominencia —los frondosos árboles cuyas hojas cubren la calzada pavimentada—, pero hoy no veremos el Camino. No obtendremos información de los movimientos de la tropa. Hablaremos con la tropa misma.

Mi reloj biológico me dice que se ha retrasado.

—Podría ser una trampa —murmura Tristan, quien siempre está ansioso de expresar sus opiniones alarmistas.

No quita el ojo de la mirilla, por precaución. Ha estado a la expectativa de una trampa desde el momento en que Will Whistle nos habló de sus contactos en el ejército. Y ahora que vamos a reunirnos con ellos, está más nervioso que de costumbre, si tal cosa fuera posible. No digo que sea malo tener un instinto así, sólo que resulta inútil en este momento. El riesgo forma parte del juego. No llegaremos a ningún lado si sólo pensamos en nuestro pellejo.

Aunque hay una razón para que únicamente tres de nosotros aguardemos.

—Si es una trampa, saldremos de ella —replico—. Nos las hemos visto peores.

No es una mentira. Todos tenemos cicatrices y fantasmas propios. Algunos de ellos nos trajeron a la Guardia Escarlata, y otros acontecieron por su causa. Conozco el aguijón de unos y otros.

Mis palabras están dirigidas a Tye más que a Tristan. Como todos los que han escapado de las trincheras, a ella no le agrada estar de vuelta, pese a que no vista el uniforme azul de los Lacustres. No se ha quejado nunca. Pero lo sé.

—Movimiento.

Tye y yo nos agachamos más y nos giramos al instante en la misma dirección de la mirada de Tristan. La boca del rifle sigue la pista a paso de tortuga mientras rastrea algo entre los árboles. Cuatro sombras. *Son más que nosotros*.

Emergen con las manos en alto. A diferencia de los soldados del Camino de Hierro, estos cuatro traen puesto el uniforme al revés, pues al parecer prefieren el sucio forro marrón y negro a su usual color óxido. Resulta un mejor camuflaje para el bosque, por no hablar de sus nombres y rangos. No veo insignia o distintivo de ninguna especie. No tengo idea de quiénes son.

Una brisa suave hace crujir la hierba. Ésta se mece como un estanque sacudido por un guijarro y sus olas verdes se rompen contra los cuatro elementos, que se acercan en fila. Entrecierro los ojos para ver sus pies. Procuran pisar sobre las mismas huellas del líder. Cualquier rastreador pensaría que por este sendero ha venido una sola persona, no cuatro. Son listos.

Encabeza una mujer con el mentón del tamaño de un yunque. Le faltan los dos dedos índices. No puede disparar, pero no por eso deja de ser un soldado a juzgar por las señas de fatiga en su rostro. Igual que la chica esbelta y de piel cobriza que la sigue, está totalmente rapada.

Dos hombres cierran la marcha. Son jóvenes, cursan al parecer su primer año de alistamiento. Ninguno tiene cicatrices ni lesiones visibles, así que no pueden hacerse pasar por heridos en Corvium. Es muy probable que sean soldados de abastecimiento que tienen la suerte de cargar cajas con municiones y alimentos. Aunque el segundo, el que viene en último lugar, es demasiado pequeño para las labores manuales.

La mujer calva se detiene a tres metros, aún con las manos arriba. Demasiado cerca para nuestro gusto. Me obligo a incorporarme sobre la hierba y acorto la distancia entre nosotras. Tye y Tristan se mantienen quietos; no siguen escondidos, pero no se mueven.

—Somos nosotros —dice ella.

No retiro las manos de mi cadera, con los dedos a unos centímetros del arma que porto al cinto. La amenaza es manifiesta.

—¿Quién os manda? —le pregunto para probarla.

Detrás de mí, Tristan se tensa como una serpiente. La mujer tiene el valor de no mirar el rifle, mientras que los demás no hacen lo mismo.

—Will Whistle, de Los Pilares —responde. No se detiene ahí, a pesar de que es suficiente por el momento—. Hijos arrebatados a sus madres, soldados enviados a morir, innumerables generaciones de esclavos. Todos y cada uno de ellos nos enviaron con vosotros.

Agito los dedos. La furia es una espada de doble filo, y esta mujer ha sido herida con ambos.

—Con el Whistle basta. ¿Y vosotros sois…?

—Cabo Eastree, de la Legión de la Torre, igual que los otros —hace un gesto a su espalda, a los tres que observan todavía a Tristan. A una señal mía, él relaja un poco el dedo en el gatillo, aunque no mucho—. Somos tropas de apoyo, reclutadas con destino a Corvium.

—Eso me dijo Will —miento rápidamente—. ¿Y de mí qué les dijo?

—Lo suficiente para que estemos aquí. Lo suficiente para arriesgar la vida por esto —la voz procede del joven delgado que está al final de la fila. Da un paso al frente, más allá de su camarada, con una sonrisa torcida, fría y burlona. Sus ojos relampaguean—. Usted sabe que si nos sorprenden aquí seremos ejecutados, ¿verdad?

Sopla otra brisa, más intensa que la anterior. Fuerzo mi propia sonrisa vacía.

—¿Eso es todo?

—Será mejor que nos apresuremos —dice Eastree—. Su gente protege su nombre, pero a nosotros eso no nos sirve. Tienen nuestra sangre, nuestros rostros. Éstos son el soldado Florins, el soldado Reese y...

El de la sonrisa torcida se aparta de la fila antes de que ella pueda decir su nombre. Cruza el espacio que nos separa, aunque no me tiende la mano.

—Yo soy Barrow. Shade Barrow. Y más le vale que no me disparen.

Entrecierro los ojos para mirarlo.

—No puedo prometerlo.

EL SIGUIENTE MENSAJE HA SIDO DESCIFRADO

CONFIDENCIAL, SE REQUIERE AUTORIZACIÓN DE UN SUPERIOR

Día 23 de la operación TELARAÑA ROJA, etapa 1.

Agente: Capitán CLASIFICADO.

Denominación: CORDERO.

Origen: Corvium, NRT.

Destino: CARNERO en CLASIFICADO.

—Se anexa inteligencia de CORVIUM: estadísticas del fuerte, mapa de la ciudad, trazada de los túneles, horarios/calendarios del ejército.

—Evaluación preliminar: los más prometedores, cabo E (ansiosa, iracunda, una apuesta segura) y ayudante B (bien relacionado, ayudante de oficial recién destinado a CORVIUM). Posible reclutamiento o etapa 2.

—Ambos se muestran dispuestos a comprometerse, aunque ignoran la presencia de GE en NRT, CL. Invaluable tener dos agentes en CORVIUM. Continuarán los progresos, ¿solicitar reclutamiento de vía rápida?

NOS LEVANTAREMOS, ROJOS COMO EL AMANECER.

EL SIGUIENTE MENSAJE HA SIDO DESCIFRADO

CONFIDENCIAL, SE REQUIERE AUTORIZACIÓN DE UN SUPERIOR

Agente: Coronel CLASIFICADO.

Denominación: CARNERO.

Origen: CLASIFICADO.

Destino: CORDERO en Corvium.

—Solicitud denegada. Cabo E y ayudante B no esenciales.

—Abandone CORVIUM. Continúe con evaluación de contactos de WHISTLE/elementos de etapa 2 de TELARAÑA ROJA.

NOS LEVANTAREMOS, ROJOS COMO EL AMANECER.

EL SIGUIENTE MENSAJE HA SIDO DESCIFRADO
CONFIDENCIAL, SE REQUIERE AUTORIZACIÓN DE UN SUPERIOR

Agente: Capitán CLASIFICADO.
Denominación: CORDERO.
Origen: Corvium, NRT.
Destino: CARNERO en CLASIFICADO.

—Inteligencia de CORVIUM vital para causa GE. Se solicita más tiempo en el emplazamiento. Transmita a COMANDANCIA.
—Convencida de que cabo E y ayudante B son excelentes candidatos.

NOS LEVANTAREMOS, ROJOS COMO EL AMANECER.

EL SIGUIENTE MENSAJE HA SIDO DESCIFRADO
CONFIDENCIAL, SE REQUIERE AUTORIZACIÓN DE UN SUPERIOR

Agente: General CLASIFICADO.
Denominación: TAMBOR.
Origen: CLASIFICADO.
Destino: CORDERO en Corvium, CARNERO en CLASIFICADO.

—Solicitud denegada. Las órdenes son continuar con la evaluación de la etapa 1 para la etapa 2/traslado de elementos.

NOS LEVANTAREMOS, ROJOS COMO EL AMANECER.

EL SIGUIENTE MENSAJE HA SIDO DESCIFRADO

CONFIDENCIAL, SE REQUIERE AUTORIZACIÓN DE LA COMANDANCIA

Agente: Capitán CLASIFICADO.

Denominación: CORDERO,

Origen: Corvium, NRT.

Destino: TAMBOR en CLASIFICADO.

—Fuerte oposición. Muchos elementos militares presentes en CORVIUM, deben evaluarse para el traslado a la etapa 2.

—Se solicita más tiempo en el emplazamiento.

NOS LEVANTAREMOS, ROJOS COMO EL AMANECER.

EL SIGUIENTE MENSAJE HA SIDO DESCIFRADO

CONFIDENCIAL, SE REQUIERE AUTORIZACIÓN DE UN SUPERIOR

Agente: General CLASIFICADO.

Denominación: TAMBOR.

Origen: CLASIFICADO.

Destino: CORDERO en Corvium.

—Solicitud denegada. Retírese.

NOS LEVANTAREMOS, ROJOS COMO EL AMANECER.

Conforme al protocolo, quemo el menguado fajo de mensajes. Los puntos y guiones que especifican las órdenes de la comandancia quedan reducidos a cenizas, consumidos por las llamas. Conozco esta sensación. La cólera lengüetea mis entrañas. De cualquier forma, no lo dejo ver en mi rostro, por el bien de Cara.

Ella me mira a través de las gruesas gafas encaramadas en su nariz. Mueve los dedos con impaciencia, lista para emitir mi respuesta a las órdenes que no puede leer.

—No es necesario —le digo y sacudo la mano. La mentira permanece un momento en mi boca—. La comandancia ha cedido. Nos quedaremos.

Apuesto a que el maldito ojo rojo del coronel rueda ahora mismo en su cuenca. Pero sus órdenes son miopes y absurdas, y la comandancia piensa ya igual que él. Deben ser desobedecidos, por la causa, por la Guardia Escarlata. La cabo Eastree y Barrow serían de un valor inestimable para nosotros, por no mencionar que ambos arriesgan ya su vida para conseguir la información que necesito. La Guardia les debe su juramento, si no es que también el desalojo en la etapa 2.

Ellos no están aquí, en el ojo del huracán, me digo. Esto calma el escozor de la desobediencia. El coronel y la comandancia no comprenden lo que Corvium significa para el ejército de Norta ni lo importante que será nuestra información. El solo sistema de túneles vale todo mi tiempo; une todas las partes de la ciudad-fortaleza, lo cual permite no sólo el movimiento clandestino de tropas sino también la infiltración de la propia Corvium. Y gracias a la posición de Barrow como ayudante de un Plateado de alto rango, tenemos acceso también a inteligencia de otro tipo: qué oficiales prefieren la renuente compañía de los soldados Rojos; que el General Lord Osanos, el gobernador ninfo de la región de los Lagos Occidentales y comandante de la ciudad, mantiene una enemistad de familia con el General Lord Laris, comandante de toda la flota aérea de Norta; quién es esencial para el ejército y quién goza de un alto rango por mero lucimiento. La lista continúa. Son rivalidades y debilidades menores que bien pueden ser explotadas. Hay focos de podredumbre que nosotros podemos atizar.

Si la comandancia no ve esto, debe estar ciega.

Pero yo no lo estoy.

Y hoy es el día en que pondré un pie murallas adentro y veré lo peor que Norta puede ofrecerle a la revolución del mañana.

Cara cierra su transmisor y vuelve a conectarlo al cable que cuelga de su cuello. Carga con él siempre, anidado muy cerca de su corazón.

—¿Ni siquiera al coronel? —pregunta—. ¿Para presumir?

—Hoy no.

Fuerzo la mejor de mis sonrisas. Esto la aplaca.

Y me convence. Las dos últimas semanas han sido una mina de oro de información. Las dos siguientes seguramente serán iguales.

Me obligo a salir del apretado armario que usamos para las transmisiones, la única parte de esta casa abandonada cuyas cuatro paredes y techo están intactos. El resto de la estructura cumple su función, ya que sirve como casa de seguridad para nuestros asuntos en Corvium. La sala principal, tan larga como ancha, tiene paredes de ladrillo, pero le falta una de ellas y el techo de hojalata está oxidado. Y el recinto pequeño, quizás una habitación, carece de techo. No importa. La Guardia Escarlata ha padecido cosas peores, y además las noches han sido anormalmente calurosas para la época, y también húmedas. El verano se acerca a Norta. Nuestras tiendas de plástico nos protegen de la lluvia, pero no del aire húmedo. *No es nada*, me digo. *Una incomodidad menor*. De cualquier modo, las gotas de sudor descienden por mi cuello. *Y ni siquiera es mediodía.*

Para ignorar la sensación de bochorno producida por la humedad en ascenso, me enrollo la trenza sobre la cabeza como si fuera una corona. Si este clima persiste, podría considerar cortarla.

—Está de retraso —dice Tristan desde su garita a través de una ventana sin cristales.

Sus ojos no están quietos nunca, siempre vivaces e inquisitivos.

—Me preocuparía si no fuera así.

Barrow no ha llegado a tiempo una sola vez a nuestros encuentros de las dos últimas semanas.

Cara se suma a Tye en un rincón y se deja caer a su lado con un alegre estruendo. Luego comienza a limpiar sus gafas con la misma atención con la que Tye limpia sus pistolas. Ambas tienen la misma apariencia, de Lacustres rubias. Al igual que yo, no están acostumbradas al calor de mayo y se juntan bajo la sombra.

A Tristan no le afecta tanto. Es un chico de las Tierras Bajas, hijo del invierno templado y el verano cenagoso. El calor no le incomoda. De hecho, el único indicador del cambio de estación en él son sus pecas, que parecen desarrollarse más aún. Motean sus brazos y su rostro, y aumentan cada día. También su cabello es más largo, una mata de color rojo oscuro que se ensortija con la humedad.

—¡Se lo advertí! —exclama Rasha desde la esquina opuesta, donde se entretiene en trenzar su cabello contra su rostro moreno y procura dividir sus negros rizos en partes iguales. Su rifle, no tan largo como el de Tristan aunque igual de desgastado, se apoya en la pared que está junto a ella—. Comienzo a creer que no duermen en las Tierras Bajas.

—Si quieres saber más sobre mis hábitos de sueño te bastaría con preguntarme, Rasha —replica Tristan.

Esta vez mira un segundo por encima de su hombro y se encuentra con los negros ojos de ella. Comparten una mirada de complicidad.

Aguanto las ganas de reír.

—Concentraos en el bosque, vosotras dos —murmuro. *Ya es bastante difícil dormir en el suelo sin oír el chirrido de las tiendas*—. ¿Los exploradores siguen fuera?

—Tarry y Shore subirán la colina y regresarán al anochecer, igual que Gran Coop y Martenson —Tristan cuenta con los dedos al resto de nuestro equipo—. Cristobel y Pequeño Coop están a kilómetro y medio, en el bosque. Aguardan a tu Barrow y se fueron dispuestos a esperar un largo rato.

Asiento. Todo marcha según lo planeado.

—¿La comandancia está satisfecha hasta ahora?

—Como no te imaginas —miento lo mejor que puedo. Por fortuna, Tristan no se vuelve desde su puesto de vigía. No observa la vergüenza que siento subir por mi cuello—. Proveemos buena información. Que vale nuestro tiempo, sin duda.

—¿Planea tomarles juramento a Eastree o a Barrow?

—¿Por qué lo preguntas?

Se encoge de hombros.

—Hemos dedicado demasiado tiempo a ese par como para no reclutarlos. ¿O los propondrás para la etapa dos?

Tristan no hace esto por husmear. Es un buen lugarteniente, el mejor que he visto, leal hasta la médula. No sabe que incomoda, pero lo hace.

—No lo he decidido todavía —digo entre dientes e intento caminar despacio mientras huyo a toda prisa de sus preguntas—. Voy a dar una vuelta por el inmueble. Avisadme si aparece Barrow.

—Lo haré, jefa —se deja oír desde la sala.

Me cuesta un gran esfuerzo moderar mis pasos y siento que transcurre una eternidad antes de que esté a salvo en la verde arboleda. Respiro hondo para reponerme y me obligo a tranquilizarme. *Todo es para bien. Mentirles, desobedecer las órdenes, es para bien. No es culpa tuya que el coronel no lo entienda. No es culpa tuya.* El viejo estribillo me reanima, resulta tan reconfortante como una bebida fuerte. Todo lo que he hecho y todo lo que haré es por la causa. Nadie puede decir lo contrario. Nadie cuestionará mi lealtad una vez que les entregue Norta en bandeja de plata.

Una sonrisa reemplaza poco a poco mi habitual semblante rígido. Mi equipo no sabe lo que se avecina, ni siquiera Tristan. No sabe lo que la comandancia ha planeado para este reino en las semanas venideras o lo que hemos hecho para poner las cosas en movimiento. Sonrío y recuerdo el sonido de la cámara de vídeo. Las palabras que pronuncié frente a ella. El mundo las oirá pronto.

No me gusta este bosque. Está demasiado quieto, demasiado silencioso, y el aire está impregnado todavía del olor a ceniza. Pese a sus árboles más que vivos, este lugar está muerto.

—Una buena ocasión para dar un paseo.

Le pongo la pistola en la sien antes de que yo tenga tiempo para pensar. Por alguna razón, Barrow no se asusta. Sólo alza las palmas en gesto de rendición.

—¡Vaya que eres idiota! —le digo.

El ríe.

—Así debe ser, ya que me junto todavía con tu variopinto club de rebeldes.

—Llegas con retraso.

—Yo prefiero decir que llego *cronológicamente desfasado*.

Con una risa sin humor enfundo el arma, pero no la suelto. Entrecierro los ojos para mirarlo. Aunque por lo general viste el uniforme al revés para que le sirva de camuflaje, esta vez no se ha molestado en hacerlo. Su camisola es roja como la sangre, oscura y gastada. Resalta contra la vegetación.

—Tengo dos observadores a tu espera.

—No han de ser muy buenos —dice y vuelve a sonreír. Otro pensaría que Shade Barrow es franco y cordial y que no cesa de reír, pero hay cierta frialdad debajo de todo eso. Un frío extremo—. He venido por el camino de costumbre.

Palmeo su camisola con desdén.

—¿En serio? —*Ahí está*. Sus ojos brillan como las esquirlas del ámbar congelado. Shade Barrow tiene sus secretos, como los tenemos todos—. Le avisaré al equipo que ya estás aquí —continúo y me aparto de él y su menuda figura.

Sus ojos siguen mis movimientos y me evalúan en silencio. Aunque tiene apenas diecinueve años y lleva poco más de uno en servicio militar, su adiestramiento ciertamente es un desastre.

—Querrás decir que vas a avisarle a tu perro guardián.

Una de las comisuras de mi boca se eleva.

—Se llama Tristan.

—Tristan, sí. Un pelirrojo que no suelta su rifle —a pesar de que me da espacio, me sigue cuando echo a andar hacia la granja—. Es curioso, jamás pensé encontrar a un sureño pegado a ti.

—¿Sureño? —pregunto con voz firme pese al no tan vago sondeo de Barrow.

Acelera el paso hasta que casi me pisa los talones. Yo contengo el impulso de darle una patada en la rodilla.

—Es de las Tierras Bajas, con ese acento tiene que serlo. No es un ningún secreto. Tal y como el resto de tu cuadrilla. Todos son Lacustres, ¿no es cierto?

Lo miro por encima del hombro.

—¿Qué te hace pensar eso?

—Y supongo que tú eres del lejano norte, más allá de donde llegan nuestros mapas —insiste. Tengo la sensación de que disfruta de esto, como si fuera una adivinanza—. Estás aquí porque esperas un poco de diversión del verano, cuando los días son largos y calurosos. Nada como una semana de nubarrones de tormenta que nunca se cumplen y de un aire que amenaza con la asfixia.

—No me sorprende que no seas un soldado de trincheras —le digo cuando llegamos a la puerta—. No necesitan un poeta en el frente.

El bastardo todavía me guiña un ojo.

—Bueno, no todos podemos ser tan brutos.

Pese a las muchas advertencias de Tristan, sigo a Barrow, desarmada. Si me atrapan en Corvium, puedo alegar que soy un simple ciudadano Rojo de Norta en el lugar y momento equivocados. No así si porto mi pistola de Lacustre o una navaja, pues entonces me ejecutarán en el acto, y no sólo por cargar con armas sin permiso, sino también por ser un Lacustre. Quizá me arrastrarán hasta un susurro por si acaso, y éste es el peor destino que podría esperarle a cualquiera.

Mientras que la mayoría de las ciudades crecen desordenadamente, con pequeños poblados y vecindarios en torno a sus murallas y fronteras, Corvium es única. Barrow se detiene justo antes de que termine la arboleda y mira al norte, hacia el claro alrededor de una colina. Yo recorro con la vista la ciudad-fortaleza y no encuentro nada de utilidad. A pesar de que he estudiado minuciosamente los mapas robados de Corvium, verla con mis propios ojos es completamente distinto.

Las murallas de granito negro están rematadas con picos de hierro reluciente y otras *armas* que pueden ser aprovechadas por las habilidades Plateadas. Enredaderas verdes ascienden por las columnas de una docena de torres de vigilancia, un foso de agua oscura surtido por tubos rodea la ciudad entera y extraños espejos salpican las púas de metal que se clavan en los parapetos, para que las sombras Plateadas, supongo, concentren su habilidad en utilizar la luz. Desde luego, también hay armamento más tradicional. Oscuras como el petróleo, las torres de vigilancia están repletas de armas pesadas en posición de descanso, artillería lista para disparar sobre cualquier cosa en las inmediaciones. Y detrás de las murallas se levantan altos edificios, que el estrecho espacio eleva aún más. Son negros también y están guarnecidos de oro y plata, como una sombra bajo el sol más brillante. Según los mapas, la urbe está organizada en forma de rueda, con las calles como rayos, ramificadas desde la plaza central, que se utiliza para reunir ejércitos y montar ejecuciones.

El Camino de Hierro atraviesa la ciudad de este a oeste. Su sección occidental es tranquila; nadie transita por ella a esta avanzada hora de la tarde. En cambio, la sección oriental hierve de vehículos, en su mayoría de factura Plateada, que salen de la fortaleza ocupados por nobles y oficiales que tiñen sus mejillas de azul. El último y más lento es un convoy de reparto Rojo que retorna a los mercados de Rocasta, la ciudad de abasto más cercana. Consta de sirvientes en vehículos de motor, en carretas tiradas por caballos e incluso a pie; todos hacen el viaje de cuarenta kilómetros sólo para regresar días después. Saco el catalejo de mi camisola y lo sostengo frente a mis ojos para seguir el andrajoso cortejo.

Lo componen una docena de vehículos motorizados, igual número de carretas y quizás unos treinta Rojos a pie. Todos avanzan con la misma lentitud. Tardarán por lo menos nueve horas en llegar a su destino. Eso es un derroche de mano de obra, aunque dudo que a ellos les importe. Repartir uniformes es menos perjudicial que usarlos. Mientras observo, el último de los vehículos del convoy sale por la puerta este.

—La Puerta de la Imploración —masculla Barrow.

—¿Hum?

Tapa mi catalejo y señala.

—La llamamos la Puerta de la Imploración. Cuando entras, imploras salir; cuando sales, imploras no regresar jamás.

No me queda otro remedio que reír.

—No sabía que Norta se inclinara a la religión —se limita a sacudir la cabeza—. ¿A quién le rezas tú?

—A nadie, supongo. Al final son sólo palabras.

Por algún motivo, bajo las sombras de Corvium los ojos de Shade Barrow hallan un poco de vivacidad.

—Si me llevas a esa puerta te enseñaré una plegaria.

Nos levantaremos, Rojos como el amanecer. Exasperante como puede ser, tengo la impresión de que él será Escarlata muy pronto.

Ladea la cabeza y me observa tan atentamente como yo a él.

—Trato hecho.

—Aunque no veo cómo piensas hacerlo. Nuestra mejor posibilidad era el convoy, pero por desgracia tú estás... ¿cómo dijiste? ¿Cronológicamente desfasado?

—Nadie es perfecto, ni siquiera yo —reclama con una sonrisa de suficiencia—. Pese a todo, dije que hoy te llevaría dentro y siempre cumplo lo que prometo, tarde o temprano.

Lo miro de arriba abajo para calibrar su actitud. No confío en él. No se me da bien confiar en nadie. *A pesar de que el riesgo forma parte del juego.*

—¿Harás que me maten?

Su sonrisa se dilata.

—Supongo que tendrás que averiguarlo.

—¿Qué haremos entonces?

Para mi sorpresa, extiende una mano con unos dedos muy largos. Yo la miro, confundida. ¿Pretende que saltemos las puertas como un par de niños traviesos? Frunzo el ceño, cruzo los brazos y le doy la espalda.

—Bueno, vámonos...

Una cortina negra cubre mi vista cuando Barrow desliza una pañoleta sobre mis ojos.

Gritaría si pudiera y le haría señas a Tristan para que nos siguiera a quinientos metros, pero mis pulmones se quedan sin aire de súbito y todo parece contraerse. Siento que el mundo se encoge, así como la cálida mole del pecho de Barrow contra mi espalda. El tiempo gira, todo cae. El suelo se inclina bajo mis pies.

Me doy un fuerte golpe contra el cemento, lo suficiente como para sacudir un cerebro ya de por sí agitado. A pesar de que la venda desaparece, no me sirve de mucho. No veo bien, un manchón negro contra algo más oscuro, y todo gira. Tengo que cerrar los ojos de nuevo para convencerme de que no giro con el mundo.

Mis manos encuentran algo frío y resbaladizo —espero que sea agua— mientras intento ponerme en pie. Por el contrario, caigo de espaldas, y cuando fuerzo mis ojos a abrirse hallo una oscuridad húmeda y azul. El manchón se desvanece, lento al principio y luego de un tirón.

—¡Qué diablos…!

Caigo de rodillas y expulso todo lo que llevo en el vientre.

La mano de Barrow encuentra mi espalda, donde me aplica lo que cree que es un masaje relajante. Pero su tacto me eriza la piel. Escupo, termino de vaciar el estómago y me levanto con pies torpes, así sea sólo para alejarme de él.

Tiende una mano para sujetarme y la alejo de un golpe. ¡Cómo quisiera haber conservado mi puñal!

—¡No me toques! —gruño—. ¿Qué ha sido eso? ¿Qué ha ocurrido? ¿Dónde estoy?

—Cuidado, nunca has hecho tantas preguntas existenciales.

Escupo a sus pies una bilis amarillenta.

—¡Barrow! —siseo.

Suspira, fastidiado como un profesor.

—Te he traído por los túneles de las cañerías, hay algunos en el bosque. Claro que tuve que taparte los ojos. No puedo revelar todos mis secretos gratis.

—¡Por los túneles de las cañerías! Estábamos afuera hace un minuto. Nada se mueve tan rápido.

Se empeña en reprimir una sonrisa.

—Te has golpeado en la cabeza —dice, después de un largo momento—. Has perdido el conocimiento en el descenso.

Esto explicaría el vómito, *una conmoción cerebral*. Aunque nunca me he sentido tan alerta. Toda la náusea y angustia de los últimos segundos desaparece de repente. Me palpo el cráneo con cuidado, en busca de un chichón o un punto sensible, pero no lo encuentro.

Él observa mi auscultación con un interés extrañamente concentrado.

—¿O crees que has llegado ochocientos metros más allá y bajo la fortaleza de Corvium de otra manera?

—No, supongo que no.

Cuando mis ojos se adaptan a la oscuridad, veo que estamos en una bodega. Abandonada u olvidada, a juzgar por el polvo en los anaqueles vacíos y el agua estancada en el suelo. Evito mirar el cúmulo fresco de mi vómito.

—Toma, ponte esto.

Muestro un envoltorio de ropa sucia. Lo lanza en mi dirección y el hatillo se estrella contra mi pecho en medio de una nube de polvo y mal olor.

—¡Fantástico! —balbuceo, y cuando lo desdoblo descubro que es un uniforme reglamentario. Está muy remendado y sucio. La insignia es simple; consta de una barra blanca con un marco negro. Esto es de una recluta de infantería. *Seré un cadáver viviente*—. ¿A qué cuerpo le has robado esto?

El impacto del frío lo hace sacudirse una vez más, sólo durante un momento.

—Te quedará bien. Es lo único que debería preocuparte.

—De acuerdo.

Me quito la camisola sin mayor aspaviento y en rápida sucesión me desprendo de mis estropeados pantalones y mi blusa. Mi ropa interior no es nada especial; no hace juego, aunque por fortuna está limpia, pero él me mira un poco boquiabierto de todas maneras.

—¿Quieres que te entre una mosca en la boca, Barrow? —me burlo mientras me visto con los pantalones del uniforme. Bajo la tenue luz, parecen rojos y maltrechos, como tubos oxidados.

—Perdón —murmura. Vuelve la cabeza y después el cuerpo, como si me importara tener privacidad.

La vergüenza que sube por su cuello me hace sonreír.

—No pensé que una figura femenina hiciera sentir tan incómodos a los soldados —insisto mientras ajusto la cremallera de la camisa.

Pese a que está ajustado, el uniforme me queda bien. Estaba destinado obviamente a alguien de baja estatura y hombros menos anchos.

Él se da la vuelta al momento. El color ha cambiado en sus mejillas. Le da el aspecto de una persona más joven. *No,* comprendo, *le da el aspecto de alguien de su edad.*

—Y yo no sabía que las Lacustres tuvieran una mentalidad tan liberal.

Le lanzo una sonrisa igual de fría que su mirada.

—Soy de la Guardia Escarlata, jovencito. Tenemos cosas más importantes de qué preocuparnos que la piel desnuda.

Algo vibra entre nosotros. Quizá sea una corriente de aire, o el regreso del dolor de cabeza causado por mi lesión. Debe ser eso.

Él ríe.

—¿Qué sucede?

—Me recuerdas a mi hermana.

Es mi turno de sonreír.

—¿La espiabas mucho?

La pulla no lo intimida; la deja pasar.

—Por tu manera de ser, Farley. Tu actitud. Piensas igual que ella.

—Debe de ser una muchacha brillante.

—Sin duda lo cree.

—¡Qué gracioso!

—Creo que seríais grandes amigas —ladea la cabeza y hace una breve pausa—. Si no os matáis entre sí.

Por segunda vez en igual número de minutos lo toco, algo reacia, aunque no con la misma suavidad con que él posó sus manos en mi espalda. Le doy un ligero puñetazo en el hombro.

—Vámonos —le digo—. No me hace ninguna gracia vestir la ropa de un muerto.

Apéguese a sus órdenes, capitán. La COMANDANCIA no tolerará esto. —CARNERO—

EL SIGUIENTE MENSAJE HA SIDO DESCIFRADO

CONFIDENCIAL, SE REQUIERE AUTORIZACIÓN DE LA COMANDANCIA

Día 29 de la operación BALUARTE, etapa 2.
Agente: Coronel CLASIFICADO.
Denominación: CARNERO.
Origen: CLASIFICADO.
Destino: TAMBOR en CLASIFICADO.

—Sin contacto con CORDERO desde hace 2 días.
—Se solicita permiso para interceptar.
—BALUARTE, más avanzada de lo previsto. Isla #3 en funciones, aunque tránsito problemático. Se necesitarán más botes de los planeados.

NOS LEVANTAREMOS, ROJOS COMO EL AMANECER.

EL SIGUIENTE MENSAJE HA SIDO DESCIFRADO
CONFIDENCIAL, SE REQUIERE AUTORIZACIÓN DE UN SUPERIOR

Agente: General CLASIFICADO.
Denominación: TAMBOR.
Origen: COMANDANCIA en CLASIFICADO.
Destino: CARNERO en CLASIFICADO.

—Se otorga permiso para interceptar, transmita más info. relat. a la ubicación de CORDERO.
—Use la fuerza si es necesario. Usted la propuso; será su responsabilidad si esto continúa.

—Proceda a etapa 2 de TELARAÑA ROJA. Colab. con otros equipos para iniciar traslado.

—Explore otras opciones de tránsito para #3.

NOS LEVANTAREMOS, ROJOS COMO EL AMANECER.

Ponga su trasero donde debe, CORDERO, o su cabeza rodará. —CARNERO—.

Arrojo otro mensaje al fuego.

—¡Qué encantador! —susurro mientras veo quemarse las palabras del coronel.

Esta vez Cara no se molesta en preguntar, aunque frunce los labios y forma con ellos una fina línea que contiene un torrente de interrogantes. Hace cinco días que respondí mis mensajes por última vez, oficiales o no. Es obvio que ella sabe que algo sucede.

—Cara… —comienzo, pero ella eleva una mano.

—No tengo autorización —replica. Sus ojos se cruzan con los míos con una ferocidad pasmosa—. Y no me interesa saber por qué camino nos conduce, siempre y cuando usted crea que es el correcto.

Una sensación de calor llena mis entrañas. Hago cuanto puedo por no exhibirla, pese a lo cual se me escapa una sonrisa. Pongo una mano en su hombro y le transmito así la más leve sensación de gratitud.

—No se ponga sentimental conmigo, capitana —dice entre risas y guarda el transmisor.

—No lo haré.

Me enderezo y me vuelvo hacia el resto de mi equipo. Todos están apiñados al fondo del sofocante corredor, a una distancia respetuosa para darme el margen que necesito para atender mi correspondencia privada. Con el propósito de ocultar nuestra presencia, Tristan y Rasha están sentados en el borde de la acera del callejón y miran de frente al sendero que se extiende a lo lejos. Adelantan una mano con las capuchas puestas, para mendigar comida o dinero. Todas las personas que pasan, miran para otro lado.

—Tye, Gran Coop —la pareja en cuestión da un paso al frente. Tye ladea la cabeza para dirigir hacia mí su oído sano, mientras que Gran Coop hace honor a su apodo. Con un pecho como un barril y más de dos metros de pesado músculo, es casi del doble de estatura que su hermano, Pequeño Coop—. Quedaos con Cara y tened lista la segunda radio.

Ella alarga una mano, casi ansiosa por tomar nuestro más reciente premio. Se trata de una de las tres radios modernas y de largo alcance que fueron sustraídas de las tiendas de Corvium por los hábiles dedos de Barrow. Les paso una radio y me quedo con la segunda. Barrow lleva la tercera, por si debe ponerse en contacto. A pesar de ello, no la ha usado todavía, ni yo llevo el registro de sus comunicaciones. Por lo general sólo hace acto de presencia cuando quiere intercambiar información, sin previo aviso siempre, y escapa de cada observador que pongo en la granja. Pero hoy estamos más allá de su taimado alcance, cuarenta kilómetros al este, en plena Rocasta.

—En cuanto a los demás, Cristobel y Pequeño Coop, harán guardia. Subid y ocultaos. Utilizad las señales habituales.

Cris sonríe y muestra una boca a la que le faltan varios dientes. Fue su castigo por *sonreír* a su amo Plateado cuando tenía doce años y servía en una mansión en Trial. Pequeño Coop está igual de impaciente. Su estatura y porte apocado, por no hablar del muro de ladrillos que es su hermano, encubren un hábil agente con temple de acero. Sin necesidad de nada más, se ponen a trabajar. Pequeño Coop se agarra de un tubo de drenaje y sube las paredes del callejón al tiempo que Cris trepa rápidamente por una cerca, sobre la que se impulsa para ascender al angosto alféizar de una ventana. Ambos desaparecen en un instante; nos acompañarán desde los tejados de Rocasta.

—El resto seguirá la pista a sus blancos. Mantened bien abiertos los oídos. Memorizad sus movimientos. Quiero saber todo acerca de ellos, desde su fecha de cumpleaños hasta qué número calzan. Recavad toda la información posible.

Son las palabras de rutina. Todos conocen el motivo de que yo haya convocado esta exploración. Pero sirven como un grito de guerra, un último hilo que nos une. *Que los ata a tu desobediencia, querrás decir.*

Cierro el puño y mis uñas se entierran en mi palma, donde nadie puede mirar. El dolor borra a la perfección esa idea. Como lo hace también la brisa que recorre la callejuela. A pesar de que huele a basura, está fresca, pues sopla hacia el norte desde el lago Eris.

—Cuanto más sepamos acerca del convoy de abastecimiento de Corvium será más fácil infiltrarse —ésta es una razón tan buena como cualquier otra para estar aquí, para permanecer en este sitio cuando lo único que el coronel hace es ordenarme partir—. Las puertas se cierran al anochecer. Regresad al punto de reunión dentro de una hora. ¿Entendido?

Inclinan la cabeza al mismo tiempo, aunque tensos, con sus ojos vivaces, brillantes e impacientes.

El reloj de una torre suena nueve veces a unas manzanas de nosotros. Yo me muevo sin pensar y paso entre mis miembros de la Guardia mientras se forman detrás de mí. Tristan y Rasha son los últimos en erguirse. Mi lugarteniente parece desnudo sin su rifle, pero sé que lleva en alguna parte una pistola, que quizás acumula sudor en la base de su espalda. Salimos hacia la calle, un paso importante que atraviesa el sector Rojo de la ciudad. Estamos a salvo por ahora, rodeados de casas y negocios Rojos y unos cuantos agentes Plateados, si acaso, que nos ven pasar. Como Harbor Bay, Rocasta tiene su facción de Patrulla Roja, que protege lo que los Plateados no resguardarán. Pese a que nos dirigimos al mismo punto, mi equipo se divide en las parejas de costumbre, de modo que nos separamos. No podemos entrar al centro de la ciudad con el aspecto de un pelotón de asalto, y menos todavía con el de una pandilla. Tristan está a mi lado de nuevo y permite que lo guíe a nuestro destino, el Camino de Hierro. Como en Corvium, esta vía divide Rocasta en dos y pasa justo por su corazón como un río a través de un valle. A medida que nos acercamos a la calzada principal, el tránsito aumenta. Unos sirvientes que llegan con retraso corren hacia las casas de sus amos, vigilantes voluntarios regresan de sus puestos nocturnos y algunos padres apresuran a sus hijos en dirección a unas escuelas que apenas se mantienen en pie.

A cada calle que avanzamos hay más agentes, desde luego. Sus uniformes, negros con ribetes plateados, ofrecen una apariencia adusta bajo el sol inclemente de fines de la primavera, al igual que las armas resplandecientes y los garrotes que portan al cinto. Curiosamente, sienten la necesidad de vestir uniformes, como si se expusieran a ser confundidos con los Rojos. Con uno de nosotros. ¡Ni por asomo! Su piel, que apenas llega al azul y al gris, despojada de todo lo vivo, es lo bastante distintiva. No hay un solo Rojo sobre la tierra que sea tan frío como un Plateado.

Diez metros adelante de nosotros, Rasha se detiene de forma tan repentina que su pareja, Martenson, casi tropieza con ella. No es una hazaña menor, si se considera que mide apenas unos quince centímetros más que el encanecido Pequeño Papá. A pesar de que Tristan se tensa junto a mí, no rompe la formación. Conoce las reglas. Nada está por encima de la Guardia, ni siquiera el afecto.

Los legionarios Plateados llevan de los brazos a un chico que patea en el aire. Es de baja estatura, y muy joven para tener dieciocho años. Dudo que necesite afeitarse. Hago lo que puedo para no oír sus súplicas, pero el gemido de su madre no puede ignorarse. Ella lo sigue, con otros dos hijos a la zaga y un padre serio más atrás. Va prendida de la camisa del muchacho, en un último combate de resistencia contra su alistamiento.

Todos los que estamos en la calle contenemos la respiración como si fuéramos uno solo mientras presenciamos esa tragedia familiar.

Un golpe se escucha de repente; la madre cae de espaldas y se aprieta una mejilla lastimada. El legionario no levantó un solo dedo ni se distrajo de su nefasta labor. Con toda seguridad se trata de un telqui y ha usado sus habilidades para golpear a la mujer.

—¿Quieres más? —espeta cuando ella intenta levantarse.

—¡No! —grita el chico, quien usa su caduca libertad para implorar.

Esto no durará. Esto no continuará. Es el motivo de que yo esté aquí.

Aun así, me da rabia saber que no puedo hacer nada por este muchacho y su madre. Nuestros planes marchan de modo satisfactorio, aunque no lo bastante rápido para él. *Quizá sobreviva*, me digo. A pesar de ello, una mirada a sus delgados brazos y a las gafas pisoteadas por un legionario me dice otra cosa. Este chico morirá como tantos otros. En una trinchera o en un erial, solo en el último trance.

—No puedo ver esto —mascullo y doy la vuelta en otro callejón.

Después de un largo momento de una vacilación extraña, Tristan me sigue.

Sólo me cabe esperar que Rasha mantenga el curso tan bien como él. Pero lo comprendo. Perdió dos hermanas a manos del reclutamiento Lacustre y huyó de su casa antes de tener que enfrentarse al mismo destino.

Rocasta no es una ciudad amurallada ni tiene puertas que obstruyan los extremos del Camino de Hierro. Es fácil entrar en ella, aunque esto vuelve nuestra tarea un poco más difícil. El cuerpo principal del convoy de abastecimiento avanza por la calle, en tanto que algunos de sus escoltas a pie se apartan y toman diferentes atajos para llegar al mismo destino. En otras circunstancias, mi equipo dedicaría varias horas a seguirlos a todos hasta sus casas sólo para verlos dormir a fin de reponerse del largo viaje. Ahora no. Porque es el Primer Viernes. Hoy es la Proeza de Julio.

Se trata de una ridícula tradición de Norta, pese a lo cual es eficaz si ha de darse crédito a la inteligencia. En casi cada poblado y ciudad, un ruedo proyecta largas sombras y escupe sangre una vez al mes. Los Rojos están obligados a asistir, para sentarse a ver cómo los paladines Plateados intercambian golpes y habilidades con el regocijo de unos actores. No tenemos nada semejante en la comarca de los Lagos. Los Plateados no sienten la necesidad de lucirse frente a nosotros; la legendaria amenaza de Norta es suficiente para mantenernos aterrados a todos.

—Lo hacen en las Tierras Bajas también —murmura Tristan.

Se apoya en la cerca de cemento que bordea el paseo en torno a la entrada al ruedo. Nuestras miradas vuelan al unísono; uno observa siempre a nuestros blancos y el otro vigila a la partida de oficiales que dirige a la gente hacia las fauces abiertas de la Plaza Rocasta.

—Los llaman Actos, no Proezas. Y no éramos sólo espectadores. A veces también hacían pelear a los Rojos.

Oigo en su voz la trepidación de la rabia, incluso por encima del caos organizado con el espectáculo de hoy.

Golpeo levemente su hombro.

—¿Los hacían pelear entre ellos?

Matar a un Rojo o morir a manos de un Plateado. No sé qué es peor.

—Los blancos están en movimiento —gruñe simplemente.

Lanzo una mirada más a los oficiales, ocupados ahora con una banda de chicos escuálidos que detienen el tránsito a pie.

—Vámonos.

Y dejemos que la herida se infecte con el resto.

Me arrojo sobre la pared junto a él y me deslizo entre la muchedumbre, con los ojos puestos en los cuatro uniformes rojos que tenemos al frente. No es fácil. Estamos tan cerca de Corvium que aquí abundan los militares Rojos, ya sea de paso para tomar sus puestos en el Obturador o adscritos a diferentes convoyes, como el que nosotros seguimos. Pero esos cuatro hombres, tres de piel broncínea y el otro moreno, todos fatigados hasta los huesos, no se separan. Rondamos sus pasos. Tripulaban una carreta del convoy tirada por caballos, aunque no sé qué transportaban; estaba vacía cuando retornaron con el resto. A juzgar por la ausencia de seguridad y de Plateados, no creo que se trate de armamento o municiones. Supongo que los tres hombres broncíneos son hermanos, así lo indica la semejanza de sus rostros y sus gestos. Es casi cómico verlos escupir y rascarse el trasero casi simultáneamente. Al cuarto de ellos, un sujeto fornido de ojos vívidamente azules, lo domina la comezón, pese a lo cual sonríe más que todos los demás juntos. Creo que lo llaman Crance, según lo que he alcanzado a escuchar.

Cruzamos los arcos del acceso a la plaza como gatos al acecho, lo bastante cerca de nuestros blancos para oírlos sin ser notados. Arriba, intensas luces eléctricas iluminan el recinto de techo alto que une el paseo externo con el interior. La multitud aumenta a nuestra izquierda, donde varios Rojos aguardan para hacer sus apuestas del combate siguiente. Por encima de ellos, los tableros anuncian los Plateados que pelearán y sus probabilidades de triunfo.

Flora Lerolan, olvido, 3/1.

Maddux Thany, caimán, 10/1.

—Aguardad un segundo —dice Crance y detiene a su grupo junto a los tableros de apuestas.

Con una sonrisa, uno de los hombres de piel de bronce se le une. El par busca en sus bolsillos algo con lo que pueda jugar.

Tristan y yo fingimos hacer lo mismo y nos paramos a unos metros de distancia, ocultos entre el cada vez más numeroso gentío. Los tableros de apuestas son populares entre los Rojos de Rocasta, donde una próspera economía militar impide que la mayoría pase hambre. Hay varios individuos adinerados entre la multitud, comerciantes y dueños de negocios ataviados con prendas orgullosamente limpias. Hacen sus apuestas y exhiben opacas monedas de cobre, e incluso unos cuantos tetrarcas de plata. Apuesto a que la caja registradora de la Plaza Rocasta no es nada despreciable, y tomo nota de transmitir esta información a la comandancia. *Si es que aún quieren atenderme.*

—¡Vamos, tiene toda la ventaja, es dinero fácil!

Sin dejar de reír contagiosamente, Crance apunta hacia los tableros y las ventanillas de apuestas. Los dos tipos que están detrás de él no se muestran tan convencidos.

—¿Sabes algo de los caimanes que nosotros ignoremos? —le pregunta el más alto—. La mujer olvido lo hará añicos.

—¡Como quieras, Trompeta! No he recorrido el pesado camino desde Corvium para aburrirme en las tribunas.

Con los boletos en la mano, Crance se aleja seguido por su amigo y deja a Trompeta y al otro a la espera. Por alguna razón, y pese a su estatura, es sorprendentemente bueno para abrirse camino entre la muchedumbre. Demasiado bueno.

—Vigílalos —murmuro mientras toco el codo de Tristan.

Y entonces también me abro paso en zigzag, en tanto procuro mirar el suelo. Hay cámaras aquí, suficientes para desconfiar. Si las próximas semanas marchan de acuerdo con lo planeado, quizá debo empezar a ocultar mi rostro.

Veo que Crance desliza su boleto por la ventanilla. Su manga se levanta cuando roza el mostrador y al subírsele pone al descubierto un tatuaje. Casi no se distingue de su piel oscura, pero la forma es inconfundible. Lo he visto antes. Es un ancla azul con una cuerda roja.

No somos el único grupo que está al pendiente de este convoy. Los Navegantes ya tienen un hombre dentro.

Eso es bueno. Podemos aprovecharlo. Mi mente se dispara mientras me abro paso a la fuerza para retroceder. *Pagar su información. La Guardia se involucraría menos, aunque obtendría el mismo resultado. Y es probable que este Navegante esté solo y opere por su cuenta. Podríamos tratar de atraerlo y tener los ojos metidos en su grupo. Empezar a tirar de los hilos e integrarlo a la Guardia.*

Tristan sobresale entre el gentío por una cabeza y observa aún a los otros dos blancos. Yo contengo el impulso de correr a su lado y revelarlo todo.

Un obstáculo surge entre nosotros. Un hombre calvo y un conocido brillo de sudor en su frente. *Es un Lacustre.* Antes de que yo pueda correr o gritar, una mano me agarra por el cuello desde atrás. Es lo bastante fuerte para silenciarme, lo bastante blanda para permitirme respirar, y sin duda lo bastante firme para arrastrarme en medio de la multitud sin que el Calvo se aparte de mí.

Otro se resistiría, pero yo sé que no debo hacerlo. Hay agentes Plateados por doquier y su *ayuda* no es algo a lo que quiera arriesgarme. Así que deposito mi confianza en mí y en Tristan. Él debe seguir alerta y yo tengo que soltarme.

La multitud nos arrastra en su corriente y no puedo ver todavía quién me obliga a desfilar en medio de ella. La mole del Calvo me cubre casi por completo, igual que la pañoleta que mi captor me lanza al cuello. Curiosamente, es escarlata. Luego subimos un buen número de escalones hasta lo alto de la plaza, donde hay asientos dispuestos en largas losas y en su mayoría abandonados.

Sólo en ese momento soy liberada y una mano me sienta a empujones.

Cuando giro furiosa, con los puños apretados y listos para actuar, veo que quien me devuelve la mirada es el coronel, muy bien preparado para hacer frente a mi cólera.

—¿Quiere añadir a su lista de infracciones un par de golpes a su superior inmediato? —pregunta, casi con un susurro. *No, no quiero*. Bajo los puños, avergonzada. Incluso si pudiera someter a golpes al Calvo, no deseo probarme con el coronel y su recia fuerza. Me llevo una mano al cuello y masajeo la piel adolorida bajo la pañoleta roja—. No le infligiré ningún daño —continúa.

—Haría mal... Creí que quería dar ejemplo. Nada expresa mejor la frase: *Ponga su trasero donde debe,* que un cuello amoratado.

Su ojo rojo centellea.

—¿Deja usted de responder y cree que yo lo dejaré pasar? ¡De ningún modo, capitana! Ahora dígame qué pasa aquí. ¿Qué es de su equipo? ¿Se han convertido todos ya en unos pillos o algunos han huido?

—Nadie ha huido —digo entre dientes—. Ninguno de ellos. Nadie es un pillo tampoco. Aún siguen las órdenes.

—Al menos alguien lo hace.

—Yo continúo adelante con la operación, le guste o no. Todo lo que estoy haciendo aquí es por la causa, por la Guardia. Como usted presagió, esto no es la comarca de los Lagos. Y aunque la prioridad es tratar con la red Whistle, Corvium lo es también —tengo que sisear para hacerme oír sobre la muchedumbre que abarrota la plaza—. Aquí no podemos avanzar poco a poco. Las cosas están demasiado centralizadas. La gente se dará cuenta y nos echará antes de que estemos listos para proceder. Debemos pegar duro, golpear en grande, donde los Plateados no puedan hacerse los disimulados.

Gano terreno, pero no mucho. De todos modos, es suficiente para que no le tiemble la voz. Está molesto, pero no furioso. Todavía es posible razonar con él.

—Justo para eso grabó usted ese mensaje —dice—. Supongo que lo recuerda —una cámara y una pañoleta roja que tapa la mitad de mi rostro. Un arma en una mano, una bandera recién hecha en la otra. Recito palabras memorizadas como un rezo. *Nos levantaremos, Rojos como el amanecer*—. Así es como nosotros operamos, Farley. Nadie tiene en su poder todas las cartas. Nadie conoce la mano. Ésta es la única forma en que podemos mantener la delantera y seguir vivos —insiste. Venido de otro, esto podría parecer una súplica. Pero no del coronel. Él no pide cosas, únicamente da órdenes—. Créame cuando le digo que tenemos planes para Norta, y que no están muy lejos de lo que usted anhela.

A nuestros pies, los luchadores de la Proeza salen a la extraña arena de color gris. Uno, el caimán Thany, tiene una barriga tan grande como una roca y es casi tan ancho como alto. No necesita armadura y está desnudo hasta la cadera. Por su parte, la olvido esgrime de pies a cabeza su habilidad. Vestida con láminas engranadas anaranjadas y rojas, danza como una llama ágil.

—¿Y esos planes incluyen Corvium? —susurro y me doy la vuelta hacia el coronel. Debo hacerle entender—. ¿Cree que soy tan ciega que no me percataría de otra operación en esta ciudad? No existe. No hay nadie más aquí. A nadie más le preocupa por lo que pasan todos y cada uno de los Rojos condenados a morir. *Todos y cada uno de ellos.* ¿Y usted cree que no es importante?

La cabo Eastree aparece fugazmente en mi cabeza, su rostro gris y sus ojos grises, su firme resolución. Habló de esclavitud porque eso es en lo que se ha convertido este mundo. Nadie se atreve a decirlo, pero eso es lo que los Rojos son. *Esclavos y tumbas.*

Por una vez, él contiene la lengua. *Me alegro, pues de lo contrario podría cortársela.*

—Vuelva con la comandancia y dígale que otro debe proseguir con la Telaraña Roja. ¡Ah!, y avísele que los Navegantes están aquí también. No son tan miopes como el resto de nosotros.

Una parte de mí supone que seré abofeteada por insubordinación. En todos los años que hemos pasado juntos, jamás le había hablado así al coronel. Ni siquiera... ni siquiera en el norte. En el sitio helado que todos llamábamos hogar. Yo era una niña entonces. Una niña que pretendía ser una cazadora, destripaba conejos y colocaba trampas arteras para sentirse importante. Ya no soy ella. Tengo veintidós años, soy capitana de la Guardia Escarlata y nadie, ni siquiera el coronel, puede decirme ahora lo que hago mal.

—¿Entonces qué?

Después de un largo e inquietante momento, abre la boca.

—No.

Una explosión en la pista coincide con mi rabia. La multitud exclama al compás de la contienda y mira mientras la menuda olvido intenta hacer honor a su ventaja. Pero el Navegante tenía razón. Ganará el caimán. Es una montaña contra el fuego de ella, y prevalecerá.

—Mi equipo me apoyará—le advierto—. Usted perderá a diez buenos soldados y una capitana por culpa de su orgullo, coronel.

—No, capitana, nadie la relevará a usted en la Telaraña Roja —dice—. Pediré a la comandancia que lance una operación en Corvium, y cuando haya formado un equipo, éste tomará su lugar —apenas puedo creer lo que dice—. Hasta entonces, usted permanecerá en Corvium y continuará trabajando con sus contactos. Transmita toda la información pertinente a través de los canales habituales.

—Pero la comandancia…

—La comandancia es más imparcial de lo que usted cree. Y por la razón que sea, la tiene en una muy alta estima.

—¿Cómo sé que no miente?

Se limita a alzar un hombro. Sus ojos retornan a la plaza, donde el caimán despedaza a la joven olvido.

En cierto modo, su razonamiento me irrita más que cualquier otra cosa. Es difícil odiarlo en un momento como éste, cuando recuerdo cómo era él. Y luego, por supuesto, recuerdo lo demás. Lo que nos hizo, lo que le hizo a nuestra familia. A mi madre y mi hermana, quienes no eran tan horribles como nosotros, quienes no pudieron sobrevivir por la monstruosidad que él creó.

Ojalá no fuera mi padre. Lo he deseado muchas veces.

—¿Cómo marcha Baluarte? —pregunto para mantener mis pensamientos a raya.

—Mejor de lo previsto —no hay en sus palabras ni una pizca de orgullo, sólo los hechos tal como son—. Aunque el tránsito podría ser un problema una vez que emprendamos el traslado.

Ésa es supuestamente la segunda etapa de mi operación. El traslado y transporte de los *elementos* a los que se considere útiles para la Guardia Escarlata. No sólo los Rojos que se comprometerían con la causa, sino que también sepan disparar un arma, manejar un vehículo, leer, combatir.

—Yo no debería saber… —comienzo, pero me interrumpe.

Me da la impresión de que no tiene a nadie con quien hablar, ahora que ya no estoy a su lado.

—La comandancia me dio tres botes. *Tres*. Cree que tres botes pueden ayudar a poblar y poner en funcionamiento una isla entera.

Esto me trae algo a la memoria. Y en la plaza, el caimán levanta sus sólidos brazos, victorioso. Los sanadores de la piel atienden a la chica olvido y reparan su maxilar fracturado y sus magullados hombros con rápidos movimientos. *Crance se pondrá feliz.*

—¿La comandancia ha mencionado a los pilotos en alguna ocasión? —pregunto.

Él se vuelve, con una ceja levantada.

—¿Pilotos? ¿Para qué?

—Creo que mi hombre en Corvium puede conseguirnos algo mejor que botes, o por lo menos un medio para robar algo mejor que botes.

Otro sonreiría, pero el coronel sólo asiente.

—Hágalo.

EL SIGUIENTE MENSAJE HA SIDO DESCIFRADO

CONFIDENCIAL, SE REQUIERE AUTORIZACIÓN DE LA COMANDANCIA

Agente: Coronel CLASIFICADO.

Denominación: CARNERO.

Origen: Rocasta, NRT.

Destino: COMANDANCIA en CLASIFICADO.

—Se hizo contacto con CORDERO. Su equipo aún en regla, ninguna pérdida.

—Evaluación: CORVIUM merece un equipo de operación. Se sugiere PIEDAD. Se sugiere premura. CORDERO abandonará y volverá a TELARAÑA ROJA.

—CORDERO transmite inteligencia vital para BALUARTE y traslado/tránsito.

—Vuelvo a mi puesto.

NOS LEVANTAREMOS, ROJOS COMO EL AMANECER.

EL SIGUIENTE MENSAJE HA SIDO DESCIFRADO

CONFIDENCIAL, SE REQUIERE AUTORIZACIÓN DE UN SUPERIOR

Agente: General CLASIFICADO.

Denominación: TAMBOR.

Origen: COMANDANCIA en CLASIFICADO.

Destino: CARNERO en CLASIFICADO, CORDERO en Corvium, NRT.

—Sugerencia de CORVIUM bajo análisis.

—Capitana Farley regresará a TELARAÑA ROJA dentro de dos días.

—COMANDANCIA dividida en el castigo por aplicar.

—A la espera de los informes de inteligencia.

NOS LEVANTAREMOS, ROJOS COMO EL AMANECER.

EL SIGUIENTE MENSAJE HA SIDO DESCIFRADO

CONFIDENCIAL, SE REQUIERE AUTORIZACIÓN DE UN SUPERIOR

Agente: Capitán CLASIFICADO.

Denominación: CORDERO.

Origen: Corvium, NRT.

Destino: CARNERO en CLASIFICADO, COMANDANCIA en CLASIFICADO.

—Se solicita una semana.

NOS LEVANTAREMOS, ROJOS COMO EL AMANECER.

Usted es una clase muy especial de idiota, niña. —CARNERO—

EL SIGUIENTE MENSAJE HA SIDO DESCIFRADO
CONFIDENCIAL, SE REQUIERE AUTORIZACIÓN DE UN SUPERIOR

Agente: General CLASIFICADO.
Denominación: TAMBOR.
Origen: COMANDANCIA en CLASIFICADO.
Destino: CARNERO en CLASIFICADO, CORDERO en Corvium, NRT.

—Cinco días. No abierto a más negociaciones.

NOS LEVANTAREMOS, ROJOS COMO EL AMANECER.

Por algún motivo, ya siento la granja como un hogar.

Incluso con el techo derruido, las tiendas afectadas por la humedad y el silencio del bosque. Jamás había estado tanto tiempo en ningún sitio desde Irabelle, aunque ésta fue la base siempre. Y a pesar de que los soldados que están ahí son lo más parecido que tengo a una familia, no podría ver nunca ese frío y esos laberínticos pasajes como algo más que una estación de paso. Un lugar para entrenar y aguardar la misión siguiente.

No así con la ruina a la puerta de la zona de la muerte, a la sombra de una ciudad de tumbas.

—Eso es todo —le digo a Cara y me dejo caer en el costado del armario.

Asiente y guarda el transmisor.

—Me alegra volver a verte tan parlanchina.

Antes de que yo pueda reír, Tristan llama a la puerta tan fuerte que sacude los postigos de la puerta cerrada.

—Tienes compañía.

Barrow.

—El deber me llama —refunfuño mientras paso a toda prisa junto a Cara, con quien tropiezo en el estrecho espacio.

Cuando abro la puerta de golpe, me sorprende hallar a Tristan tan cerca, con su usual energía nerviosa a toda marcha.

—Esta vez lo vieron los observadores —dice. En otras condiciones, eso le enorgullecería, pero hay algo que lo desconcierta. Sé cuál es la razón. No vemos llegar a Barrow nunca. ¿Por qué hoy sí?—. Dijo que es importante…

Detrás de él la puerta de la granja se abre con estrépito y deja al descubierto el rostro enrojecido de Barrow, flanqueado por Cris y Pequeño Coop.

Me basta con mirar su expresión aterrada.

—¡Dispersaos! —espeto.

Ellos saben lo que esto significa. Saben adónde ir.

Un huracán recorre la granja y la toma por asalto. Las armas, las provisiones, nuestro instrumental desaparecen en un estudiado segundo, ocultos en bolsas y paquetes. Cris y Pequeño Coop se han marchado ya a la arboleda para subir lo más alto posible. Sus espejos y reclamos de aves transmitirán el mensaje a los demás que aguardan en el bosque. Tristan supervisa al resto sin dejar de cargar su rifle largo.

—¡No hay *tiempo,* ya están aquí! —sisea Barrow, que está de repente a mi lado. Me agarra del hombro, y no lo hace con delicadeza—. ¡Debéis marcharos!

El equipo obedece con dos chasquidos de mis dedos y olvida lo que no se ha recogido. Supongo que después tendremos que robar varias tiendas más, aunque ésta es la menor de mis preocupaciones. Otro chasquido y ellos vuelan como las balas de un arma. Cara, Tye, Rasha y los demás cruzan la puerta y la pared desplomada en todas direcciones y a toda velocidad. El bosque se los traga por completo.

Tristan me espera porque es su responsabilidad. Barrow aguarda porque… en realidad no lo sé.

—*Farley* —silba, y me agarra del brazo nuevamente.

Lanzo una última mirada para confirmar que llevamos todo lo necesario antes de huir a la arboleda. Los hombres corren a toda prisa conmigo entre raíces retorcidas y arbustos. Mi corazón late con fuerza en mis oídos, como si batiera un tambor agobiado. *Nos hemos visto en peores circunstancias. Nos hemos visto en peores circunstancias..*

Entonces escucho a los perros.

Son los sabuesos que los animus controlan. Nos olerán, nos seguirán y los raudos nos darán caza. Si tenemos suerte, nos creerán desertores y nos ejecutarán en el bosque. Si no... no quiero pensar en los horrores que nos tiene deparados la ciudad negra de Corvium.

—¡Al agua! —grito—. ¡Nos perderán el rastro!

Pero el río se encuentra a ochocientos metros de distancia.

Sólo espero que ellos se detengan a registrar la granja y nos den el tiempo que necesitamos para escapar. Al menos los demás ya están lejos y muy dispersos. Ninguna jauría podrá seguirnos a todos. ¿Qué hay de mí, de nosotros, del olor más fresco, más próximo? Seremos presa fácil.

Pese a las protestas de mis músculos, hago un esfuerzo y corro más velozmente que nunca. Pero después de sólo un minuto, *sólo un minuto,* me fatigo. ¡Si pudiera correr tan aprisa como mi corazón late!

Tristan aminora el paso conmigo, aunque no necesita hacerlo.

—Hay un arroyo —sisea y señala al sur—. Sale del río, está más cerca. Ve ahí.

—¿De qué hablas?

—Yo puedo llegar al río. Tú no. Y no pueden seguirnos a ambos.

Mis ojos se ensanchan. A pesar de que casi tropiezo en medio de mi confusión, Barrow me atrapa justo a tiempo arriba de una raíz nudosa.

—Tristan...

Mi lugarteniente sólo sonríe, palmea el arma que cruza su espalda y señala.

—Por ahí, jefa.

Antes de que pueda detenerlo, antes de que pueda ordenarle que no lo haga, se sumerge en el bosque y usa sus largas piernas y las ramas bajas para brincar sobre un terreno cada vez más accidentado. No puedo gritar a sus espaldas. Por alguna razón, ni siquiera dispongo de una vista clara de su rostro. Sólo percibo una mata de pelo rojo que destella en el verdor.

Barrow casi me empuja. Creo que se muestra aliviado, aunque eso no puede ser cierto. Sobre todo cuando un perro aúlla a menos de cien metros. Y los árboles sobre nosotros parece que se inclinan y extienden sus ramas como dedos serviciales. *Guardafloras. Animus. Raudos. Los Plateados nos atraparán a ambos.*

—Farley —de pronto Barrow coge mi mentón entre sus manos y me obliga a mirar a su rostro asombrosamente tranquilo. Hay temor en él, desde luego, aletea en sus ojos dorados. Pero dista mucho de reflejar la gravedad de la situación. Yo, en cambio, estoy aterrada—. Tienes que prometerme que no gritarás.

—¿Qué…?

—*Prométela.*

Veo al primer perro. Es un sabueso del tamaño de un poni, con el hocico abierto. Y junto a él está un borrón gris como el viento hecho carne. *Un raudo.*

Siento de nuevo que Shade aprieta su cuerpo contra el mío, y después algo menos agradable. La contracción del mundo, el remolino, la inclinación de frente por el aire vacío. Todo esto se complica y se encoge y creo que veo estrellas verdes. O quizá sean árboles. Lo primero que siento es una conocida oleada de náusea. En esta ocasión aterrizo en el lecho de un río, no sobre cemento.

Balbuceo y escupo agua y bilis mientras contengo el impulso de gritar o vomitar, o ambas cosas.

Barrow se agacha junto a mí con una mano en alto.

—No grites —así que vomito—. Supongo que eso es preferible en este momento —aparta amablemente la mirada de mi rostro verde—. Perdón, creo que tengo que practicar más. O quizá tú eres muy sensible.

El río borboteante limpia lo que yo no puedo y el agua fría hace por mí más que una taza de café negro. Me reanimo y miro a mi alrededor los árboles que se inclinan sobre nosotros. Son sauces, no robles como donde estábamos hace apenas unos segundos. *No se mueven,* comprendo junto con una descarga de alivio. *No hay guardafloras aquí. Tampoco perros.* Pero entonces... ¿dónde estamos?

—¿Cómo? —susurro con voz temblorosa—. ¡¿Cómo?!

El ensayado escudo de Shade Barrow cede un poco. Él da unos pasos atrás para sentarse en una piedra por encima del riachuelo, sobre la que se posa como un mascarón.

—Ni siquiera yo tengo una explicación —dice como si admitiera un crimen—. Lo más... lo más que puedo hacer es mostrártelo. Y tienes que prometer de nuevo que no gritarás.

Asiento con desgana. La cabeza me da vueltas. Apenas puedo incorporarme en la corriente, y menos todavía gritar.

Él aspira y se aferra a la piedra hasta que los nudillos se le ponen blancos.

—¡Allá vamos!

Y de pronto ya no está. No... no porque haya huido o se haya escondido o incluso se haya caído de la roca. Simplemente no está. Agito las pestañas sin creer lo que veo.

—Aquí estoy.

Vuelvo tan rápido la cabeza que casi siento náuseas otra vez.

Ahí está él, de pie en la orilla opuesta. Entonces lo hace de nuevo y regresa a la piedra, en la que vuelve a sentarse lentamente. Muestra una sonrisa vacilante, sin nada de alegría. Y abre demasiado los ojos. Si yo tenía miedo hace unos minutos, él está totalmente petrificado. Y no es para menos.

Porque Shade Barrow es Plateado.

La memoria muscular me permite sacar mi arma y amartillarla sin parpadear.

—Puede que no sea capaz de gritar, pero sí de dispararte.

Se ruboriza; de un modo u otro, su rostro y su cuello se ponen rojos. *Es una ilusión, un truco. Su sangre no es de ese color.*

—Hay varias razones por las que eso no va a dar resultado —dice mientras se atreve a apartar la mirada de mi pistola—. Para comenzar, tu cañón está lleno de agua. Dos, en caso de que no lo hayas notado… —de repente está junto a mi oreja y se acuclilla a mi lado en el río. Me asusto tanto que lanzo un chillido, o lo haría si él no me cubriera la boca con una mano— soy muy rápido —*Estoy soñando. Esto no es real.* Tira de mi aturdido cuerpo y me obliga a incorporarme. Intento empujarlo, aunque hasta eso me provoca un mareo—. Y tres, los perros no podrán olernos ya, pero pueden oír un disparo —no suelta mis hombros, que aprieta con fuerza creciente—. ¿Va a replantear entonces su pequeña estrategia, capitana?

—¿Eres Plateado? —exhalo y me doy la vuelta entre sus brazos. Esta vez me enderezo sola antes de caer. Como en Corvium, la náusea pasa rápido. *Es un efecto secundario de su habilidad. Su habilidad Plateada. Me la había mostrado ya y yo sin enterarme.* Esta idea hace arder mi cerebro—. ¿Lo has sido siempre?

—No, no. Soy Rojo como esa cosa del amanecer de la que tanto hablas.

—No me mientas —tengo todavía el arma en la mano—. Todo esto ha sido un ardid para que nos atraparas. ¡Apuesto a que tú has conducido a esos cazadores hasta mi grupo…!

—Te *dije* que no gritaras.

Tiene abierta la boca y deja entrar una agitada inhalación entre sus dientes. Está tan cerca que puedo ver los vasos sanguíneos que se extienden por el blanco de sus ojos. Son rojos. *Una ilusión, un truco,* resuena de nuevo en mi cabeza. Pero junto con esa advertencia llegan varios recuerdos suyos. ¿Cuántas veces nos reunimos a solas? ¿Cuántas semanas ha trabajado con nosotros, ha transmitido información y se ha comunicado con la cabo Eastree, que es de sangre roja? ¿Cuántas veces tuvo la oportunidad de tendernos una trampa?

Esto no tiene sentido.

—Y nadie me ha seguido. *Es obvio* que nadie puede seguirme. Ellos os localizaron por su cuenta. Es algo que tiene que ver con los espías de Rocasta y nada más.

—¿Continúas a salvo en Corvium y *trabajas* todavía para ellos? ¿Como *uno de ellos*?

Su paciencia se quiebra como una frágil rama.

—¡Ya te he dicho que no soy Plateado! —gruñe como un animal en un segundo trepidante.

Quiero dar un paso atrás, pero me obligo a mantenerme firme, inmóvil, sin temerle. *Aunque tengo todo el derecho de hacerlo.*

De repente extiende un brazo y se sube la manga con dedos temblorosos.

—Córtame —asiente, como si contestara una pregunta que no he podido formular todavía—. ¡Córtame!

Para mi sorpresa, mis dedos tiemblan tanto como los suyos cuando saco el puñal de mi bota. Él se estremece cuando lo hundo en su piel. *Por lo menos siente dolor.*

El corazón me da un vuelco cuando la sangre mana bajo la cuchilla. *Es roja como el amanecer.*

—¿Cómo es posible?

Cuando me doy la vuelta, veo que mira mi rostro, como si buscara algo. Por la forma en que sus ojos brillan, creo que lo encuentra.

—De verdad que no lo sé. No sé lo que es esto ni qué soy yo. Sólo sé que no soy uno de ellos, sino uno de *vosotros*.

Durante un momento frenético olvido a mi equipo, el bosque, mi misión e incluso a Shade. El mundo se inclina de nuevo, aunque no debido a algo que él haga. Esto es algo más. Una transformación. Un cambio. Y un *arma* que utilizar. *No, un arma que he empuñado muchas veces ya. Para obtener información, para infiltrar a Corvium. Con Shade Barrow, la Guardia Escarlata puede ir adondequiera, a todas partes.*

Se creería que, con todas mis infracciones del protocolo, yo evitaría incumplir más reglas. Pero ¿qué pasará si infrinjo una más?

Cierro poco a poco mis dedos alrededor de su muñeca. A pesar de que sangra todavía, no me importa. *Es lo más pertinente.*

—¿Jurarás lealtad a la Guardia Escarlata?

Supongo que sonreirá. En cambio, su rostro se torna de piedra.

—Con una condición.

Levanto tan alto las cejas que podrían desaparecer bajo mi cabello.

—La Guardia no negocia.

—No es una petición para la Guardia, sino para ti —replica.

Para alguien que puede moverse más rápido que un pestañeo, él da el paso más lento del mundo. Nos miramos a los ojos; el azul se encuentra con el oro.

La curiosidad me vence.

—¿Y es...?

—¿Cómo te llamas?

Mi nombre. A los demás les tiene sin cuidado usar el suyo, pero no es así para mí. Mi nombre no tiene importancia. El rango y la denominación son lo único que realmente importa. Cómo me llamó mi madre no es de consideración para nadie, y menos que todos para mí. Es una carga antes que otra cosa, un doloroso recordatorio de la voz de ella y de nuestra vida en los primeros días. Cuando al coronel se le decía papá y la Guardia Escarlata era la quimera de unos cazadores y agricultores y soldados vacíos. Mi nombre es mi madre, mi hermana Madeline y sus sepulcros cavados en el gélido suelo de una aldea en la que ya no habita nadie.

Shade me mira expectante. Sé que me coge de la mano, sin importar que la sangre se coagule bajo mis dedos.

—Me llamo Diana.

Por una vez su sonrisa es verdadera, sin bromas ni máscaras.

—¿Estás con nosotros, Shade Barrow?

—Estoy contigo, Diana.

—Entonces nos levantaremos…

Une su voz a la mía.

—Rojos como el amanecer.

EL SIGUIENTE MENSAJE HA SIDO DESCIFRADO

CONFIDENCIAL, SE REQUIERE AUTORIZACIÓN DE UN SUPERIOR

Día 34 de la operación TELARAÑA ROJA, etapa 1.

Agente: Capitán CLASIFICADO.

Denominación: CORDERO.

Origen: En tránsito.

Destino: CARNERO en CLASIFICADO, COMANDANCIA en CLASIFICADO.

—Se abandona CORVIUM en dirección a DELPHIE. Nos detendremos en puntos WHISTLE a lo largo de la ruta.

—Se planea estar en la etapa 2 dentro de una semana.

—Notifíquese a operación CORVIUM que agentes de CORVIUM creen que hay "bandidos y desertores" en el bosque.

—Se anexa información detallada sobre flota aérea apostada en DELPHIE, proporcionada por operativo recién jurado ayudante B (denominación: SOMBRA) todavía en CORVIUM.

—Se sugiere tomar juramento también a cabo E.

—Soy y seguiré siendo el contacto de SOMBRA en GE.

—SOMBRA será retirado de CORVIUM a mi criterio.

—Resumen de CORVIUM: muertos en combate: G. TYE, W. TARRY, R. SHORE, C. ELSON, H. "Gran" COOPER (5).

—Desaparecidos en combate: T. BOREEVE, R. BINLI (2).

—Conteo de bajas Plateadas: cero (0).

NOS LEVANTAREMOS, ROJOS COMO EL AMANECER.

EL SIGUIENTE MENSAJE HA SIDO DESCIFRADO

CONFIDENCIAL, SE REQUIERE AUTORIZACIÓN DE UN SUPERIOR

Agente: General CLASIFICADO.

Denominación: TAMBOR.

Origen: COMANDANCIA en CLASIFICADO.

Destino: CARNERO en CLASIFICADO.

—Buena intel. aérea. Operación DELPHIE en marcha.

—Tránsito de tren en regla entre ARCÓN y ciudad #1.

—Iniciar en 3 semanas la cuenta atrás para la operación ALBA.

NOS LEVANTAREMOS, ROJOS COMO EL AMANECER.

Su chica tiene agallas. —TAMBOR—

Por su culpa ha muerto gente nuestra. —CARNERO—

Vale la pena por sus resultados, aunque su actitud deja un poco que desear. —TAMBOR—

EL SIGUIENTE MENSAJE HA SIDO DESCIFRADO

CONFIDENCIAL, SE REQUIERE AUTORIZACIÓN DE UN SUPERIOR

Día 54 de la operación TELARAÑA ROJA, etapa 2.

Agente: Capitán CLASIFICADO.

Denominación: CORDERO.

Origen: Albanus, NRT.

Destino: CARNERO en CLASIFICADO.

—Los WHISTLE de VALLE PRIMORDIAL en regla. A punto de iniciar traslado en ALBANUS con agente jurado WILL WHISTLE.

—30 elementos trasladados en 2 semanas.

—SOMBRA opera aún en CORVIUM. Intel.: las legiones han sido rotadas en las trincheras, han quedado señales de ello.

NOS LEVANTAREMOS, ROJOS COMO EL AMANECER.

Odio este carromato apestoso.

El viejo y astuto Will enciende una vela, como si esto pudiera disipar el olor, cuando lo único que hace es volver más caluroso este sitio, más asfixiante, si es que es posible. Sin embargo, más allá de la fetidez, me siento a gusto.

Los Pilares es una aldea aletargada, sin mayor motivo de preocupación. De hecho, resulta que es el lugar donde Shade nació. Él no habla mucho de su familia, sólo de su hermana. Pero sé que les escribe. Yo *envié* su carta más reciente, la llevé al correo apenas esta mañana. Eso es más rápido que confiar en que el ejército haga llegar una carta a su destino, me dijo, y tenía razón. Arriban apenas dos semanas después de enviarlas, y no el mes usual que transcurre para que la correspondencia Roja llegue a cualquier parte.

—¿Esto tiene algo que ver con el *nuevo cargamento* que mis camaradas han transportado para vosotros río abajo, y por tierra? A Harbor Bay, ¿no es así?

Me mira con unos ojos demasiado brillantes para alguien de su edad. Pese a todo, su barba es más exigua que el mes pasado, lo mismo que su cuerpo. De cualquier forma, se sirve una taza de té con las quietas manos de un cirujano.

Declino cortésmente el ofrecimiento de té caliente en un carromato más caliente todavía. *¿Cómo es posible que él use mangas largas?*

—¿Qué has oído?

—Nada en particular.

¡Vaya si son ladinos estos Whistle!

—Es cierto. Hemos empezado a movilizar gente, y la red Whistle ha sido esencial en esta operación. Espero que tú aceptes hacer lo mismo.

—¿Por qué habría de ser tan tonto para hacerlo?

—Bueno, lo fuiste para jurar lealtad a la Guardia Escarlata. Claro que si necesitas más persuasión... —con una sonrisa, extraigo cinco tetrarcas de plata de mi bolsillo. Apenas tocan la pequeña mesa antes de que él los coja. Desaparecen entre sus dedos—. Recibirás más de esto por cada pieza.

A pesar de ello, no accede. Monta un espectáculo igual al que hicieron los demás Whistle antes de que obtuviera su consentimiento.

—Serías el primero en negarte —le digo con una sonrisa embaucadora—. Y nuestra asociación terminaría.

Sacude con desdén una mano.

—Me va muy bien sin lo tuyo.

—¿En serio? —mi sonrisa se ensancha. *Will no es bueno para engañar*—. Bueno, me marcho entonces; jamás volveré a mancillar tu… carromato.

Antes de que pueda levantarme siquiera, él lo hace para detenerme.

—¿A quién piensas movilizar?

¡Te tengo!

—A ciertos elementos. Personas que serán valiosas para nuestra causa.

Mientras lo observo, sus ojos brillantes se ensombrecen. *Es un truco de la luz.*

—¿Y quién toma esa decisión?

Pese al calor, un escalofrío recorre mi espalda. Aquí viene el escollo usual.

—Hay operaciones en todo el país en busca de esas personas, y la mía es una de ellas. Evaluamos, proponemos a nuestros candidatos y esperamos la aprobación.

—Supongo que los viejos, los enfermos y los menores de edad no son incluidos en vuestras propuestas. No tiene sentido salvar a los que de veras lo necesitan.

—Si tienen habilidades valiosas...

—¡Bah! —espeta, y las mejillas se le enrojecen. Bebe su té con jadeos iracundos hasta apurar la taza. El líquido lo serena. Cuando baja la taza vacía, apoya el mentón sobre una mano en actitud meditativa—. Supongo que eso es lo mejor que podemos esperar.

Otro canal que se abre.

—Por ahora.

—Muy bien.

—¡Ah!, y no creo que sea un problema para ti, pero yo no me acercaría a los Plateados que veas mañana. No estarán contentos.

Mañana. La sola idea hace que me hierva la sangre. No sé qué han planeado el coronel y la comandancia, sólo que incluye mi mensaje grabado y algo para lo que vale la pena hacer ondear nuestra bandera.

—¿Debo saberlo? —pregunta con una sonrisa mordaz—. ¿Lo sabes tú siquiera?

Me es preciso lanzar una risotada.

—¿Tienes algo más fuerte que el té?

No le es posible contestar, porque alguien golpea la puerta del carromato. Él salta y casi rompe la taza. Yo la atrapo ágilmente, pero no le quito los ojos de encima. Me estremece un antiguo temor y ambos permanecemos quietos, a la espera. Entonces recuerdo. *Los agentes no llaman a la puerta.*

—¡Will Whistle! —exclama una voz de mujer.

Él casi se desploma de alivio y la tensión que hay en mí se libera. Me hace señas para que me oculte detrás de la cortina que divide su carromato.

Hago lo que me pide y me oculto segundos antes de que ella abra de golpe la puerta.

—¡Señorita Barrow! —lo oigo decir.

Mil coronas, maldigo entre dientes mientras regreso a la taberna a la vera del camino. Cada uno. No sé por qué le pedí una cifra tan alta. El motivo de que haya aceptado entrevistarme con esa muchacha *—la hermana de Shade, debe ser ella—* es menos misterioso. ¿Pero decirle que la ayudaría? ¿A salvar a su amigo, a salvarla *a ella* del alistamiento? ¿A dos adolescentes que no conozco, ratas que no dudarían en sacrificar a sus transportadores? En el fondo, sé por qué lo he hecho. Recuerdo al chico de Rocasta, y a su madre. Lo mismo les sucedió a Shade y sus dos hermanos mayores frente a la chica que imploró mi ayuda esta noche. *Mare, se llama Mare.* Rogó por sí misma y por otro, muy probablemente su novio. En su voz oí y vi a muchas personas. La madre de Rocasta. Rasha, que dejó de ver. Tye, que murió tan cerca del sitio del que quería escapar. Cara, Tarry, Shore, Gran Coop. Todos ellos muertos tras haber arriesgado su vida; tuvieron que pagar el precio que la Guardia Escarlata cobra siempre.

Mare no conseguirá ese dinero. Es una tarea imposible. De todas maneras, le debo a Shade mucho más por sus servicios. Supongo que librar a su hermana del alistamiento será un precio bajo que pagar por su inteligencia. Y cualquier suma que ella ofrezca ayudará a la causa.

Tristan me alcanza a medio camino entre Los Pilares y la taberna de la carretera. De alguna manera esperaba que me acompañara a lo largo de todo el trayecto, y que aguardara con Rasha, Pequeño Coop y Cristobel, los únicos miembros que quedan de nuestro desafortunado equipo.

—¿Todo en orden? —pregunta y se ajusta cuidadosamente la chaqueta para cubrir la pistola que lleva en su cadera.

—Perfectamente —respondo.

Por alguna razón, estas palabras resultan muy difíciles de pronunciar.

Tristan me conoce demasiado para entrometerse. Cambia de tema y me acerca la radio de Corvium.

—Barrow ha intentado comunicarse varias veces en la última hora.

Está aburrido, de nuevo. No sé en cuántas ocasiones le he dicho a Shade que la radio debe usarse para asuntos oficiales y urgencias, no para fastidiarme. De cualquier forma, no puedo menos que sonreír. Hago lo posible por mantener quietos mis labios, al menos frente a Tristan, y me pongo a juguetear con la radio.

Oprimo el auricular y envío un impulso de puntos aparentemente casuales. *Aquí estoy,* dicen.

Su respuesta llega tan rápido que casi dejo caer el aparato.

—¡Necesito ayuda, Farley! —crepita su voz, apenas audible en el pequeño altavoz—. ¿Farley? Tengo que huir de Corvium.

Una sensación de pánico desciende por mi espalda.

—Entiendo —contesto mientras mi mente vuela a toda velocidad—. ¿Puedes salir solo?

Si no fuera por Tristan, se lo preguntaría francamente. ¿Por qué no puede alejarse de un salto de esa fortaleza de pesadilla?

—Nos vemos en Rocasta.

—¡Hecho!

EL SIGUIENTE MENSAJE HA SIDO DESCIFRADO
CONFIDENCIAL, SE REQUIERE AUTORIZACIÓN DE UN SUPERIOR

Día 56 de la operación TELARAÑA ROJA, etapa 2.
Agente: Capitán CLASIFICADO.
Denominación: CORDERO.
Origen: Rocasta, NRT.
Destino: CARNERO en CLASIFICADO.

—Felicidades por el atentado en ARCÓN.
—En ROCASTA para trasladar a SOMBRA.

NOS LEVANTAREMOS, ROJOS COMO EL AMANECER.

EL SIGUIENTE MENSAJE HA SIDO DESCIFRADO

CONFIDENCIAL, SE REQUIERE AUTORIZACIÓN DE UN SUPERIOR

Día 60 de la operación BALUARTE, etapa 2.

Agente: Coronel CLASIFICADO.

Denominación: CARNERO.

Origen: CLASIFICADO.

Destino: CORDERO en Rocasta.

—Proceda. Envíelo a TRIAL. Retorne a TELARAÑA ROJA lo más pronto posible.

NOS LEVANTAREMOS, ROJOS COMO EL AMANECER.

Tardé en llegar aquí más de lo previsto. Por no mencionar el hecho de que vine sola.

Después del atentado en Arcón, viajar no resulta sencillo, incluso a través de nuestros canales habituales. Las barcas y transportes de carga de Whistle son más difíciles de conseguir ahora. Y llegar a las ciudades, aun a Rocasta, no es una hazaña menor. Los Rojos deben presentar su tarjeta de identidad, y hasta su sangre, en diferentes controles de acceso a la ciudad, los mismos que debo evitar a toda costa. Aunque mi rostro estaba cubierto, oculto en el vídeo en el que anuncié a todo la nación la presencia de la Guardia Escarlata, no puedo correr riesgos.

Incluso me he rapado la cabeza, para deshacerme de la larga trenza rubia que tanto destacó en ese mensaje.

Crance, el Navegante que trabaja en el convoy de abastecimiento, tuvo que meterme de contrabando, y lograr que aceptara implicó una *intensa* labor de convencimiento. Comoquiera que sea, conseguí entrar a la ciudad sana y salva, con mi radio bien oculta en la pretina.

Sector Rojo. Mercado de legumbres.

Ahí es donde Shade me pidió que nos encontráramos, y es adonde debo llegar. No me atrevo a cubrir mi rostro ni a encapucharme, pues esto le daría a cualquiera una buena pista de mi identidad. En cambio, uso gafas de sol, con las que oculto la única sección de mi rostro que todos advirtieron en el vídeo. De cualquier manera, siento el riesgo a cada paso. *El riesgo forma parte del juego*. Pero no temo por mí. Ya he hecho mi parte —y un poco más— por la Guardia Escarlata. Podría morir ahora y se me consideraría una agente exitosa. Mi nombre aparecería en la correspondencia oficial, enviada por Tristan quizá, convertido en puntos para que el coronel lo leyera.

Me pregunto si lo lamentaría.

Hoy está nublado y el ánimo de la ciudad es reflejo del clima. Además, el atentado está en los labios de todos, en los ojos de todos. Los Rojos muestran una extraña mezcla de optimismo y abatimiento, y algunos de ellos susurran abiertamente acerca de la Guardia Escarlata. Pero muchos, especialmente los viejos, les ponen mala cara a sus hijos, los reprenden por creer en nuestras tonterías y les aseguran que éstas traerán más dificultades a su gente. No soy tan tonta para detenerme a discutir con ellos.

El mercado se halla en lo profundo del sector Rojo, pero rebosa de agentes de seguridad Plateados. Hoy parecen lobos al acecho, con sus armas en la mano antes que en la funda. Hay disturbios en las principales ciudades, de ciudadanos Plateados que perseguían a cualquier Rojo al que pudieran ponerle las manos encima, que culpaban a todos los que podían de las acciones de la Guardia Escarlata. Pero algo me dice que estos agentes no están aquí para proteger a mi pueblo. Lo único que quieren es infundir miedo y hacernos callar.

Sin embargo, ni siquiera ellos pueden acallar los rumores.

—¿Quiénes son?

—La Guardia Escarlata.

—Nunca había oído hablar de ella.

—¿Lo has visto? ¡El oeste de Arcón ha ardido en llamas...!

—... aunque nadie ha resultado herido...

—... traerán más problemas...

—... las cosas empeorarán...

—... nos culpan de eso...

—Quiero buscarlos.

—Farley.

Este último es un aliento cálido en el lóbulo de mi oreja, una voz conocida. Me vuelvo instintivamente y le doy a Shade un abrazo, lo cual nos sorprende a ambos.

—También a mí me alegra verte —farfulla.

—Te sacaremos de aquí —murmuro mientras me aparto. Cuando lo miro con atención, me doy cuenta de que las últimas semanas no han sido fáciles. Está pálido y demacrado, y sus ojeras son profundas—. ¿Qué ha pasado?

Mete mi brazo en el hueco del suyo y le permito conducirme entre la multitud que recorre diligentemente el mercado. Nuestra apariencia es de personas comunes y corrientes.

—He recibido una transferencia, a la Legión de la Tormenta, al frente.

—¿Alguna clase de castigo?

Sacude la cabeza.

—No. No saben todavía que soy un contacto de la Guardia. No, esta orden es extraña.

—¿Por qué lo es?

—Proviene de un general. De muy alto grado. Y está dirigida *a mí*, un simple ayudante. No tiene sentido. Es como si *algo* no encajara —entrecierra los ojos en forma harto significativa y yo asiento—. Creo que van a deshacerse de mí.

Trago saliva y espero que no lo note. Mi temor por él no puede ser interpretado más que como algo profesional.

—Nosotros te ejecutaremos antes, diremos que huiste y que moriste por desertar. Eastree puede falsificar los papeles como lo hace con otros elementos. Y además, éste es un buen momento para buscarte un traslado.

—¿Tienes idea de adónde?

—Irás a Trial, al otro lado de la frontera. Eso no debería ser demasiado difícil para alguien con tus habilidades.

—No soy invencible. No puedo saltar cientos de kilómetros y ni siquiera, bueno, *llegar* tan lejos. ¿Tú puedes? —murmura.

Tengo que sonreír. *Crance debe ser la solución.*

—Creo que puedo conseguirte un mapa y un guía.

—¿Vendrás conmigo?

Me digo que imagino la desilusión que advierto en su voz.

—Tengo otros asuntos que resolver... ¡Cuidado! —agrego cuando distingo a un grupo de agentes delante de nosotros; el brazo de Shade se tensa en el mío y me acerca más a él. *Saltará si tiene que hacerlo y yo vomitaré de nuevo sobre mis botas*—. Intenta no hacerme devolver esta vez —rezongo, con lo que le arranco una de sus sonrisas torcidas.

Pero no hay de qué alarmarse. Los agentes se concentran en otra cosa, en una resquebrajada pantalla de vídeo, quizá la única en este mercado Rojo, usada para ver programas oficiales, aunque no hay nada oficial en lo que miran.

—¡Olvidaba que hoy se transmite la prueba de las reinas! —dice uno de ellos cuando se inclina y entrecierra los ojos ante la imagen, que se borra ocasionalmente—. ¿No pudiste conseguir un mejor aparato para nosotros, Marcos?

Marcos se pone gris, está irritado.

—Estamos en el sector Rojo, ¿qué esperabas? ¡Regresa a tus rondas si no te satisface!

La prueba de las reinas. Recuerdo algo acerca de esas palabras. Fue en la instrucción sobre Norta, el improvisado paquete de información que el coronel me hizo leer antes de que me enviaran aquí. Algo acerca de los príncipes... que eligen una esposa, quizás. Esta sola idea hace que yo arrugue la nariz, pero por alguna razón no puedo apartar los ojos de la pantalla a medida que nos acercamos al lugar.

En ella, una joven enfundada en prendas de cuero negro demuestra sus legendarias habilidades. Es una *magnetrona,* comprendo mientras ella manipula el metal del ruedo en que se encuentra.

Justo en ese momento, un relámpago rojo cruza la pantalla y va a estamparse en el escudo eléctrico que separa a la magnetrona del resto de la elite Plateada que presencia su exhibición.

Los agentes exclaman al unísono. Uno de ellos incluso desvía la mirada.

—No quiero ver esto —se queja, como si estuviera a punto de vomitar.

Shade se paraliza en su sitio, con los ojos fijos en la pantalla donde ve el manchón rojo. Aprieta mi brazo y me obliga a mirar. *La mancha tiene un rostro. Es su hermana.*

Mare Barrow.

Se pone frío contra mi cuerpo cuando el relámpago la devora por completo.

—Eso debería haberla matado.

Las manos de Shade tiemblan y él tiene que ponerse en cuclillas en el callejón para impedir que el resto de su cuerpo se desplome. Me arrodillo a su lado, con una mano en su brazo trémulo.

—Eso debería haberla matado —repite y abre mucho sus ojos que despiden una mirada vacía.

No necesito preguntar para saber que reproduce una y otra vez la escena en su cabeza. Su joven hermana que cae en el ruedo de la prueba de las reinas, a su muerte en cualquier circunstancia. Pero Mare no ha muerto. Se ha electrocutado frente a las cámaras, pero no ha muerto.

—Está viva, Shade —le digo y hago girar su rostro hacia el mío—. Tú mismo la viste: se levantó y corrió.

—¿Cómo es posible?

No es el momento de apreciar la broma.

—Yo te pregunté lo mismo una vez.

—Entonces ella es diferente también —se le ensombrece la vista, que aleja de mi rostro—. Y está con *ellos*. Tengo que ayudarla —intenta incorporarse, pero el impacto no ha cedido. Lo ayudo a agacharse de nuevo lo más suavemente que puedo y permito que se apoye en mí—. La asesinarán, Diana —susurra. Su voz me rompe el corazón—. Podrían hacerlo ahora mismo.

—No creo que lo hagan. No pueden hacerlo después de que todos hayan visto a una chica Roja sobrevivir al relámpago —*Tendrán que explicarlo primero. Inventar una historia como las que usaban para que pasáramos inadvertidos hasta que nos cercioramos de que ya no pudieran hacerlo*—. Hoy ella ha logrado un gran triunfo.

De pronto el callejón es demasiado pequeño. Shade me lanza una mirada desafiante, que sólo un soldado puede mostrar.

—No la dejaré ahí sola.

—No lo estará. Me encargaré de ello.

Su mirada se afianza, como reflejo de la resolución que siento en mi interior.

—Yo también.

EL SIGUIENTE MENSAJE HA SIDO DESCIFRADO

CONFIDENCIAL, SE REQUIERE AUTORIZACIÓN DE LA COMANDANCIA

Día 2 de la operación RELÁMPAGO.

Agente: Capitán CLASIFICADO.

Denominación: CORDERO.

Origen: Summerton, CL.

Destino: COMANDANCIA en CLASIFICADO.

—Op. en marcha. MARE BARROW hizo contacto con WILL WHISTLE y HUESOS en ALBANUS, juró lealtad a GE. Apoyo de SOMBRA, exitoso.

—Agente DONCELLA actuará como contacto en MANSIÓN DEL SOL.

—Agente CAMARERO hizo contacto sobre nuevo elemento por reclutar en MANSIÓN DEL SOL, se investigará con más detalle

NOS LEVANTAREMOS, ROJOS COMO EL AMANECER.

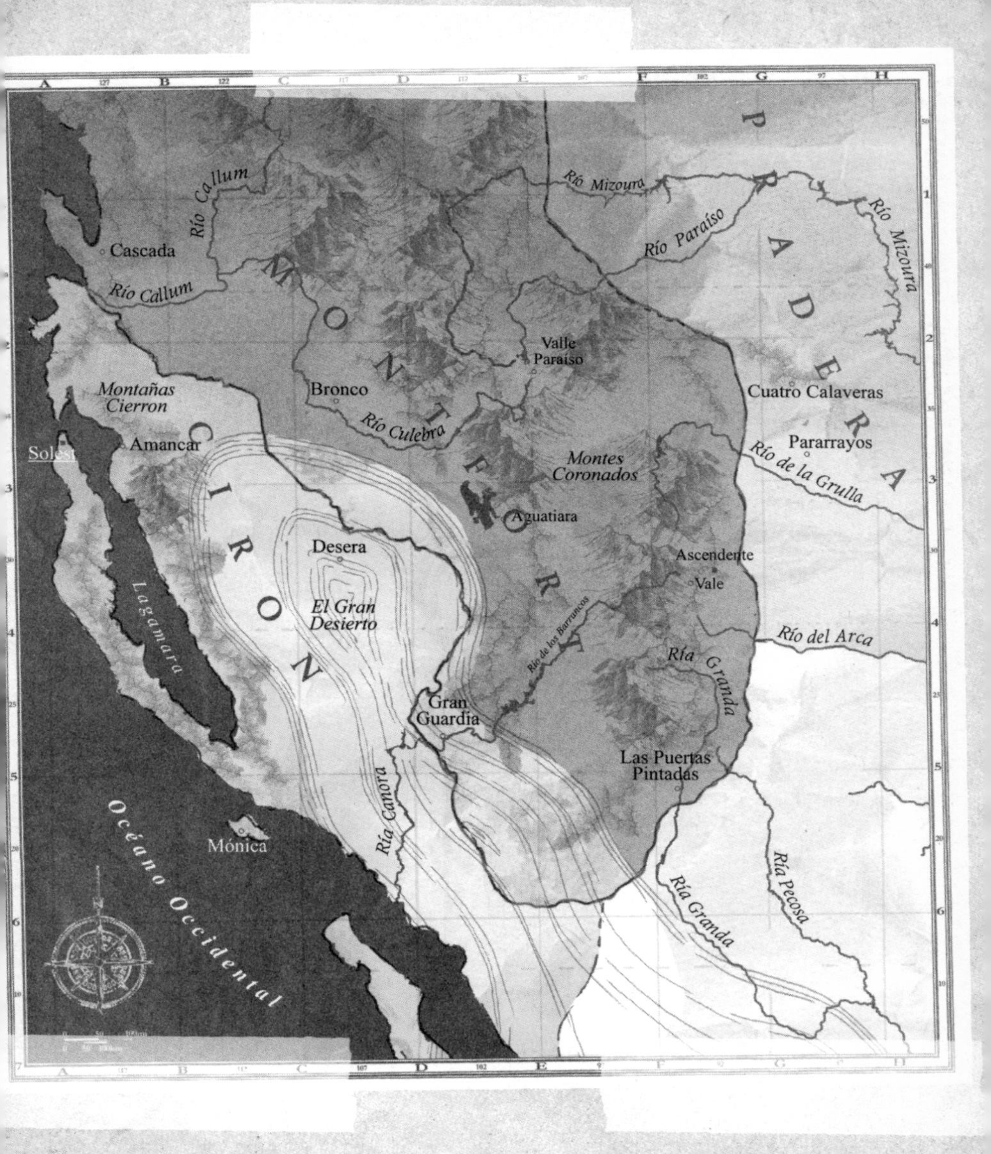
MONTFORT
PRADERA
CIRON
Río Callum
Cascada
Río Callum
Río Mizoura
Río Paraíso
Río Mizoura
Valle Paraíso
Bronco
Río Culebra
Montañas Cierron
Amancar
Solesi
Cuatro Calaveras
Pararrayos
Río de la Grulla
Montes Coronados
Aguatiara
Desera
El Gran Desierto
Lagamara
Ascendente
Vale
Río del Arca
Río de los Barrancos
Ría Granda
Gran Guardia
Las Puertas Pintadas
Ría Canora
Mónica
Océano Occidental
Ría Granda
Ría Pecosa

Río Mizoura
Río Paraíso
Río Grande
COMA
Géminas
Río Mizoura
PRADERA
MONTFORT
Río de la Grulla
Damon
Horizonte
Ascendente
Vale
Río de los Barrancos
Mizoura
Río del Arca
Vigía
Río del Arca
Las Puertas
Pintadas
Ría Roja
Cuatracastela
Ría Sabinas
Mizostiun
Ría Pecosa
Ría Granda
Ría Brazosa
Rapideso
TIRAXES
Taurina
Lasmaderas
Mar de Tir

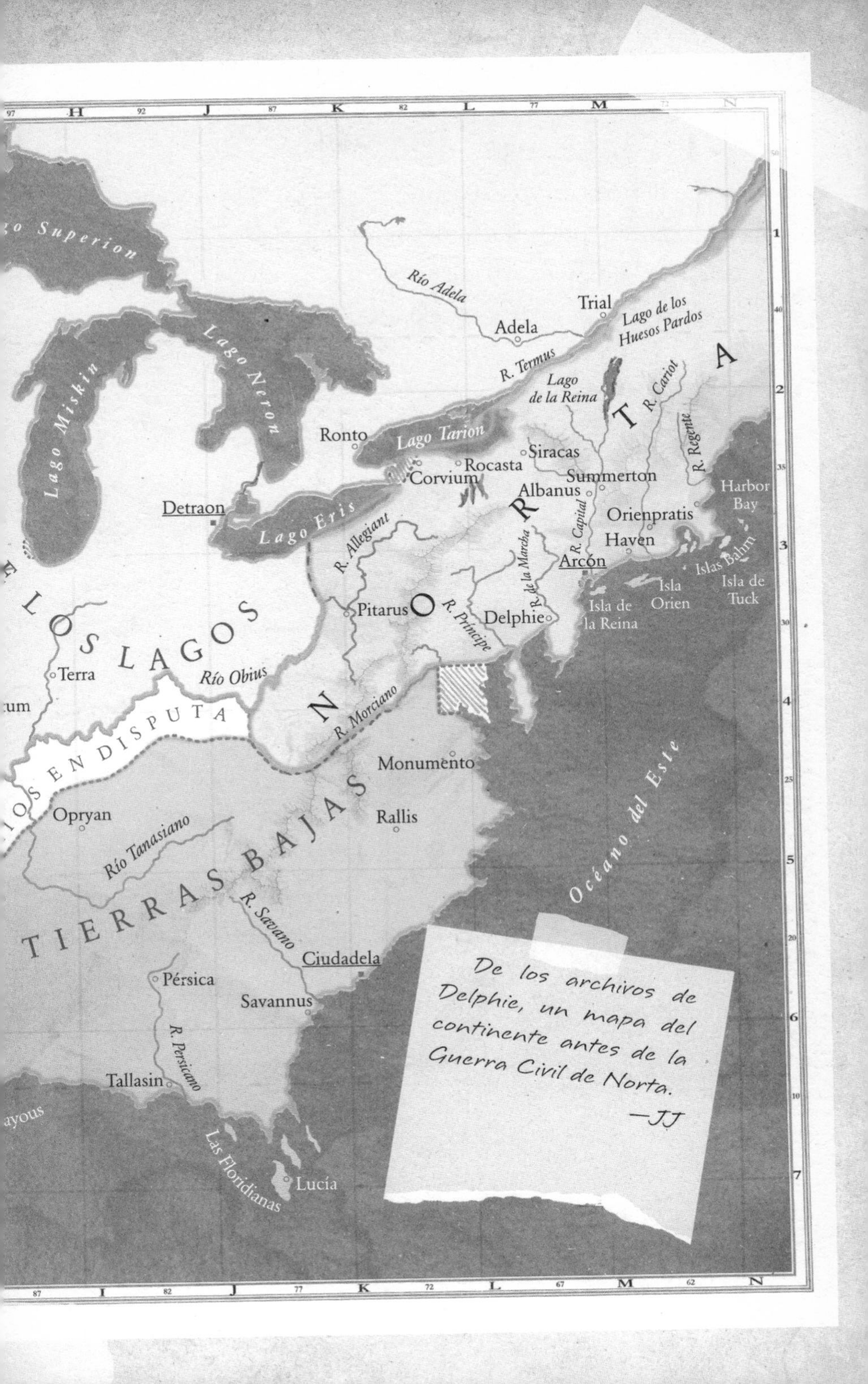
Lago Superion
Lago Miskin
Lago Neron
Lago Tarion
Lago Eris
Río Adela
Trial
Adela
Lago de los Huesos Pardos
R. Termus
Lago de la Reina
R. Cariot
R. Regente
NORTA
Ronto
Rocasta
Siracas
Corvium
Summerton
Albanus
Harbor Bay
Detraon
R. Allegiant
R. Capital
Orienpratis
Haven
Arcón
Islas Balum
Isla Orien
Isla de Tuck
Isla de la Reina
R. de la Marcha
Pitarus
R. Príncipe
Delphie
LOS LAGOS
Terra
Río Obius
TERRITORIOS EN DISPUTA
R. Morciano
Monumento
Océano del Este
Opryan
Rallis
Río Tanasiano
TIERRAS BAJAS
R. Savano
Ciudadela
Pérsica
Savannus
R. Persicano
Tallasin
Las Floridianas
Lucía
De los archivos de Delphie, un mapa del continente antes de la Guerra Civil de Norta.
—JJ

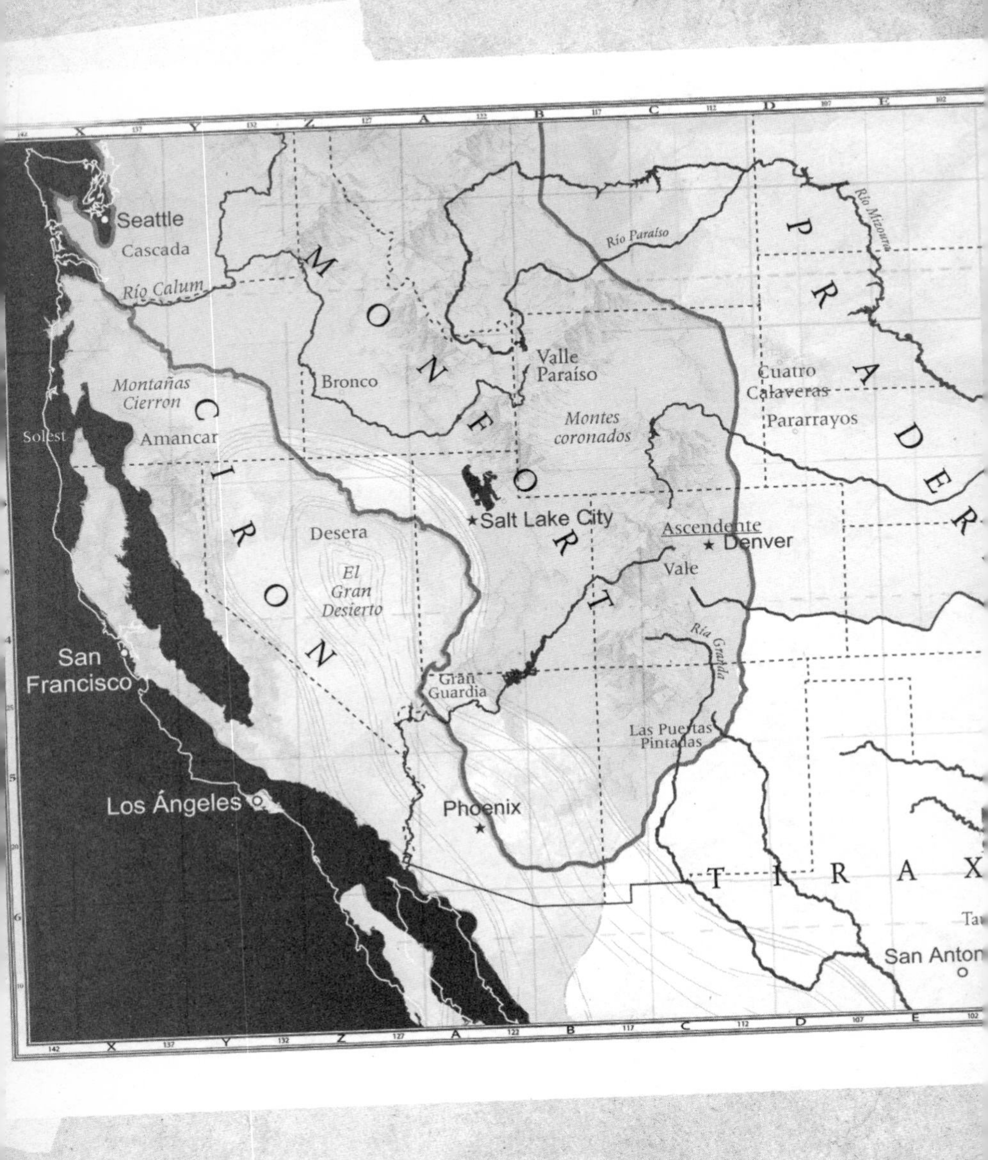
Seattle
Cascada
Río Calum
MONFORT
Río Paraíso
Río Mizoura
PRADER
Valle
Paraíso
Bronco
Montañas
Cierron
Cuatro
Calaveras
Pararrayos
Montes
coronados
Solest
Amancar
CIRON
Salt Lake City
Desera
Ascendente
Denver
El
Gran
Desierto
Vale
Ría Grandla
San
Francisco
Gran
Guardia
Las Puertas
Pintadas
Los Ángeles
Phoenix
TIRAX
San Anton

Con el uso de fuentes de Delphie, la Montaña del Cuerno y mi propia colección, hice lo que pude para reconstruir un mapa del mundo antiguo por debajo del nuestro. Éste es sólo un primer intento; hay que investigar más para incluir con toda precisión fronteras y cindades desaparecidas hace mucho tiempo.

—JJ

SÍNTESIS DE LOS GOBIERNOS CONTINENTALES

Compilada y comentada por JULIAN JACOS

NOTAS:

Esta colección de los gobiernos continentales se basa en los archivos históricos de Norta en Delphie y las bóvedas de la República en la Montaña del Cuerno. La información reciente de los gobiernos de Ciron, de la Pradera y Tiraxes sólo es verificable hasta principios de 321 NE, antes de la separación de la Fisura. En consecuencia, esta síntesis cubre hasta dicho año en todos los casos. —J. Jacos

EL REINO DE NORTA es una monarquía absoluta, en la que la autoridad suprema recae en un solo individuo. Los quemadores Plateados de la Casa de Calore han controlado la corona durante más de trescientos años. Esta dinastía es la única que ha gobernado Norta desde su formación como estado moderno.

En el presente, el REY MAVEN CALORE, de dieciocho años, ocupa el trono de Norta, que heredó cuando su padre, el REY TIBERIAS VI, fue asesinado. Incriminado en el acto, su hermano mayor, TIBERIAS VII, huyó tras escapar de la ejecución. En algunos círculos de ese país se considera legítimo rey a Tiberias VII, lo que aumenta la inestabilidad del joven régimen del rey Maven.

Para decirlo en términos suaves.

Éste firmó un tratado de paz con la comarca de los Lagos que puso fin a una guerra de décadas entre países vecinos. Se casará con la princesa Iris Cygnet, segunda hija de la reina Cenra y el rey Orrec, de los Lagos.

La participación en el gobierno se restringe a los miembros de las Grandes Casas, la nobleza de Norta. Los gobiernos regionales se heredan dentro de familias y es muy raro que una región cambie de manos. Los gobernantes de las ocho regiones del reino se reúnen de forma regular con el monarca y tienen un control enorme sobre sus territorios. Sin embargo, aún mayor autoridad se concede a las damas y caballeros de alta alcurnia de cada Gran Casa, que hoy en día se cuentan en veintitrés individuos. Todos ellos aconsejan al rey, aunque algunas casas ejercen más predominio, depen-

La Casa de Jacos es la única que ha conseguido esta hazaña en los últimos cincuenta años.

diendo de la fuerza de su familia, territorio y recursos.

La sociedad se estructura y organiza basándose en la sangre, que separa a los Plateados de los Rojos. Los primeros se dividen, además, en nobles y plebeyos, estratificación que puede atenuarse gracias al matrimonio entre unos y otros, que no está prohibido. Los plebeyos tienen acceso a la movilidad ascendente, por medio de la capacidad, la acumulación de riqueza o el matrimonio. ← *Posible pero poco recomendable.*

La sociedad Roja está sumamente restringida y no tiene representación en el gobierno. Los ciudadanos Rojos de Norta se hallan sujetos a leyes de conscripción que obligan a todos los mayores de dieciocho años a emplearse o reclutarse en el ejército. La escasez de empleo aqueja a la mayoría de las comunidades Rojas fuera de las ciudades tecnológicas, donde los tecnos Rojos tienen prohibido reclutarse, abandonar su ciudad natal o cambiar de profesión. La conscripción dura varias décadas, con intervalos de bajas autorizadas o hasta que un Rojo no pueda servir a causa de una lesión.

La educación es escasa entre los Rojos, quienes se dedican a su profesión o se preparan para el alistamiento. Aunque carecen de libertad de tránsito, el efectivo cumplimiento de esta veda es imposible. No es raro que en la frontera sur los Rojos incursionen en los territorios en disputa, única zona vecina sin gobierno Plateado.

O de cualquier otra especie.

Mercado negro, organizaciones criminales y comercio clandestino prosperan en las comunidades de mayoría Roja. En ciudades como Harbor Bay se organizan comunidades Rojas con reglamentos y agentes de la ley propios, en sustitución de los Plateados.

El matrimonio intersangre está proscrito y la convivencia es mal vista por ambos bandos. Al nacer, los Rojos son sometidos al registro de sangre, con el que el gobierno obtiene muestras cuyo propósito declarado es el rastreo y el control. No obstante, se ha sugerido que este registro comenzó hace varias décadas, cuando los funcionarios detectaron un cambio en la población Roja que dio origen al fenómeno de los nuevasangre.

EL REINO DE LA COMARCA DE LOS LAGOS es una monarquía absoluta, en la que la autoridad suprema recae en un solo individuo. Los ninfos Plateados de la Casa de Cygnet ocupan el trono en la actualidad. Esta dinastía es muy grande; tanto la REINA CENRA como el REY ORREC proceden de ramas diferentes del árbol genealógico de los Cygnet. Ella es la monarca reinante y, de acuerdo con la costumbre, su heredera, la PRINCESA TIORA, no tiene permitido abandonar las fronteras, a fin de garantizar la supervivencia de su linaje. También la reina está confinada dentro de su reino, salvo en momentos de gran necesidad.

Los Plateados de la comarca de los Lagos son muy religiosos y su fe se basa en un panteón de docenas de dioses omnipotentes sin rostro ni nombre. Se les rinde culto en santuarios, construidos a menudo en torno a cuerpos de agua o fuentes. Su culto se arraiga en el equilibrio del espíritu y en la creencia de la vida después de la muerte. Los lacustres Plateados sepultan a sus muertos usando sus propias habilidades, y se dice que los que llevan una mala vida se enfrentan a castigos en el otro mundo. Los Rojos lacustres no siguen esta fe y se sabe muy poco de su religión. No porque no la profesen, sino porque sus credos son numerosos y están celosamente protegidos en sus comunidades.

La larga guerra entre la comarca de los Lagos y Norta concluyó gracias al tratado de paz propuesto por el rey Maven, quien se casó después con la princesa Iris Cygnet para afianzar de esta manera una nueva alianza contra la rebelión Roja que se fraguaba en ambos reinos. La Guardia Escarlata, una organización de rebeldes Rojos, se había iniciado en territorio lacustre, tras lo cual se filtró por la frontera con Norta para operar en los dos países.

según su propia definición

Pese a su tumultuosa historia, Norta y la comarca de los Lagos tienen sociedades similares, en las que los Plateados nobles ocupan puestos en el gobierno, los Plateados plebeyos disponen de escasa pero aún posible movilidad ascendente, y los ciudadanos Rojos están severamente restringidos. Este país tiene menos ciudades tecnológicas que Norta y la mayoría de sus trabajadores Rojos realizan labores agrícolas. Hay alimentos en abundancia, aunque la electricidad es escasa en los asentamientos Rojos.

EL PRINCIPADO DE LAS TIERRAS BAJAS es una aristocracia oligárquica. El gobierno del reino es compartido por los príncipes y princesas reinantes, cada uno de los cuales posee sus propios territorios, familias y recursos.

El gobierno de las Tierras Bajas se otorga en definitiva al príncipe o princesa más poderoso del país. La oligarquía puede elegir a este sujeto por voto popular, aunque a veces se le impone con las armas. En el presente, la autoridad recae en el PRÍNCIPE BRACKEN, del País Bajo, la extensión más grande de la zona, con valioso acceso a la costa y fértiles tierras agrícolas. Otros nobles Plateados de alta alcurnia en este principado son el PRÍNCIPE DENNIARDE, la PRINCESA ANA y la PRINCESA MARRION. Uno de los más destacados partidarios de Bracken, el PRÍNCIPE ALEXANDRET, fue asesinado mientras se encontraba de visita en la corte de Norta, lo que tensó gravemente la alianza entre ambos reinos, muy sólida en otro tiempo.

Sin el conocimiento de los monarcas del norte, el príncipe Bracken se halla hoy en día bajo el control de la Guardia Escarlata, asistida por la República de Montfort. Los amplios recursos de Bracken están a disposición de estas dos entidades. La base militar del príncipe en el País Bajo es el principal punto de apoyo de ambas en el este.

Al igual que en Norta y en la comarca de los Lagos, la vida de los Rojos en las Tierras Bajas está sumamente restringida, y la población trabaja en los campos y la industria. Este país también echa mano de la leva, tanto para reforzar sus ejércitos como para controlar el tamaño de la población Roja.

LOS TERRITORIOS DE LA PRADERA resultan desconocidos en comparación con sus vecinos del este, debido a su dispersa geografía y a la falta de una población centralizada. Su gobierno sólo puede describirse como una cratocracia feudal; en estas vastas llanuras priva la voluntad del más fuerte. Jefes, varones y mujeres por igual, controlan sus feudos mediante el poder y la astucia, y los linajes Plateados heredan sus posesiones de una generación a otra. El hijo de un jefe puede perder el control del territorio de su padre con tanta facilidad como ganarlo, de modo que linajes y dinastías no tienen tanta importancia para los Plateados de la Pradera. En ocasiones, los gobernantes incluso adoptan o eligen sucesores fuera de su estirpe.

Los cuatro grandes territorios de la Pradera son controlados por sus respectivos gobernantes. HENGE, tejedora de vientos, domina desde el río del Arca hasta los llanos al norte del río de la Grulla, área conocida como COLINAS DE ARENA. Su feudo contiende a menudo con los invasores Plateados de Montfort, lo mismo en tiempos de guerra que de paz. Mantiene una pequeña ciudad en PARARRAYOS, formación rocosa en medio de la llanura.

Con base en inteligencia de Montfort.

Al norte, el jefe caimán CARHDON gobierna la inmensa extensión conocida como CUATRO CALAVERAS, con eje en una extraña montaña sagrada en la que fueron talladas las gigantescas cabezas de cuatro hombres. La erosión las ha convertido en espectros agrietados y en desintegración, cuyos nombres y rostros fueron sepultados por el tiempo. ¿Es un desafío?

Aún poco claro

El jefe raudo RIONO controla una parte de las tierras agrícolas más valiosas de la Pradera y gobierna desde la ciudad de Mizoura. Su enclave, EL CORAZÓN, comparte una tumultuosa frontera con los territorios en disputa, y él ejecuta a los Rojos que intentan huir de su feudo. El Corazón se asienta en la convergencia de la Pradera, Tiraxes, las Tierras Bajas, la comarca de los Lagos y los territorios en disputa, lo que lo vuelve un sitio caótico.

Por último, la jefa ninfa NEEDA rige sobre la posesión de LOS ESPEJOS desde su bastión en Géminas, y comparte una breve frontera en el Río Grande con los territorios en disputa y la comarca de los Lagos. Se rumorea que es prima lejana de la Casa de Cygnet, gobernantes de los Lagos, y que alienta abiertamente a los Rojos a que crucen la línea fronteriza y trabajen en su feudo.

Los Rojos de la Pradera están atados a la tierra donde nacieron y pertenecen a los Plateados que la dominan. A su vez, los Plateados deben vasallaje a sus señores, hasta los jefes militares en lo alto de la jerarquía feudal. Así, la mayoría de los Rojos son mantenidos en servidumbre, con muy precaria educación. Su vida es más corta que la de sus iguales en reinos vecinos; la mayoría de los Rojos en los territorios en disputa son refugiados que huyeron de la Pradera.

LA REPÚBLICA LIBRE DE MONTFORT emergió de la caída de varios reinos montañosos menores regidos por jefes y monarcas Plateados. El nuevo gobierno se apoya en la representación del pueblo, el cual se ubica a ambos lados de la división de sangre. Los representantes electos de las comunidades de la República integran la Asamblea Popular, con igual número de miembros Rojos y Plateados. Al jefe de estado se le llama primer ministro, o premier; aunque el primero de ellos fue elegido por la Asamblea Popular, el sistema se amplió más tarde para dar cabida al voto nacional.

En la actualidad, el PREMIER DANE DAVIDSON lleva ya varios años como líder de la República Libre. Es un escudo nuevasangre que nació en Norta y huyó a Montfort tras escapar del ejército, que estaba intentando exterminar a los nuevasangre.

Montfort se distingue por ser el único régimen del continente con igualdad de sangre, lo que se logró después de una vasta guerra civil. Después del colapso de los reinos de la montaña y la formación de Montfort, los Plateados que decidieron permanecer en la República juraron respetar el nuevo orden. Se les concedió amnistía por los delitos que hubieran cometido antes o durante las guerras. Este acto fue promovido por LEONIDE RADIS, príncipe Plateado del antiguo reino de TETONIA, quien renunció a su trono en favor de la República y ahora actúa como miembro de la Asamblea Popular. *Y contenderá al cargo de premier en el futuro, si mi intuición es correcta.*

Debido a la aún caótica actividad volcánica en el noroeste, lo mismo que en el Gran Desierto, situado en la frontera de Cirón, la mayoría de la población de Montfort se aglomera en el este. La capital ASCENDENTE es la ciudad más grande, seguida por AGUATIARA, BRONCO y las PUERTAS PINTADAS. La ciudad portuaria de CASCADA es la única posesión republicana en el Océano Occidental.

A causa de la geografía y las fronteras regionales, el paso a Montfort es muy complicado para quienquiera que espere llegar ahí. Sin embargo, las poblaciones de migrantes son enormes, procedentes en su mayoría de la vecina Pradera. Montfort mantiene una política de fronteras abiertas para quien esté dispuesto a aceptar una sociedad de igualdad de sangre. Los Plateados migrantes son objeto de mayor escrutinio que los Rojos, pero bienvenidos. Deben jurar respeto a las leyes de sangre, que dictan la igualdad de todos los seres humanos y restringen las palabras o acciones que resten valor a los seres humanos de sangre Roja. Los castigos para los Plateados que pretendan socavar la igualdad de sangre son muy severos, y van del exilio a la ejecución.

Pediré al premier que organice una visita.

Se dice que este país cuenta con la población de ciudadanos nuevasangre más numerosa, aunque la cifra es imposible de precisar, pues los reinos gobernados por Plateados no reconocen la existencia de los nuevasangre y no han comenzado a registrarlos. Muchos nuevasangre son refugiados, con una alta tendencia a alistarse en el ejército para defender su hogar adoptivo.

Gracias sobre todo a la información depositada en las bóvedas de la Montaña del Cuerno, el ejército de Montfort goza de un avance tecnológico extraordinario. La República Libre promueve también el reclutamiento militar, y la mayoría de sus ciudadanos sirve o sirvió en el ejército, en alguna de las múltiples funciones. Las guerras que dieron forma a esta nación están frescas en la memoria de muchos, y la mayor parte de los ciudadanos ansía difundir su modo de vida entre sus hermanos Rojos oprimidos. Comparten el orgullo por su país, y el deber de éste de llevar el discurso libertario al mundo.

Como la comarca de los Lagos, el reino de **CIRON** tiene firmes raíces religiosas y es tanto una monarquía como una teocracia. El monarca y el jefe religioso, conocido como la Voz del Sol, gobiernan juntos. Para ser coronado, un monarca debe contar con la aprobación y bendición de la Voz, lo que ha resultado en varias crisis de sucesión a lo largo de los siglos. La monarquía de Ciron es la más antigua del continente, con más de mil años de existencia, cuando los Plateados eran menos y se les adoraba como dioses en sus territorios.

El actual rey de Ciron es el quemador ILFONSO FINIX, de la antigua dinastía Finix. La Voz del Sol es la Plateada SERANNA, una talentosa sombra de linaje plebeyo. La corona y el liderazgo religioso deben pasar siempre a un quemador y a una sombra, respectivamente, porque el fuego y la luz son los elementos que han acercado más a la humanidad al Sol.

Al igual que en Montfort, la costa noroeste de Ciron está sujeta a una intensa actividad volcánica. El gran mar interior, conocido como Lagamara, les es sagrado además de central para su economía. Sus lindes son muy fértiles, así como es próspera la industria pesquera que florece en toda su extensión.

Los Rojos trabajan la tierra y el mar, y se concentran en las comunidades costeras y en las afueras de la ciudad. Si bien ya no se les recluta por la fuerza, se sabe que Ciron lo ha hecho en tiempos de guerra. A causa de la severidad del clima en el Gran Desierto, no son muchos los Rojos que intentan cruzar a Montfort, auqnue hay quienes mueren en el intento.

La Voz del Sol y el monarca tienen su sede en la ciudad de Solest, un lugar sagrado en la punta de la inmensa península bordeada por el Lagamara. Desde ahí, los residentes ven el amanecer y el atardecer, y adoran al Sol en esas horas santas.

Debido a la distancia y al Gran Desierto, Ciron se ha apartado de las guerras de los países del este. Trata sobre todo con Tiraxes en su frontera sur y mantiene una endeble paz con Montfort.

Así que nunca se toman decisiones.

EL REINO DE TIRAXES es una triarquía, en la que el poder se confiere a tres herederos de tres dinastías Plateadas, quienes gobiernan juntos el reino. Cada triarca mantiene sus tierras, en tanto que las decisiones del reino en general, como el hecho de marchar o no a la guerra, deben tomarse por unanimidad. Dada la vastedad del territorio, con climas y paisajes muy variables, es común que los Rojos que viven fuera de los asentamientos principales sean abandonados a su suerte por sus señores Plateados. Hay rumores de enclaves exclusivamente Rojos en la frontera occidental y en lo profundo del desierto del sur.

La triarca del oeste, MAILUNA TORMAS, gobierna el desierto, las montañas y los pastizales al oeste de la ría Pecosa, hasta la frontera suroeste con Ciron. Como el resto de su estirpe, es una tormenta, habilidad que permite que su territorio, por lo demás yermo, florezca bajo lluvias e inundaciones que lo revitalizan. En el último siglo, el linaje de Tormas ha transformado algunas partes del desierto de Tiraxes, y las ha hecho aptas para la agricultura.

El rey triarca del norte es el sanador de la sangre AMBROSINO, con más de cien años, pero cuya destreza en su habilidad lo ha vuelto atemporal, casi inmortal. Es hijo de la reina ANDURA CALORE, una de los dos mujeres que han gobernado Norta por derecho propio. Aunque hijo de la reina, heredó la habilidad de sanador de la sangre de su padre, y por tanto fue excluido de la sucesión Calore. En respuesta a la casa que lo negó, desconoció su apellido y buscó suerte en el extranjero. Gobierna desde la ría Roja hasta la frontera con la Pradera, donde su capital, VIGÍA, suele sufrir agresiones de las Colinas de Arena y de saqueadores o de ambos.

BELLEZ ALLIRION, la reina triarca de la Tierra Centra, es la más fuerte de los tres soberanos y rige sobre la mayoría de la población de Tiraxes desde su capital en Cuatracastela. Su posesión se extiende desde la costa hasta bien entrado el continente, entre los cauces de la ría Roja y la ría Pecosa. Es no sólo un ojo de gran talento, capaz de ver el futuro inmediato, sino además famosa por su belleza en todos los territorios del sur.

Tiraxes es la única región que comercia expresamente con las organizaciones criminales de los territorios en disputa. El triarca Ambrosino firmó incluso un tratado que permite a sus naves pleno movimiento por el Río Grande, junto a los contrabandistas ribereños.

En los **TERRITORIOS EN DISPUTA** reina la anarquía.

Tentador...

EL MUNDO DETRÁS

UNO
Ashe

Tengo veinte años apenas, pero ya he visto innumerables días de ratas, como marinero y capitán. Siempre son iguales.

Empiezan como cualquier otro: agitado, maloliente, ruidoso. Un mar de rostros y manos se tiende en los maltrechos muelles del lado lacustre del río, cientos de bocas abiertas y suplicantes, dedos que aprietan sacos llenos de monedas o inútiles fajos de billetes. Ruegan en muchas voces, todas con la misma petición. "¡Sácanos de aquí!" "¡Condúcenos río abajo!" "¡Llévame al oeste, al sur, al norte, a cualquier sitio que no sea del que vengo!" Como ratas en una balsa en llamas, intentan trepar por las cuerdas.

Antes eran sólo los Rojos quienes miraban río abajo, ávidos de abandonar el dominio Plateado de los Territorios de Monarcas. Dispuestos a hacer frente a las Tierras Libres y los infames Ribereños, en busca de una vida mejor que la que dejaban atrás. Ya no es así. La guerra en curso se propaga como un mal por todos los reinos de oriente. Ni siquiera los Plateados son inmunes. Aunque pocos huyen, los que lo hacen corren igual que los demás. Esto me consuela hasta cierto punto.

La mayoría de los Ribereños somos Rojos. Los pocos Plateados viven más al sur, en la frontera con Tiraxes o en las escasas ciudades establecidas a lo largo del Río Grande. No se molestan en subir hasta aquí. No vale su tiempo o el riesgo de encarar a los suyos. Son egocéntricos y cobardes, y sin importar a quien juren lealtad, sólo están dispuestos a pelear si tienen asegurada la victoria.

Muchos Ribereños Rojos no aceptan a Plateados en sus embarcaciones. La mayoría de nosotros los odiamos, odiamos sus habilidades, odiamos lo que son. No valen los problemas ni el dolor de cabeza, por bien que paguen.

Conmigo es distinto. En un día de ratas, no hay distinción de sangre, no hay Rojos ni Plateados. En mi bote, lo único que importa es el dinero.

Hago una veloz cuenta mental mientras examino los muelles. Quizá tenga lugar para seis; cabrían incluso con la carga que recogí río arriba, en la frontera. Sería ideal que algunos fuesen niños, una familia. Como tienen el mismo destino, es más probable que colaboren y se vigilen entre sí, y menos oportunidad de que causen dificultades. *Si el trabajo es sencillo, el cauce es tranquilo*. Las tradicionales palabras de mi padre se elevan como un rezo lacustre y flotan sobre los gritos al otro lado del agua.

Me apoyo en el cordaje de mi barcaza y entrecierro los ojos ante el amanecer que se cuela por los árboles de la orilla lacustre. Calculo que son al menos doscientas las almas que confían en encontrar transporte, arracimadas en los muelles. Con sólo tres botes en servicio, incluido el mío, la mayoría verá frustradas sus esperanzas.

Éste ni siquiera es uno de los puntos de paso más concurridos, como el puerto de la ciudad de Géminas, las islas Memphia, las Puertas de Mizostium o las principales confluencias del Río Grande. Pero los diques públicos de esta parte del Ohius son los más cercanos a la frontera con la Fisura, región que está ahora en franca revuelta con Norta. Refugiados Rojos y desertores Plateados han abarrotado el río en los últimos meses, como la hojarasca en el cauce. De seguro, las cosas marchan mal en el este, porque a mí nunca me había ido mejor.

Si me dan a escoger, prefiero el contrabando honesto a los pasajeros. La carga no es insolente. Justo ahora, la mitad de mi bote poco profundo está lleno de cajas, algunas selladas por la corona de Norta, otras con la flor azul de los reyes lacustres. No pregunto qué llevo, lo adivino: granos de la comarca de los Lagos, baterías de mala calidad recién salidas de las fábricas de Norta, petróleo, botellas de alcohol... todo ello robado y para entregar río abajo en el sur, o río arriba en el oeste. Apuesto que para el viaje de regreso reemplazaré estas cajas por otras selladas con el símbolo de la montaña de Montfort. Armas y municiones bajan por el río del Arca hasta el Río Grande en casi cada bote, con destino a los rebeldes que combaten en el noreste. A pesar de que el tráfico de armas es el más rentable, implica el mayor riesgo. Las patrullas de los Territorios de Monarcas, que permiten pasar a los Ribereños que los sobornan, los detienen si llevan armamento. Esto te ganará una bala si tienes suerte, o tortura Plateada si las patrullas están aburridas.

Hoy no llevo armas en mi nave, salvo las que mi pequeña tripulación y yo portamos. Las Tierras Libres no son lugar para viajar desarmado.

Las otras dos barcazas, poco profundas como la mía, hechas para surcar fuertes corrientes y vadear la variable profundidad de los ríos, aguardan a estribor. Conozco a sus capitanes y ellos a mí. La vieja Toby saluda desde la proa de su embarcación, con una mascada de retazos rojos atada al cuello pese a la humedad de principios del verano. Ha trabado amistad con la Guardia Escarlata y ahora trabaja casi exclusivamente para ella. Sin duda, aceptó esperar a agentes de la Guardia o algo así, de los que cogen un transporte sin rumbo fijo.

Sacudo la cabeza. Esa gente de la Guardia no vale la pena. Te matará más rápido que el tráfico de armas.

—¿Quieres recoger tus ratas antes que yo, Ashe? —pregunta desde su cubierta el otro capitán, Hallow. De mi edad y larguirucho como un espantapájaros, es más alto que yo, pero no me importa. Prefiero el músculo a la estatura. Es rubio mientras yo soy moreno, oscuro del cabello a los ojos y hasta las manos que, metidas en los bolsillos, están cicatrizadas y curtidas por las corrientes. Nuestros padres trabajaron juntos río abajo, en las Puertas. Murieron juntos también.

Sacudo la cabeza.

—Es tu turno —respondo con una sonrisa. Siempre dejo que elija primero, desde que ambos ganamos nuestros botes hace dos años.

Asiente y sus marineros entran en acción. Con pértigas largas, un par de ellos llevan la barcaza hasta el centro del río, donde el agua es más profunda y corre en línea recta. La tercera, su batelera, salta al esquife, el bote menor amarrado a un lado. Lo desata con manos seguras, rema hacia los muelles y se detiene a unos metros.

Aunque las leyes lacustres no impiden nuestro trabajo, tampoco lo facilitan. Ningún Ribereño tiene permiso de poner un pie sobre el lado lacustre del río, donde la frontera está trazada con claridad. Debemos hacer nuestra tarea en el agua o en la otra orilla. Y a pesar de que en este muelle no hay patrullas ni un puesto de control, es mejor tomar precauciones. Hoy las cosas son tan impredecibles como el derretimiento de la nieve en primavera.

La batelera grita a la rijosa horda de ratas en la orilla y da inicio al regateo. Exhibe su pistola para que todo el mundo la vea. Dedos levantados, monedas agitadas y los billetes más diversos de los Territorios de Monarcas aletean en la brisa. Le hace a Hallow señas que todos conocemos y él responde de la misma manera. Un momento más tarde, tres Rojos saltan a los bajíos cargados de paquetes. Parecen hermanos, adolescentes largos y esbeltos. Es probable que huyan de la conscripción en Norta. Pertenecen a la clase comerciante, tienen padres que los aman y dinero suficiente para pagar sobornos que los conduzcan a las barcas y la frontera. *¡Sinvergüenzas con suerte!,* pienso. Es común que quienes escapan de la leva tengan poco que ofrecer, y casi siempre con patrullas Plateadas cazándolos. No soporto a los prófugos y desertores. *Si el trabajo es duro, el cauce es bravío.*

Hallow tiene pronto sus pasajeros, metidos a empujones en el esquife. Debe estar contrabandeando una buena carga ahora, dado que sólo acepta tres a bordo. Nuestras barcazas son del mismo tamaño; me pregunto qué lleva bajo cubierta. No es tan prudente como yo. Permite que el río lo lleve donde quiera.

Me sonríe con un gesto ceremonioso que deja ver un diente dorado donde debería estar un colmillo. Tengo uno igual, es la otra mitad del juego.

—¡Tome para usted a esos sedientos, capitán! —me dice por encima del incesante sonido del agua.

Con una inclinación de cabeza a mis marineros, la nave se mueve debajo de mí y toma el lugar de Hallow.

Mi batelero, Gran Ean, ya está en su pequeño bote, que ocupa casi a la mitad con su corpulencia.

—Que sean seis —murmuro apoyado en la barandilla—. Conoces mis gustos.

Agita una mano y gruñe mientras se aparta de la barca con el remo. Un par de poderosas paladas conduce el esquife al otro extremo de los diques, donde Hallow obtuvo sus ratas.

Fijo la vista en él, con los ojos resguardados por una mano. Puedo escrutar todas las caras desde el centro de la corriente, en busca de candidatos aceptables. *El cauce es tranquilo.*

Un grupo de cuatro sobresale en un filo del muelle, envueltos en iguales capas azules que tocan el barro. Me doy cuenta de que, apretujadas entre sí y en compañía de dos niños, las dos mujeres están uniformadas. Se trata obviamente de doncellas de una elegante residencia Plateada. Es indudable que tendrán dinero, si no es que algo más valioso que intercambiar: joyas robadas a su amo, ornamentados estiletes de una señora.

Le indico a Gran Ean que se acerque al grupo pero ya está atento a otra rata plantada en los bajíos. Aunque docenas de ellas le ruegan y se estremecen para explicarse o negociar, él apunta a una figura en la muchedumbre. Tuerzo la vista para evaluarla lo mejor posible desde mi lugar en la proa.

Es alta, está encapuchada y viste un abrigo sucio y demasiado grande, que casi se arrastra sobre los precarios muelles. Casi.

El abrigo no oculta sus lustradas botas de piel, bien ajustadas y de buena factura.

Mi mentón se endurece cuando una moneda de oro genuino destella entre sus dedos y refleja la luz del amanecer.

Alguien golpea su hombro, en pugna por la atención de Gran Ean, pero ella no se mueve. Le dice a mi batelero algo que no alcanzo a escuchar.

Él se gira hacia mí. *Pagará diez veces la tarifa en oro,* me comunica con señas.

Súbela, respondo sin titubear.

Transmite el mensaje con un gesto y, de un salto, ella se sumerge en el agua hasta la cadera. Sube en un instante al bote y se acomoda el abrigo pese al creciente calor. Advierto una cabellera lacia bajo su capucha, negra y lustrosa, antes de que la esconda de nuevo.

Un conocido temor me revuelve el estómago. Ya lo sospecho, aunque no lo sabré a ciencia cierta hasta que la mire a los ojos.

Como a cualquier otra rata gorda, que pagan más de lo que deberían por lo que ofrecemos, Gran Ean la trae sola, sin llenar el resto del esquife. Debo evaluarla, comprender la razón de que despilfarre tanto oro en un viaje de unos cuantos días. Y decidir si vale la pena llevarla. De lo contrario, la devolveré al cauce, para que se apiñe con los demás en la ribera.

Asciende a cubierta sin ayuda y salpica agua por todas partes. De cerca, el abrigo apesta a cloaca. Arrugo la nariz cuando se aproxima y les indico a Gran Ean y a mis remeros, Gill y Riette, que se hagan a un lado. Como ella no se baja la capucha, yo lo hago.

Hay nervaduras plateadas en sus ojos y su piel es de un bronce frío. Intento parecer imperturbable.

—Le daré la mitad del oro ahora y lo demás en las Puertas —es todo lo que dice, con voz pausada y disminuida por un marcado acento de las Tierras Bajas. Las pecas espolvorean sus mejillas, una lluvia de estrellas bajo sus angulosos ojos negros—. ¿De acuerdo?

Es fina, rica y noble, pese a su asqueroso abrigo. Y desea hacer el trayecto íntegro, hasta las Puertas de Mizostium, donde el Río Grande desemboca en el mar.

Aprieto el mentón.

—¿Cómo se llama y qué asunto la trajo a los ríos?

—Le pago para que me transporte, no para que me haga preguntas —contesta sin vacilar.

Apunto al esquife con aire despectivo:

—Busque otra barca si mis condiciones no son de su agrado.

Responde una vez más con la rapidez de un latigazo, sin dudarlo. ¿Sabrá siquiera cómo hacerlo?

—Me llamo Lyrisa —dice todavía con el mentón en alto y me escudriña con la mirada. Tengo la sensación de que toda su vida ha menospreciado a hombres como yo—. Soy princesa del País Bajo por nacimiento y debo estar en las Puertas de Mizostium lo más pronto posible.

Casi la arrojo al río en ese instante. Sólo el peligro de su letal y ejercitada habilidad, cualquiera que sea, detiene mi mano. Detrás de ella, Gill atenaza con más fuerza el remo, como si acabar con todo esto se redujera a golpearla. Riette es más lista; se lleva la mano a la cintura y destraba el seguro que mantiene enfundada su pistola. Ni siquiera los Plateados son inmunes a las balas. Bueno, la mayoría.

Desearía tocar mi arma, pero ella me vería hacerlo.

—¿Cuántos y qué guardias de su padre la persiguen?

Flaquea al fin, aunque sólo un instante. Posa los ojos en cubierta antes de dirigirlos con ardor a los míos.

—Mi padre ha muerto.

La comisura de mi boca se eleva en una sonrisa de suficiencia.

—Su padre es el príncipe reinante de las Tierras Bajas, hoy en guerra con la Fisura. ¡Los Ribereños no somos tan idiotas como cree!

—Bracken es mi tío, hermano de mi madre —entrecierra los ojos y me pregunto cuál será su habilidad, de cuántas formas podría matarnos a mi tripulación y a mí, cómo es posible que alguien como ella requiera ser llevada río abajo y por qué—. Mi padre falleció hace seis años. No mentí, y me ofende que insinúe lo contrario, Rojo.

A pesar de su sangre, su tendencia Plateada a mentir y engañar, no veo mentira en sus ojos ni la escucho en su voz. No se inmuta bajo mi inspección.

—¿Cuántos guardias la persiguen? —pregunto de nuevo y me acerco pese a las protestas de todos mis instintos.

No se aparta ni responde a mi desafío.

—Ninguno. Viajaba en un convoy al norte por la comarca de los Lagos cuando unos rebeldes nos atacaron —señala la orilla con un pulgar. La brisa agita su cabello y mece sobre un hombro una negra cortina, densa y fulgurante—. Fui la única superviviente.

Ah, caigo en la cuenta:

—Y quiere que su tío crea que murió con el resto.

Asiente sin que su rostro revele una sola emoción.

—Así es.

Una princesa Plateada abandona su reino, todos los que la conocen la dan por muerta y es su deseo que las cosas permanezcan así. Me intriga, por decir lo menos.

Quizá no todos los días de ratas sean iguales.

Para mí, la decisión está tomada. El oro ofrecido, diez veces la tarifa usual, llegará lejos en el río y entre los miembros de mi tripulación. No hablaré por ellos, pero mi porción irá a dar casi entera a manos de mi madre, para que la guarde en un lugar seguro. Me aparto de la Plateada y le muestro la cubierta. Apunto hacia los bancos de baja altura, apoyados contra la bodega que aloja la carga.

—Busque un asiento y no estorbe —le digo y regreso mi atención a mi batelero, todavía en el río—. ¡Ean, ve a ver qué ofrece la familia de las capas azules!

Lyrisa mantiene la compostura, inmóvil. Está acostumbrada a obtener lo que pide, o exige.

—He pagado para que me lleve sola por el río, capitán. Me urge llegar pronto.

—¡Muy bien, Plateada! —me apoyo en un costado de la barcaza. Debajo de mí, Gran Ean tiene una mano en la escalera de cuerda, listo para volver a bordo. Lo disuado con un ademán mientras Lyrisa toma asiento y cruza los brazos.

Hablo más fuerte de lo que debo:

—¡Las capas azules, batelero!

En mi bote, sólo hay un capitán.

DOS
Ashe

Una vez que emprendemos la marcha, ella lanza a la corriente su andrajoso abrigo y no se molesta en mirarlo mientras flota y se enreda en las raíces de la ribera. A medida que avanza, mancha el agua y forma remolinos de tierra o algo peor. Supongo que es sangre, excrementos o ambas cosas, pero no me detengo a indagar. He transportado antes a Plateados y sé que todo sale bien si guardamos nuestra distancia.

La familia Roja que recogimos también lo sabe. Son un par de madres, una de piel morena y la otra blanca, y no permiten que sus hijos se acerquen a la princesa de las Tierras Bajas; todos evitan su mirada. A ella no le importa, se apoya en los codos y disfruta del espacio que la ausencia de los chicos le concede.

Gill le lanza una mirada desde su sitio, con la larga pértiga en mano, que empuja metódicamente para que libremos las rocas y el alto cauce del río. Pese a que tiene más razones que cualquiera para aborrecer a los Plateados, conserva la compostura. Paso junto a él de camino a la proa y le doy un apretón en el hombro.

—Sólo hasta las Puertas —le recuerdo nuestro destino. Serán únicamente dos semanas, si tenemos suerte con la corriente y las patrullas. He llegado allá en menos tiempo, pero preferiría no forzar la barcaza ni a la tripulación. Además, parece que el trayecto será pacífico. No tiene sentido que nos compliquemos la existencia.

—Hasta las Puertas —repite, y no es difícil escuchar lo que no dice. *Ni un palmo más.*

Asiento. La princesa de las Tierras Bajas se esfumará en poco tiempo.

Conocemos el camino a las Puertas como las líneas de nuestras cicatrizadas manos o la cubierta de la nave. Pero el tramo del Ohius hasta la confluencia es el peor. A la derecha, al norte, se tiende la ribera lacustre, la línea fronteriza de los Territorios de Monarcas. A la izquierda, al sur, están las Tierras Libres, y al noreste el bosque y los campos, invadidos en su mayoría por la maleza. Si una patrulla lacustre nos pusiera a prueba aquí, no tendríamos más opción que escapar por tierra. Si bien las barcazas son rápidas, no lo son más que los vehículos de transporte, y de poca utilidad si un ninfo volviese el río contra nosotros. Sentí el golpe del agua una vez y con eso bastó. No pienso sufrirlo de nuevo.

Comparo nuestro progreso con el de los demás capitanes y navíos. La vieja Toby ya desapareció, rezagada. Sin duda, su trato con la Guardia Escarlata la obliga a un avance lento, o a numerosas escalas en la frontera. No envidio ese trabajo ni tengo el menor deseo de unir mi destino a esos rebeldes, por dulces que sean sus palabras. No contribuyen a un trabajo sencillo ni a un cauce tranquilo.

Hallow está cien metros al frente, se le ve flotar a baja altura en el agua. Quizá permanezca a la vista hasta que lleguemos a la confluencia, donde el Ohius se encuentra con el Río Grande. Dedicará un día entero a descargar, antes de que parta río arriba, al norte. No lo veré otra vez hasta las Puertas.

Tengo una panorámica muy amplia desde la proa, la comarca de los Lagos se tiende en bien definidos campos de trigo y maíz de tamaño mediano. El verano está cerca, y pasando el otoño estos campos ya estarán desnudos para el invierno. Cada año que paso junto a ellos, veo sudorosos Rojos trabajando para sus distantes amos. En ocasiones, corren a la orilla cuando nos ven y piden que los llevemos. Nunca los aceptamos. Las patrullas están demasiado cerca y los peones tienen poco dinero. Algunos hacen el viaje solos, construyen botes en la orilla durante el verano. Los ayudamos en el camino si podemos, siempre y cuando los Plateados no nos vean.

Unas ágiles pisadas en cubierta me sacan de mis pensamientos, cuando la niña del grupo de las capas azules corre hasta mí con unos ojos grandes en un rostro dorado enmarcado por rizos castaños. Parece tener miedo. Le sonrío, aunque sólo sea para apaciguarla. Lo último que necesito ahora son los gritos de una chiquilla. Sonríe al instante y señala mi boca, y luego sus dientes.

—¿Te gusta? —paso la lengua por mi colmillo dorado. Reemplazó a un diente que perdí en una pelea en las Memphia. Una pelea que gané.

—Tu diente brilla —exclama divertida. No puede tener más de ocho años.

Veo en cubierta a las señoras apretadas sobre el banco. Observan con aprehensión. Me pregunto si la niña será adoptada o hija de alguna de ellas. Eso es lo más probable: tiene la misma mirada que la mujer más pálida, una chispa igual en los ojos.

Le doy un ligero codazo para que se reúna con su familia. Preciosa como es, no quiero interactuar con ella más de lo necesario. Así es mejor.

—Ve a sentarte. Tengo cosas que hacer.

No se mueve, con la vista fija en mí.

—Eres el capitán —insiste.

Parpadeo. Pese a que los tripulantes de las barcazas no tenemos una insignia ni marca que distinga a los oficiales, mi lugar en cubierta me delata.

—Sí.

—¿Capitán qué?

Asiento y le doy otro ligero codazo, pero esta vez camino con ella para que me siga.

—Ashe —contesto para convencerla de que se vaya.

—Yo me llamo Melly —informa, y añade en un susurro mientras me aprieta la mano—: Hay una Plateada en el barco.

—Soy muy consciente de ello —murmullo y me suelto.

Noto que la princesa de las Tierras Bajas nos mira desde los bancos, a pesar de que aparenta no hacer nada. Pestañea para fingir que no nos ve, una táctica eficaz e inteligente.

—¿Por qué permitiste que subiera? —continúa la niña, sin que le preocupe el resto de la embarcación o que alguien pueda escuchar.

Desde su lugar, Riette me dispara una sonrisa entre una palada y otra, y le respondo con un gesto de impotencia. Por algún motivo, siempre les causo curiosidad a los hijos de las ratas, y lo tolero.

—Por la misma razón por la que te permití subir a ti —contesto con aspereza. *¡Déjame trabajar, niña!*

—Son peligrosos —murmura—. No me gustan.

—A mí tampoco —no me molesto en bajar la voz. ¡Que la princesa Plateada me escuche!

Por suerte, una de las madres Rojas, la pálida, se levanta a buscar a su hija cuando la hago a un lado. Su corto cabello es del color del trigo.

—Disculpe a Melly, señor —agarra a la niña, no por temor sino por respeto—: ¡Compórtate!

Asiento con brusquedad. Soy incapaz de reprender a los pasajeros, en especial cuando huyen de la guerra.

—Sólo encárguese de que no estorbe ni se acerque a la bodega.

La otra madre Roja estrecha a su hijo y sonríe cordialmente.

—Sí, señor.

La palabra *señor* resbala por mi piel. Pese a que ésta es mi barca y ésta mi tripulación, un navío que he ganado con esfuerzo, no termino de acostumbrarme. Todavía me siento raro cuando dos señoras me llaman así. Aun si es verdad. Aun si lo merezco.

Dejo a este par y paso junto a la princesa. Tendida aún, ocupa más espacio del que debería. Mueve el mentón mientras me inspecciona. Cualquier idea de incompetencia o indignidad que pueda subsistir en mí se evapora. Si alguien no merece mi respeto es un Plateado.

Me endurezco bajo su atención y pierdo por completo la amabilidad.

—¿A qué hora comeremos, Ashe? —bate ociosamente los dedos sobre el banco. La intensidad del sol de verano la obliga a cubrir sus ojos con la otra mano.

Ashe.

La niña Roja respinga antes de que yo pueda hacerlo y da una vuelta alrededor de una de las señoras.

—Es capitán, señorita —dice con voz cortada. Imagino la valentía que implica para ella dirigirle la palabra a una Plateada, y más aún corregirla. Algún día será una estupenda capitana.

Su madre la calla rápido, para que no olvide su lugar en este mundo.

Me interpongo un poco más entre ella y la Plateada, por si ésta se sintió ofendida, pero no se mueve, atenta sólo a mí.

—Siempre comemos al atardecer —contesto sin alterarme.

Tuerce la boca.

—¿No hay almuerzo?

En el banco, una de las madres Rojas mueve un pie para esconder mejor su bolsa. Casi sonrío. Claro que tuvieron la prudencia de traer provisiones para el viaje.

—Cuando digo "comemos", me refiero a mi tripulación —respondo con palabras tan afiladas como un cuchillo—. ¿No trajo comida para usted?

La mano batiente cesa su movimiento pero no se cierra. Siento el arma en el cinto. Si bien no es de esperar que una Plateada en dificultades y prófuga de su tierra nos ataque por comida, es prudente permanecer alerta. Los Plateados no están acostumbrados a que se les niegue algo.

Su mueca pone al descubierto una dentadura blanca y uniforme, demasiado perfecta para que sea natural. Seguro que le pidió a un sanador de la piel que le quitara la original e hiciera crecer ésta.

—Mi cuota cubre los alimentos, sin duda.

—Eso no fue lo que acordamos. Si quiere alimentos, páguelos —las monedas que dio cubren la velocidad, el silencio y la ausencia de preguntas, no la comida. Y pese a lo que ya pagó, quien está en posición de negociar aquí soy yo, no ella—. Tiene esa opción, *sin duda*.

Aunque no aparta sus ojos de mí, una de sus manos roza el saquito de monedas que lleva enganchado en el cinturón. Sopesa la plata que le queda, escucha el sutil tintineo metálico. No es una cantidad insustancial, pero aun así duda en soltarla, incluso a cambio de sus alimentos.

Cuida su dinero. Para algo más. *Algo peor*. Un viaje que no terminará en el río. Apostaría toda la carga en mi poder a que no piensa detenerse en las Puertas. Igual que cuando arribó a mi barco, me intriga.

Su expresión cambia, se aclara. Hace un gesto de desdén y tengo la sensación de que me despacha, como a un cortesano o un sirviente. Uno de sus dedos se contrae, como si recordara la urgencia de despedir a un Rojo inútil.

—¿Atracáis en algún lugar en este tramo del Ohius? —Se da la vuelta para estudiar la margen de las Tierras Libres, donde la comarca de los Lagos y una corona Plateada no predominan. Los bosques se pierden en la oscuridad, aun bajo el sol de la mañana. Su pregunta e interés me dejan perplejo un segundo.

La princesa Lyrisa piensa cazar su cena.

La examino de nuevo, ahora que se ha quedado sin abrigo. Su ropa es tan fina como sus botas, un uniforme azul oscuro. No porta joyas ni adornos. Por lo que veo, tampoco tiene armas, así que su habilidad debe permitirle matar animales de presa. Sé que a los Plateados nobles se les entrena para la guerra como a soldados, para que peleen entre sí por orgullo y por deporte. Pensar que una de ellos viaja en mi barca me inquieta profundamente.

Pero no lo suficiente para rechazar su dinero o dejar de fastidiarla.

Doy un paso atrás y sonrío de forma exagerada. Entrecierra los ojos.

—No atracaremos hasta pasado mañana, en la confluencia —le digo.

Sacude una mano y las monedas caen una tras otra, con un destello de oro bajo el sol. Las miro desafiante; disfruto de mi triunfo y su mal disfrazado desprecio.

—Es un placer tenerla a bordo, princesa —añado por encima del hombro mientras me alejo.

El río adopta un tono rojo sangre con la puesta del sol, que prolonga cada sombra hasta causar la impresión de que flotamos en las tinieblas. En la proa, Gill está atento a troncos errantes y barras de arena. Los grillos cantan en la orilla y las ranas en los bajíos. Es una noche tranquila en el Ohius, una corriente continua que nos conduce al sureste. Ojalá que, llegada mi hora, muera en una noche como ésta.

Cuando Gran Ean sirve la cena, doy por supuesto que la Plateada repudiará nuestra comida, a causa de su deficiente calidad. Por más que no sea terrible, es un hecho que nuestras provisiones no están a la altura de lo que una princesa acostumbra. Sin embargo, toma sin chistar lo que se le asigna y come en silencio, sola en su banco. Cecina salada y bollos duros son tan bien recibidos como los más finos postres de las Tierras Bajas.

Los demás nos aglomeramos en cubierta, sentados en círculo sobre cajas, o incluso en el suelo, para comer. Los niños, Melly y su hermano mayor, que ahora sé que se llama Simon, duermen ya, saciados y apoyados sobre su madre. Las mujeres, Daria y Jem, dividen en partes iguales sus provisiones antes de ofrecernos un poco.

Riette las disuade con un gesto antes de que alguien más pueda hacerlo y muestra una enorme sonrisa sin dientes. Bajo la débil luz eléctrica de la barcaza, se ve agotada, más pronunciadas las cicatrices que se ha ganado en el río. Pese a que tiene diez años más que yo, es nueva en la vida de las barcas. Ha trabajado para mí apenas un año. Nació en las Tierras Libres, creció sin lealtad ni obediencia a ninguna corona, igual que yo, igual que Hallow. Los Rojos de las Tierras Libres tenemos algo que nos hace distintos.

—¿El camino ha sido largo? —pregunta amablemente a las señoras y señala con un bollo a los niños.

La mujer morena asiente. Es Jem, con los ojos y los cabellos tan negros como la pólvora.

—Sí —acaricia absorta los rizos de la pequeña—, pero Melly y Simon han sido muy valientes. Tardamos mucho en llegar a los territorios en disputa —así nos llaman los de los Territorios de Monarcas, como si fuéramos algo que los Plateados se disputan y no un país por derecho propio, libre de su dominio—. Vinimos desde Arcón.

Un mapa se desdobla en mi mente. Arcón está a cientos de kilómetros de aquí.

—Erais doncellas... —digo con un trozo de cecina en la boca.

—Sí —contesta—. Cuando los rebeldes perturbaron la boda del rey, fue fácil escapar en medio de la confusión. Huimos del palacio y dejamos la ciudad.

Las noticias corren por el río, así que también nosotros nos enteramos hace un mes de la desafortunada boda del rey de Norta. Él sobrevivió, pero los Plateados sintieron el aguijón de la Guardia Escarlata y las tropas de Montfort. Las cosas se han deteriorado desde entonces, lo sabemos: la guerra civil en Norta, una insurgencia de la Guardia Escarlata, la constante movilización de Montfort al este. Al final, todas esas noticias se abren paso en el río, traídas por la corriente de la guerra.

Una voz se escucha fuera de nuestro círculo.

—¿Atendíais a Maven? —la princesa mira a Jem con rostro inescrutable bajo la tenue luz de la barca.

Esta última tensa la mandíbula. Los ojos de Lyrisa no la amedrentan.

—Daria trabajaba en las cocinas y yo era doncella de una dama; teníamos poco que ver con el rey.

Tampoco la Plateada se arredra; ha olvidado su cena.

—Entonces atendíais a su prometida, la princesa lacustre.

—Ella tenía a su servicio a gente de su país —se encoge de hombros—. Yo era doncella de una reina, y en su ausencia serví a la prisionera. No en persona, desde luego, porque los Rojos teníamos prohibido acercarnos a ella. Le llevaba de comer, su ropa de cama, ese tipo de cosas.

Gran Ean sacude las migajas de su corta barba, espolvoreándose las piernas cruzadas.

—¿La prisionera? —entrecierra los ojos, confundido.

La voz de la princesa es severa.

—Se refiere a Mare Barrow.

Esto aumenta el asombro de Gran Ean. Mira a Riette para que lo explique.

—¿Quién es ella?

Riette suelta un ruidoso suspiro y entorna los ojos.

—Es la chica de la Guardia Escarlata.

—¡Ah, sí! —responde Gran Ean—. La que huyó con el príncipe.

Riette deja escapar otro chasquido de exasperación y le da un manotazo a su compañero.

—¡No, tonto, la que tiene la habilidad del relámpago! Como un Plateado, aunque no lo es. ¿Cómo es posible que no la recuerdes?

Gran Ean alza unos hombros enormes.

—Sí la recuerdo. "La Roja que huyó con el príncipe" sonaba más interesante.

—Son la misma persona —callo a ambos. Que recibamos noticias no significa que conozcamos la versión apropiada, correcta o verídica. En los ríos y las Tierras Libres hay quienes están siempre al tanto de lo que sucede más allá de nuestras fronteras, del caos que impera en los Territorios de Monarcas. A mí no me importan los rumores, espero a ver cuál resulta ser cierto. Estas cosas le gustan más a Hallow; él me cuenta lo que debo saber—. Y Barrow no es una prisionera —añado. Mientras estaba río arriba vi la transmisión en que la chica Roja condenó a la Guardia Escarlata y su programa. Vestía sedas y joyas y habló de la bondad y compasión del rey—. Se unió al rey de Norta por voluntad propia.

En su banco, la princesa de las Tierras Bajas ríe a carcajadas sobre su taza de agua.

Me vuelvo y veo que ha asumido ya un aire despectivo.

—¿Dije algo gracioso?

Para mi sorpresa, es Jem la que responde.

—Ella era sin duda una prisionera, señor —Daria agita la cabeza con solemnidad—. Pasaba todos los días encerrada en una habitación, vigilada y encadenada; sólo salía cuando ese chico confabulador quería jugar con ella o usaba su voz para sembrar la discordia.

Pese a que la reprimenda es suave, se me revuelve el estómago. Si eso es cierto, representa un castigo inconcebible para mí. Intento precisar mejor en mi cabeza a la Niña Relámpago. Recuerdo esa transmisión, su voz, pero su rostro es vago. Aunque sé que ya la he visto, su cabello castaño y sus ojos vivaces son lo único que viene a mi mente. Podría decir lo mismo de los reyes de los Territorios de Monarcas. Un adolescente gobierna Norta, el enjoyado príncipe Bracken ejerce el dominio de las Tierras Bajas, reyes ninfos controlan la comarca de los Lagos.

Jem no aparta de mí su mirada fulminante y me siento reprendido en nombre de la Niña Relámpago. La culpa es mía, porque esta vez no me mantuve al margen ni fijé mi atención en lo que tengo enfrente. Los grandes y temibles de este mundo no son de mi incumbencia. Sé de ellos lo que debo para subsistir, seguir adelante y nada más. Y al parecer, incluso eso resulta inconveniente.

Me ocupo en silencio de mi comida.

—¿Conoció a alguno de ellos? —Jem es lo bastante audaz para hacer esta pregunta a la princesa.

Supongo que no responderá. Por más que abunden en este mundo, no todos los Plateados son ilustres ni de buena cuna, en especial los de las Tierras Libres. No conocen a los seres distantes que definen las cosas a nuestras espaldas. Aun así, ella no cesa de sorprenderme.

Una comisura de su boca se eleva hasta que forma una sonrisa triste.

—Conocí hace mucho a Maven y a su hermano exiliado, cuando nuestros padres mantenían una alianza. No puedo decir que conozca a Iris, de la comarca de los Lagos —su voz se afila—, pero a su familia sí, la conozco muy bien.

Igual que su abrigo, arroja el agua que le queda a la corriente. Observa el rocío que vuelve a bordo, la oscuridad devora el resto. Ella no dice nada más.

TRES
Lyrisa

He dormido en mejores lugares, pero también en peores.

El precario almohadón del banco de la nave se ha convertido en mi reino, el único dominio a mi mando. Esto es más de lo que podía decir antes, en el palacio de mi tío, donde todo se te daba con la amenaza de que te sería quitado.

La noche cayó hace apenas unas horas y ya lamento haber tirado el abrigo del guardia en lugar de lavarlo, desteñirlo, conservar algunos trozos o algo. El aire ha refrescado y tendré que dormir entre temblores. Claro que un hombre murió con ese abrigo puesto, pero eso no quería decir que ya no sirviera.

Tal vez algún Rojo lo encuentre y lo remiende.

O quizá lo haga Orrian. Y entonces sabrá adónde ir.

Esta idea me hace estremecer más que el aire nocturno.

No, me digo. *Orrian cree que estás muerta a cientos de kilómetros de aquí. Con el resto de sus guardias, la dulce Magida, otro cadáver carbonizado en una zanja, caído en una emboscada de la Guardia Escarlata, Montfort o ambas. Muertos Plateados, más bajas de las guerras que libramos ahora, cualquiera que sea su número. Nunca te encontrará mientras huyas. Estás a salvo en este río.*

Casi lo creo.

Cuando despierto, antes del amanecer, una manta me arropa con un calor desconocido. Imagino que estoy en mi verdadero hogar, antes de que mi padre muriera y abandonáramos las Mareas para siempre. Pero eso ocurrió hace seis años, es un recuerdo remoto, una imposibilidad.

Parpadeo y regreso al presente.

Estoy en la barcaza de un Ribereño Rojo, superada en número y odiada por todos los que me rodean, sin dónde ir que no sea seguir adelante. Soy una muerta en fuga.

A pesar de que lo siento en cada inhalación, el temor no me servirá. Y estos Rojos no deben saber que me aterra lo que dejé atrás, lo que aún podría sobrevenir.

Me incorporo, elevo la barbilla y finjo desprecio por la suave y deshilachada manta que tengo en el regazo, como si fuera lo más ofensivo del mundo y no una gentileza que no merezco.

Antes de examinar la cubierta, miro la larga franja del Ohius a nuestras espaldas. Se ve igual que ayer: agua turbia, verdes márgenes, la comarca de los Lagos al norte, los territorios en disputa al sur. Una y otros se muestran vacíos, sin una sola persona o ciudad a la vista. A ningún lado del río le gusta esta proximidad, y guardan distancia más allá de los escasos muelles a lo largo de kilómetros.

—¿Busca algo?

El engreído capitán se apoya en la barandilla a un par de metros, con los brazos cruzados, las piernas flexionadas y todo su cuerpo ante mí. El arma que porta en la cintura es visible aun bajo la débil luz previa al amanecer. Tiene la audacia de sonreír; su ridículo diente de oro titila como una estrella burlona.

—Calculo la distancia que hemos recorrido —respondo con voz rápida y fría—. Su bote es lento.

No se inmuta. Su cabellera despedía ayer un destello rojo oscuro bajo el sol. Ahora, a primera hora de la mañana, es negra, recogida en una pulcra coleta. Contemplo el resto: su pecosa piel oscurecida por tantos años a la intemperie, sus manos cicatrizadas, los verdugones que las cuerdas han causado. Apuesto a que sus dedos son ásperos.

—Mi bote navega bien —dice—. Entre los remos y el motor, vamos al ritmo que debemos.

Las menguantes monedas que llevo en el saquito pesan en mi mente. Podría haberle pagado mucho menos. Fui una idiota.

—Le pago para que lo acorte.

—¿Por qué? —ladea la cabeza y se aparta con soltura del barandal. Trama algo, se cree un predador cuando en realidad es apenas una presa—. ¿Qué hace en mis ríos una Plateada como usted?

Trabo la mandíbula y levanto el mentón. Adopto la imperiosa máscara de la que me valí en más de una corte Plateada, frente a mi tío, mi madre y cualquier otro noble que quisiera poner a prueba mi paciencia. No surte efecto con el capitán.

Se yergue frente a mí cuan grande es. Es más alto que la mayoría, y musculoso debido a su trabajo. Más allá, el resto de la exigua tripulación ocupa su puesto, lo que me lleva a preguntarme si él hace algo útil. De hecho, no he visto que levante una pértiga ni toque el timón desde que abordamos. Su única tarea es vigilar su carga y a sus pasajeros.

—Déjeme adivinar —añade—. No me paga para que le haga preguntas.

Me dan unas ganas enormes de terminar con esto de una vez por todas.

—Así es.

Sabe que soy Plateada, el pasajero que mejor le paga y una amenaza en más de un sentido, pero aun así da un paso más, se alza ante mí y oculta con su figura el resto de la nave.

—Si pone en peligro esta barcaza y a mis marineros, debo saberlo.

Lo miro con frialdad. Aunque no retrocede, sus ojos vacilan un poco cuando su mente da alcance a su boca. No conoce mi habilidad. No sabe qué soy capaz de hacer. Ignora cómo podría matarlo o acabar con sus pasajeros o su tripulación.

Pongo la manta en sus brazos.

—El único que está en peligro aquí es usted.

Da media vuelta sin pensarlo dos veces con el bulto de la manta bajo un brazo. Al pasar junto a su favorito apunta un pulgar hacia mí.

—Dale su última comida, Ean.

El descomunal monstruo Rojo hace lo que se le ordena. Reparte el alimento entre los tripulantes, me deja la última y me presenta el mismo platillo de la cena, acompañado por una humeante taza de café negro. Al menos, huele bien y disfruto un momento de su aroma. Un escalofrío me recorre hasta la punta de los pies.

Mientras como, descubro que la niña Roja me mira con atención, asomada junto a las señoras, que ya despertaron. Su hermano, un año mayor que ella, duerme aún bajo el banco, acurrucado en sus mantas. En cuanto mis ojos se encuentran con los suyos, desvía la mirada, aterrada por mi interés.

Bueno. Al menos todavía asusto a alguien.

Cuando sale el sol, recorro el bote con extrema lentitud.

Ayer desperté en el bosque antes del alba y me abrí camino hasta los destartalados muelles para suplicar transporte en compañía de muchos otros. Tenía miedo y hambre. No sabía si encontraría un bote o se me rechazaría. Ahora debería sentir alivio. El constante movimiento del agua bajo nuestros pies debería darme algo de paz.

No es así.

Intento librarme de mi desasosiego conforme avanzo por los vacíos corredores de la barcaza a fin de orientarme. Ayer no me separé ni un instante del banco y debo estirar las piernas, pese a las restricciones del navío. Es largo pero angosto, de unos seis metros de anchura en su punto más amplio y menos de treinta de longitud. La bodega ocupa todo el espacio bajo cubierta, junto con las habitaciones del capitán. Si bien no hace más, he visto que de vez en cuando entra ahí deprisa, para emerger después con mapas o cosas por el estilo. El río debe cambiar siempre, seguir nuevos derroteros en su cauce, debido a troncos caídos, nuevos puestos de control y retenes Plateados. Ashe y la tripulación los conocen todos y se mantienen alerta.

Pero no miran atrás. Sólo yo sé hacerlo.

La ropa que visto no es mía y me queda mal. Me aprieta el pecho y tiene mangas demasiado cortas. Aun si soy más alta que la guardia lacustre de quien la cogí, era la que más se acercaba a mi talla. Cada vez que me muevo, temo abrir una costura. En otro tiempo, me enorgullecía de mis curvas; ya no. Tengo cosas más importantes en que pensar. Compraré algo que me quede mejor en nuestra escala siguiente, sea cual sea.

Conozco bien la geografía de este río. Los territorios en disputa aparecen en nuestros mapas, aunque con menos detalle que mi reino. Conozco las ciudades de Memphia y Mizostium, río abajo. Admito que ansío verlas, aunque sea a lo lejos. He conocido urbes construidas por coronas Plateadas, hermosas pero amuralladas, gobernadas por un solo tipo de sangre. Desde luego, también he visto barriadas Rojas, aun cuando no fue por mi voluntad. ¿A qué ciudades se asemejarán más las de los territorios en disputa?

¡Ojalá las viera en mejores circunstancias! Sin que la terrible determinación que tomé pendiese sobre mi cabeza. Sin que estuviera en plena huida.

No, no huyo. Huyen los cobardes, y yo no lo soy. Un cobarde habría permanecido en su sitio. Habría esperado a Orrian, lo habría aceptado, y junto con él un destino ya decidido.

Una brisa fresca sacude el agua, compensa el calor del mediodía. Se desliza como un beso sobre mi piel y cierro los ojos poco a poco.

La cubierta cruje cuando alguien se detiene a mi lado y aprieto los dientes, preparándome para otro encuentro con el irritante capitán.

Es, en cambio, una de las doncellas Rojas. Creo que se llama Jem. A su lado, su hijo se muestra menos temeroso que su hermana. Me mira con desvergonzados ojos negros y sostengo su mirada.

—Hola —mascullo un momento después, sin saber qué más decir.

Asiente secamente, algo extraño en un niño.

Su madre lo observa con cariño. Revuelve su cabello, dorado como el de su hermana. Fiel a su educación de doncella en un palacio, no me habla, ni lo hará si yo no lo hago primero.

—Ya estamos en los territorios en disputa —le digo—. No tiene que ser tan ceremoniosa. Hable si quiere.

Posa una mano en el hombro del pequeño y contempla la orilla distante del río, donde inicia la comarca de los Lagos.

—¿Quién dice que quiero hablar con usted, Plateada?

Casi río.

—Bien.

Debe ser curioso ver juntas a dos personas como nosotras, una princesa Plateada y una sirvienta Roja, con sólo su hijo entre ellas. Ambas en franca huida. Ambas a merced de este torrente y estos marineros. Iguales en más de un sentido.

¡Es extraño cómo se transforma este mundo! Aunque puede que las guerras en el oriente no hayan terminado aún en victoria o derrota, no cabe duda que ya trajeron cambios.

La guerra no es de mi agrado. No quiero tomar parte en el mundo que abandoné, de inverosímiles Niñas Relámpago, reyes asesinados, Rojos en rebelión y Plateados en el exilio. Ignoro en qué desembocará este caos.

Pero no tengo tiempo para preguntarme sobre el futuro. Debo mirar atrás. No puedo bajar la guardia.

Dejo a la doncella Roja y paso las horas siguientes en la parte trasera del bote, donde me planto con firmeza y con los ojos puestos en los recovecos del río. La nave avanza en silencio. El capitán Rojo habla en voz baja con su tripulación, a la que da instrucciones una o dos veces por hora. Los marineros, una mujer con cicatrices y un hombre larguirucho en poder de las pértigas, hacen bien su trabajo. El gigantón baja y sube de la bodega entre resoplidos, donde nadie sabe qué hace. Las doncellas de Norta conversan en un extremo de la barca, concentradas en mantener a la chica bajo control. El niño es mucho más dócil. Permanece en la punta del bote así como yo en la parte de atrás, con la vista al frente y sin decir palabra.

Tampoco hace ruido cuando el río, letal y sigiloso, asciende sobre la barandilla y lo arrastra.

Daria se da la vuelta justo en el instante en que el pequeño mueve desesperadamente las piernas en un costado de la barca, con los pequeños pies descontrolados. Grita pero no lo oigo porque actúo de inmediato, sé qué tiró de él.

No fue una ola. No hay olas en los ríos.

No fue tampoco un efecto de la corriente o un rápido.

Esto fue concebido, decidido, ejecutado.

Fue Orrian.

Fui yo.

Una mano me sujeta por el brazo mientras cruzo la barca, pero me desprendo sin pensarlo. Veo de reojo que el capitán palidece, su rostro se desdibuja. Adelante, los remeros se empeñan en dar la vuelta al bote y aminorar la marcha. Quisiera gritarles que no se detengan, que aceleren, que hagan cualquier cosa menos interrumpir el ritmo, pero no lo hago, porque de hacerlo el niño se ahogaría.

Tengo ya suficientes cadáveres en mi conciencia, Rojos y Plateados.

El grandullón es el primero que salta al agua, o lo intenta. El río lo devuelve a cubierta en medio de chubascos. La tripulación mira lívida y horrorizada. Saben lo mismo que yo.

—¡No, Lyrisa...! —dice el capitán en alguna parte, al tiempo que me zambullo.

El río no me repele. Estoy haciendo lo que quiere.

Estamos en aguas menos profundas de lo que pensé y la corriente rodea mis hombros. Se estrella contra mí y me hunde en aguas más rápidas y un curso más intenso. Trabo los músculos en busca de mi habilidad. Nada puede forzarme a que me mueva si no lo quiero, así que el río se estampa contra mí como si lo hiciera contra una roca.

Unos gritos retumban en la embarcación. No distingo una sola palabra.

El chico aparece unos metros adelante, visible bajo la superficie, con los ojos abiertos y burbujas que emergen de su boca. Vive aún, todavía forcejea. Me impulso hacia él, tiendo las manos hacia sus delgadas extremidades. Es la carnada, lo sé.

Orrian está mal de la cabeza, tiene una mente retorcida. Lo partiría en dos si pudiera.

Mis dedos se cierran en los hombros del chico y siento que la inmensa presión del agua me hunde. Recuerdo mi entrenamiento con mi padre y su familia, y hago un cálculo mental. Si tiro demasiado fuerte, dislocaré al niño, lo destrozaré entre mis manos. Pero si el tirón no es firme, el agua lo retendrá.

No hay tiempo que perder.

Un par de manos se unen a las mías en medio de un sobresalto.

El capitán se planta a nuestro flanco con la cara enrojecida y el agua impetuosa en torno suyo. El río no lo devuelve al bote, se mantiene firme mientras tira del niño, que no se mueve.

Ashe maldice como sólo un Ribereño puede hacerlo.

Tenso la mandíbula y tiro.

El pequeño emerge a la superficie con un estallido estruendoso y arroja agua a borbotones en medio de un acceso de tos. Se aferra a mí con sus pequeños brazos, asombrosamente sólidos. El agua rompe sobre nosotros, quiere tomarnos desprevenidos. Alargo la mano y cojo del hombro al capitán. Se tambalea bajo mi puño; aunque casi pierde el equilibrio en la furiosa corriente, lo sostengo con fuerza.

Unos disparos resuenan desde la barca y aciertan en las márgenes lacustres.

El río se relaja a nuestro alrededor, pierde su asidero.

—¡Muévase! —empujo al capitán hacia su nave.

No pierdo tiempo, acuno todavía al chico con un brazo. Es tan ligero como una pluma, apenas siento su peso. Después de todo, soy una colosa. Cargar a un desnutrido niño de diez años no es nada para mí.

El capitán me impulsa frente a él hacia la barandilla como si fuera una inútil. Río, lo agarro del cuello y lo lanzo a un lado.

Me basta una mano para subir de regreso a la barca en compañía del pequeño.

Aún escupe agua cuando su madre y la otra dama llegan hasta él y lo envuelven en mantas secas.

En el barandal, la barca mantiene la salva de disparos y el capitán echa a correr al timón detrás de la bodega. Lo hace girar y acelera el motor, que ruge debajo de nosotros. Ganamos algo de velocidad.

Sin decir palabra, uno de los remeros me tiende un rifle.

No soy buena tiradora, pero sé cubrir y eso es justo lo que hago.

Seguramente, los sabuesos de Orrian están apiñados y escondidos en el único grupo de árboles y juncos sobre la ribera. Nos esperaban. Sostengo el fuego, una bala tras otra, en consonancia con la tripulación. Mientras alguien recarga, otro lo releva, a fin de que la nave disponga del tiempo necesario para tomar la curva siguiente.

Los lacustres no carecen de armas, pero nosotros estamos mejor protegidos, gracias a los gruesos tablones de la barandilla. Aunque doy por hecho que de un momento a otro un raudo cruzará el río y me arrastrará entre gritos a la comarca de los Lagos, un magnetrón triturará el motor de la barcaza o un guardaflora lanzará contra nosotros las plantas de la ribera, hasta ahora el único que está al acecho es un ninfo. ¿Orrian vino solo por mí? ¿Viaja con guardias Rojos porque sabe que necesita poco más que eso para recuperarme? ¿O se burla de mí con sus amigos Plateados y me atraparán tras divertirse un poco?

Mis dientes castañetean tras cada descarga con el rifle bien ajustado contra el hombro.

Al principio, pienso que la silueta es un efecto visual, que el sol que se asoma entre las hojas y los juncos proyecta una sombra extraña, pero después la figura resulta inconfundible. Orrian aparta las plantas con la mano y su malévola sonrisa es visible a cincuenta metros de distancia. Apunto y fallo, la bala cae en el agua y su sonrisa crece. No necesita palabras para amenazarme. La sonrisa es suficiente.

Cuando la nave da la vuelta en la curva, el capitán grita algo que, pese a que no lo oigo, me hace sentir alivio. Su amigo, el capitán de la otra barcaza, la ha detenido en medio del río para aguardarnos.

Y apoyada sobre su bodega, a la espera y cargada, se yergue una pesada ametralladora, como una negra araña de hierro. Las municiones enrolladas en su base parecen una serpiente de balas.

En cuanto la arboleda se pierde de vista, oculta por el recodo, todo se sumerge en el silencio. No hay disparos, sólo el estrépito de mi pulso y los jadeos de los demás ocupantes de la barca.

No quito los ojos de la retaguardia, a la espera de otro ataque, mientras el capitán acerca su bote al de su amigo. Ambas tripulaciones amarran las naves con la diligencia de una colonia de hormigas.

Melly solloza muy quedo.

Mi atención está todavía en la corriente, en el bosquecillo invisible, cuando las tablas de la cubierta se sacuden bajo fuertes pisadas. La voz del capitán truena en mi oído con una respiración ardiente.

—Mentiste, colosa.

CUATRO
Lyrisa

Mentí al decir que no representaba ningún peligro. Mentí al asegurar que nadie me perseguía. Mentí, mentí, mentí.

—¿Un contrabandista que se toma a ofensa la deshonestidad? ¡Vaya espectáculo! —retrocedo para poner un poco de distancia entre nosotros. El rifle está todavía bajo mi brazo y el capitán fija los ojos en el cañón. Está calculando si sería lo bastante rápido para recuperarlo.

Tomo la decisión por él y oprimo su pecho con el arma.

—Ya no nos seguirán por ahora.

Jem permanece junto a su hijo, aún postrado en cubierta. Me mira con una furia arrasadora.

—¿Puede explicar quiénes son ésos, Plateada? ¿Los que trataron de matar a mi niño?

De pronto, me doy cuenta de que una docena de ojos me contemplan, en esta barcaza y la vecina. El otro capitán se alza detrás de su ametralladora con los pulgares enganchados en la pretina de su pantalón. Parece una calavera que me mira con anhelo. Detesto este público, que hace que se me erice la piel.

—No es difícil saberlo —dice con acento cansino nuestra remera, Riette—. La princesa se aburría en su palacio y ahora su tío ha mandado a sus soldados para que la lleven de regreso, sin importar quién se pueda interponer en su camino.

El capitán Ashe entrecierra los ojos.

—Estaban del lado lacustre. Y tú te encuentras lejos del País Bajo del príncipe Bracken —avanza hacia mí y me acorrala contra el barandal—. Es un trayecto demasiado largo. No huiste de esos Plateados en la Ciudadela.

No, sólo desde la frontera.

Frunce el ceño y me estudia de nuevo. Esta vez, sus ojos se detienen en mi ropa, en el azul oscuro del empapado uniforme lacustre. Coge el cuello y frota la tela con dos dedos ásperos. Le doy un manotazo, esforzándome por mantener mi fuerza controlada.

Me mira furioso; está enfadado conmigo y con él mismo.

—No viajabas en un convoy, princesa, ni fuiste atacada por rebeldes.

No espero que un Rojo lo entienda. No saben lo que tenemos que enfrentar, qué es ser vendida desde que naces.

—Quédese con el dinero —siseo y lo rodeo—. Seguiré mi camino sola a partir de aquí.

Me agarra otra vez por el cuello, atreviéndose a detenerme. Podría romperle el puño si quisiera, destrozar su mano sin parpadear. Y aunque él lo sabe, no se detiene. Ese infernal diente de oro me hace guiños, terrible y destellante.

—Vas a decirme quién era ése y a qué expusiste a mi tripulación.

—¿O qué, Rojo? —casi le escupo—. Te dejaré tranquilo. He pagado tu precio. El resto no es asunto tuyo —pienso que me dará una bofetada y recibiría el golpe con gusto. Cualquier cosa antes que soportar este extraño abatimiento que me retuerce el estómago. Hago lo que puedo por no desplazar la vista desde el capitán al empapado chico que estuvo a punto de morir por mi culpa, pero no logro evitarlo.

Gran Ean sacude la cabeza y responde por él.

—¿Piensa que no nos seguirán la pista, señorita? ¿Incluso si usted se va? —se rasca la barba—. No lo creo.

Tiene razón. Orrian es mezquino y vengativo, y detesta a muerte todo lo relacionado con los Rojos. Tiene demasiada cólera dentro; el resto es odio.

—Haré saber con claridad que me he marchado —digo sin convicción y las palabras se apagan en mi boca. Es una mala excusa que a nadie engaña.

Sin soltarme el cuello, el capitán cede un poco.

—¿Con quiénes tratamos? —rezonga con voz teñida de apremio.

—Se llama Orrian Cygnet. Es un príncipe de la comarca de los Lagos, primo de la reina ninfa y ninfo también. —Me miro las botas mientras hablo; si no tengo que ver la lástima o la cólera de todos ellos, quizá logre decir la verdad—. Es un ser terrible: violento, vengativo, un monstruo al que se me entregó por esposa desde que exhalé mi primer aliento.

Me vuelvo hacia las doncellas Rojas, segura de que se burlarán de mí. No en vano el hijo de una de ellas estuvo cerca de perder la vida. A pesar de que deberían odiarme, se dulcifican antes que los otros, y eso me produce náuseas.

Saben por experiencia cómo son los monstruos Plateados. No merezco su compasión. Ni la deseo.

—Usted huía de una escolta lacustre —conjetura Gill, el remero—, cuando cruzó la frontera.

Con la mandíbula tensa, me vuelvo hacia el maduro Ribereño.

—No, maté a una escolta lacustre.

El capitán retira la mano como si se quemara.

—¿A cuántos guardias?

—Seis. Siete, si contamos a mi doncella de casa —siento reflujo cuando recuerdo a Magida, mi mejor amiga, su sangre de plata entre mis dedos, las palabras que intentó formar y que no pronunciaría jamás—. Ella murió porque me ayudó a huir, así que podría decirse que también la maté.

Un murmullo atraviesa a la tripulación de la otra barcaza y se extiende hasta su capitán. Se agita inseguro, nervioso hasta la médula:

—Deja que se vaya, Ashe —dice—. Proclama a los cuatro vientos que ya no está en el río —el capitán aprieta los dientes y no responde. Sabe tan bien como yo el riesgo que eso representaría. Me observa en busca de una respuesta que no puedo darle—. Traigo un cargamento valioso, Ashe. Estoy contigo en las malas y en las peores, pero si me sorprenden con lo que llevo ahora... —continúa, ahora suplicante. Supone que Orrian y su pandilla saltarán desde el río en cualquier momento. No es una sospecha injustificada.

Aun cuando dista mucho de ser tan poderoso como la reina lacustre y sus hijas, Orrian es formidable. Y aunque no puede volver el río en nuestra contra, sin duda lo intentará.

Un temblor recorre la mejilla de Ashe mientras reflexiona y pasa una mano por su oscuro cabello. Yo hago lo mismo sin pensarlo, para retirarme un mechón de la cara.

—Ya me habría ido si creyera que él no os seguirá —admito tranquilamente, y es cierto. Sabía que si subía a esta barcaza, marcaría a todas las personas a bordo—. Ésta es la razón por la que te dije que no aceptaras a nadie más —siseo entre dientes para fastidiar al capitán y aliviar la punzada de mi vergüenza.

Embiste de nuevo. Como supongo que gritará, su susurro me hace sentir peor:

—Mentiste desde el principio, Lyrisa. No pretendas tomarme el pelo. Todavía estarías apiñada en los muelles si yo hubiera sabido de quién escapabas.

—Bueno, ahora lo sabes —intento mostrarme más valiente de lo que me siento. Si me echas del navío, estoy acabada. Orrian dará conmigo en cuestión de horas y me hará marchar a punta de pistola hasta la capital lacustre—. Eres el capitán de esta barca. Es tu decisión.

Con el rifle en mano todavía, Riette da un paso hacia nosotros. Desbaratadas en la refriega, sus dos trenzas rodean ahora su rostro como una nube de color castaño.

—Atémosla. Dejémosla en una roca del lado lacustre y sigamos nuestro camino.

La amenaza es tan ridícula que no puedo menos que reír.

—¿Atarme a qué? ¡Soy una colosa!

Se retira de inmediato, avergonzada.

—Era sólo una sugerencia.

—Conservémosla —alega Gill—. Si ese Plateado ataca otra vez, yo preferiría tener a uno de ellos para ofrecerlo a cambio. O para que nos ayude.

—¡Te ayudará a sepultarte! —refunfuña Riette.

El capitán deja que la discusión transcurra como la corriente y permanece impávido con la charla de sus marineros. Pero de pronto calla a todos:

—¿Tienes espacio para cuatro más en tu barcaza, Hallow?

En su cubierta, el otro capitán vacila. Contempla su bote, ya repleto de carga, tripulantes y pasajeros.

—Supongo que sí —responde después de un largo momento.

Ashe no pierde tiempo y hace señas a Daria, Jem y sus hijos para que se dirijan al barco de Hallow.

—Recoged vuestras cosas. Él es vuestro capitán ahora —sus palabras vibran con el peso de una orden y mira a su tripulación con el mismo fervor—. Sigamos hasta la confluencia. Perdamos al Plateado en el Río Grande. Está lejos de sus fronteras. Que pelee en las Tierras Libres si tanto quiere a su princesa.

Su princesa. Me dan ganas de vomitar al oír esas palabras, por lo que insinúan. Y porque son ciertas. Él no se equivoca: *pertenezco* a ese detestable sujeto; le he pertenecido desde que tengo uso de razón, por más que yo pretenda otra cosa.

Aun así, siento la necesidad de prevenir a estos Rojos.

—Ninguna frontera detendrá a Orrian.

Ashe me mira un segundo.

—¿Te parezco un idiota? —y se inclina sobre el barandal para añadir a gritos hacia su tripulación y la de Hallow—: ¡Corred la voz entre botes y balsas de que hay un príncipe lacustre en nuestro territorio! Eso alertará a los cazarrecompensas.

Me invade la confusión y entrecierro los ojos.

—¿Cazarrecompensas?

—¿Crees que los contrabandistas son la única gente sin ley en las Tierras Libres? —me lanza una sonrisa enigmática—. Si los cazarrecompensas indicados se enteran de que corre por aquí tu príncipe, lo atraparán antes de que él te cace a ti.

Parpadeo e intento imaginar qué tipo de cazarrecompensas se requerirían para detener a Orrian. *Pero lejos de la comarca de los Lagos, con sólo sus guardias, sin ninguna ayuda de su reino...* Es un buen principio.

Me muerdo el labio y asiento. Señalo el rifle con una mano. Me lo devuelve de inmediato.

—Al menos, es un plan.

Las dos barcazas aceleran río abajo para dejar el sitio donde ocurrió el asalto de Orrian. A estas alturas, él ya volverá a estar en acción, aunque tierra adentro. Como no tiene dónde esconderse en este tramo, se servirá de transporte terrestre. Los caminos están unos kilómetros al norte, lo que nos permite ganar terreno. Nos detenemos cada quince minutos para que Hallow se adelante. Hora por hora, la distancia entre los botes aumenta, hasta que el suyo se pierde de vista incluso en los tramos más largos. Nuestra velocidad también aumenta, entre el motor y la corriente. Supongo que ya estamos cerca de la confluencia, donde el Ohius se encuentra con el Río Grande. Donde ningún territorio en ambas riberas está bajo las órdenes de una corona Plateada.

Cada segundo avanza en un reloj que chirría en mi cráneo. Aprieto los dientes para acallar la sensación. Ya pasaron dos horas desde el ataque. Tres. Cuatro. Tengo la insidiosa sospecha de que Orrian disfruta con esto. Siempre le gustó jugar con su comida. La esperanza no es algo a lo que yo esté acostumbrada, y aun si el capitán confía en su río y en su gente, yo no puedo hacerlo.

Me alegra que los niños hayan dejado el bote, junto con las señoras. Por lo menos, no tendré que arrastrarlos al fondo de mi mente. Su viaje ya es bastante peligroso para que le agreguen una Plateada fugitiva.

Estoy pensando en ellos cuando el capitán se detiene a mi lado, esta vez menos molesto. Se inclina sobre la popa y planta los codos en la barandilla. La camisa arremangada deja ver más cicatrices y moretones. La vida del río no es fácil para esta gente.

—Así que Orrian Cygnet... —el desdén en su voz es mayor al que expresa por mí.

Suspiro y me miro las manos. Tengo los dedos retorcidos, rotos tantas veces conforme desarrollaba mi habilidad que ni siquiera los sanadores de la piel pudieron repararlos debidamente.

—Pertenece al linaje real y está cerca del trono, aunque no tanto como él quisiera.

Su rostro se ensombrece incluso bajo la brillante luz de la tarde.

—Lo conoces bien.

—Lo conozco lo suficiente —recuerdo nuestros escasos y amargos encuentros. Se reveló pronto como un hombre terrible—. Nos vimos en algunas ocasiones y descubrí que le faltaba carácter.

—Supongo que tu tío no estaba de acuerdo.

Sacudo la cabeza entre risas.

—Conoce la naturaleza de Orrian y no le importa —su rubor me sorprende. ¡Los Rojos son tan extraños, tan emocionales!—. Que recibas noticias indirectas de los Plateados no significa que sepas cómo vivimos.

Resiente la pulla y ataca.

—Así que mataste a seis y huiste.

—Dime que no habrías hecho lo mismo —respondo rápida e hiriente, con el siseo de quien sabe la verdad. Mientras mis palabras flotan entre nosotros, le hago frente y elevo el mentón para mirarlo a los ojos. En lugar de un capitán Rojo veo seis cadáveres con caras irreconocibles. Magida está con ellos, es un cuerpo hecho trizas.

No titubea. No es de los que cuestionan sus intenciones.

—Sí, habría hecho lo mismo —tiene el descaro de ponerme un dedo en la cara como si regañara a una niña, cuando tenemos casi la misma edad—. Pero no habría arrastrado a inocentes.

—¿En serio? —pregunto con voz aguda y despectiva—. ¿Y tu amigo? Está traficando con armas justo ahora, ¿no es así? Con pasajeros a bordo. ¿Y tú nunca lo has hecho? —su sonrojo aumenta, sé que me he anotado un punto en este juego ridículo e insisto—. ¡Qué raro que un Rojo trafique con armas en esta dirección! La guerra civil y la Guardia Escarlata están a nuestras espaldas.

No tiene una respuesta hábil ni inteligente. Su fanfarronería se tambalea, aunque sólo un segundo. Quizá ni siquiera sabía que su amigo llevaba armas al oeste y, por tanto, a los Plateados. A Tiraxes, a los señores de la Pradera, incluso a invasores más occidentales. Que vende bronce para cañones a quienes lo matarían sin pestañear.

Tal vez comprendo a la gente Roja del río tan poco como ella a mí.

—Hay una diferencia entre nosotros —espeta al fin—. Aquí hacemos lo que debemos para sobrevivir, labrarnos una vida, no porque nos desagrade el palacio que nos tocó en suerte.

Sus palabras caen sobre mí como un mazazo. Las siento en lo más profundo del pecho, destrozan mi corazón.

Lo primero que mi padre me enseñó de niña fue la moderación. Incluso los colosos jóvenes pueden matar si no se controlan, así que aprendí pronto a contener mi temperamento. Si no hubiera sido por esa severa tutela, abofetearía a Ashe en este instante, quizá separándole la cabeza de los hombros, o al menos los dientes del maxilar.

Me las arreglo para ocultar mi rabia súbita detrás de mi máscara de la corte.

—Hay una diferencia entre nosotros —repito sus palabras—. No espero que lo comprendas, ni a mí —me desahogo y exhalo tranquila. Le diré lo que debe saber para que nos salvemos y esta barca se mantenga a flote—: Orrian caza con sus amigos de la corte, unos nobles borrachos e idiotas que se deleitan con el dolor ajeno. Sospecho que está con ellos. Su gusto por la caza y la bebida es la razón de que no estemos todos muertos en el río.

Frunce el ceño.

—Todavía.

—Todavía —concedo. Paso la otra mano por mi cabello y lo ato en una coleta para que no me estorbe. Ashe me mira y me evalúa como la amenaza que soy. Igualo su mirada—. ¿De verdad crees que podremos perderlo de vista?

Llevo poco tiempo en la nave pero dudo que su máxima velocidad supere a un príncipe ninfo. Y después de todo, estamos en un bote. Esto limita mucho nuestro avance.

Pese a mis aprehensiones, él se pavonea. Estamos en sus dominios y los conoce bien.

—Pienso que los hombres como él son en realidad unos cobardes y que no te perseguirá más allá de la seguridad de su reino.

—En condiciones normales, yo estaría de acuerdo contigo, pero Orrian es vanidoso y perderme hiere su orgullo. No lo permitirá.

Algo estira de nuevo su rostro, un tirón de fastidio. Gruñe entre dientes.

—Si el trabajo es sencillo, el cauce es tranquilo.

Ladeo la cabeza. Suena como un rezo, algo tonto que un lacustre mascullaría antes de la batalla.

—¿Qué es eso?

Se encoge de hombros.

—El código al que me gusta atenerme.

—¡Vaya! —digo sin convicción, aunque sea para bajar la tensión un poco, pero no da resultado: él se mantiene tenso como un resorte, listo para saltar. Me giro un poco, doy otra vez la espalda a la barcaza.

Me sigue, ocultando a la tripulación que trabaja con diligencia detrás de nosotros.

—¿Por qué salvaste al niño? —de pronto suena tan joven como se ve, no como un capitán, sino casi como un adolescente. Inseguro, confundido, desarraigado como nunca antes en la vida, sin ancla ni sendero.

Me muerdo el labio. ¿Por qué salvé al niño? Una parte de mí vuelve a afligirse. ¿Se lo preguntaría a un Rojo? ¿Piensa que los Plateados no tenemos piedad ni corazón? ¿Le hemos dado motivo para que piense así?

—Tú también saltaste al agua —contesto al cabo—. ¿Por qué lo salvaste tú? —sus mejillas se cubren de rubor—. ¿Sabes qué? —suspiro—. Pudiste haberme dejado. Él no habría seguido por despecho a una barcaza Roja.

Se relaja, no sé por qué. La enorme tensión en su esbelto cuello se reduce.

—Quizá no —para mi sorpresa, roza mi hombro con el suyo—. Por suerte, mi brújula moral es mejor que la tuya.

CINCO
Ashe

Soy un idiota. Un reverendo idiota.

Debería lanzarla al río y terminar con esto. Dejarla chapoteando hasta que su príncipe venga a sacarla. Alejarla de mi barca y de mi tripulación. Pero no puedo, ¡maldita sea! Riette y Gill no cesan de mirarme como si estuviera loco. La sonrisa tonta de Gran Ean es más ancha que él. Quizá, los tres piensan igual. Que estoy perdidamente enamorado de esta diabólica sabandija Plateada, y dispuesto a arriesgar la vida de todos con tal de llevarla adondequiera.

Aun velada, esta sola acusación me produce escozor.

Si el trabajo es sencillo, el cauce es tranquilo.

¡Éste es un trabajo complicado en un cauce repentinamente agitado!

Decido poner entre nosotros la mayor distancia posible y permitir que mire la popa mientras yo vigilo la proa. Señalo en la corriente rocas y obstáculos errantes más de lo que debería, en especial para Riette y Gill. Son tan buenos que ignoran mis nervios y dejan que los trate como su niñera a lo largo de varios recodos.

El sol se hunde ante nosotros y se aproxima al horizonte occidental. Los árboles se espesan en la ribera de las Tierras Libres, y los abiertos y vacíos campos lacustres se tienden al norte. La corriente se acelera. Cada segundo parece robado y cada exhalación un jadeo.

Mañana llegaremos a la confluencia, donde la dejaré para siempre. Es imposible que la lleve hasta las Puertas en estas condiciones, con un príncipe lacustre acechándonos. Hasta donde sé, sería capaz de secar el lecho del río y dejarnos varados en el barro para atraparnos a su gusto. Los Plateados han hecho cosas peores. Lo sé. Lo he visto. Para ellos no somos seres humanos, sino meros objetos desechables.

Así nos ve ella también. Por eso está aquí, nos utiliza para atravesar el río.

¿Por qué salvó al niño, entonces?

Saltó a la corriente pese a que sabía que un ninfo la esperaba, listo para ahogarla o llevársela a rastras. Y todo por un tímido chico Rojo al que no conocía, el hijo de una sirvienta Roja, nada y nadie. Una princesa Plateada saltó al agua para salvarlo, a sabiendas de lo que eso representaba para ella, consciente del peligro. No puedo sacar de mi cabeza que haya corrido ese riesgo y por quién.

¡Ojalá no lo hubiera hecho! Así no me importaría su suerte.

Sacudo la cabeza. ¡Esto es absurdo!

La echaré en los muelles de la confluencia cuando las fronteras se abran. Le daré una oportunidad. La oportunidad que ella nunca nos dio.

En la proa, nos da la espalda aún, atenta como un vigía. ¡Si la hubiera dejado apiñada en los muelles del Ohius, rogando un lugar con el resto! Habría sido el problema de otro, no mío.

O estaría casi muerta, encadenada a un hombre cruel, sin otra vida que la de una jaula.

Soy un idiota.

De niño, mi madre me leía cuentos de su antigua colección de libros. Antes de que muriera, mi padre se los llevaba cuando los conseguía en el río o los cambiaba en los muelles. La mayoría eran viejas reimpresiones pasadas de una generación a otra, traducidas y copiadas. Relatos de guerreros, reyes, criaturas fantásticas, valor y aventura. Historias de hombres y mujeres Rojos que vencían circunstancias inverosímiles. ¡Ojalá nunca las hubiera conocido! Son para imbéciles.

Y es un hecho que ahora actúo como uno de ellos.

Soy Ribereño y siempre me he sentido muy seguro en el agua, pero por primera vez en mi vida esto no es así. No nos atrevemos a mantener encendidas las luces y nos valemos de la luna. Por suerte, esta noche la luna está llena, lo bastante brillante para permitir movernos. Les pido a

Riette y Gill que duerman por turnos, siempre listo uno de ellos por si la corriente cambia. Gran Ean duerme en su esquife, listo para remar si debemos abandonar la barcaza. No pienso dormir, con mi mente exaltada por planes de batalla a medio formular. La princesa tampoco duerme.

Dijo que a su príncipe lacustre le gusta cazar. Supongo que disfruta la diversión de esto, ver que la presa huye, aterrada por su vida. ¿Nos observará ahora que nos movemos sin hacer ruido, como sombras sobre el agua? Ya he sorteado patrullas Plateadas de esta manera, soy bueno para eso. Aun así, a estos otros Plateados se les podía sobornar o engañar, no eran nobles instruidos en sus habilidades, con la venganza en la sangre, ávidos de algo más valioso que granos, alcohol o armas ilícitas.

En una o dos ocasiones creo escuchar un coro de risas más allá del borde. Podría ser el viento en los campos, un pez que salpica o nada en absoluto. Cada ruido me pone más inquieto, empuja mis nervios a la sinrazón. A medianoche, siento que aprieto tanto la mandíbula que mis dientes se desintegrarán.

Cuando la luna llega a su apogeo, Lyrisa abandona su puesto en la popa. Aunque avanza con pasos firmes y silenciosos, no sabe qué tablas debe evitar, cuáles crujen y rechinan. Pese a sus mejores esfuerzos, oigo que se mueve. El río hace lo mismo.

A medio dormir en su puesto, Gill le dirige una mirada que sólo yo alcanzo a ver.

Me uno en silencio a ella en cubierta. Apoyada en la barandilla, pestañea hacia la oscuridad de la margen distante. La luna brilla en los maizales de mediana altura, son la pantalla perfecta para quien vigile el río.

—Duerme si quieres —susurro. *Deberías dormir. Mañana te abandonaré. Tienes que descansar,* pienso. La culpa me araña el estómago.

Sacude la cabeza.

—Para nada —la apoya en una mano. Mira la oscuridad sin ver—. Él disfruta con esto. Orrian.

Aun cuando mi odio por los Plateados es radical, como el de todos los Rojos, éste inspira en mí otra capa de repugnancia que hace mucho tiempo no sentía.

—Se diría que un Plateado tiene cosas mejores y más interesantes que hacer. Según me enteré, aún hay una guerra en marcha.

Espero que sonría; en cambio, se encoge y casi olvido su habilidad. Que a este bote y a mí podría partirnos a la mitad con un solo dedo.

—Hay guerra en todas partes —dice—. El norte, el sur, el este.

—¿En el oeste no? —hablo por hablar, para que los ojos no se me cierren. Incluso nosotros sabemos que hay invasores en las fronteras de la Pradera, esos parias Plateados sin bandera ni lealtad. Que los jefes militares de la Pradera están en constante flujo. Que los triarcas de Tiraxes no cesan de fastidiarse entre sí. No hay calma en ningún lado, ni en el mundo que tenemos delante ni en el mundo que dejamos atrás.

—En el oeste no —murmura—. ¿Has oído hablar de Montfort?

Ah.

—La República Libre.

—Así la llaman —vacila, con un susurro entrecortado—. ¿Crees que lo sea?

Lo que creo y lo que sé son dos cosas muy distintas. Y los abundantes rumores acerca de la República, aun los de sus propios ciudadanos, son versiones tan variadas que incurren en todas las contradicciones imaginables.

—He oído hablar mucho de ella. De que sus Rojos, sus Plateados y los otros, sean lo que sean, son iguales —lo dudo al mismo tiempo que lo digo. No quiero engañarla ni darle falsas esperanzas—. Pero no creo todo lo que oigo. Lo entiendo mal la mitad de las veces.

—Ése es mi destino —la resolución le da filo a su voz—. O al menos, el que persigo.

Esto explica el dinero, que contara sus monedas. Ahorraba para poder pagar otro largo viaje.

—Después de las Puertas.

—Pensé llegar al río del Arca, pero hay demasiado flujo: la Guardia Escarlata, los ejércitos de la Pradera, los invasores. Y si la alianza Plateada en el este decide atacar Montfort, seguirán esa ruta —traza cada paso en la veta del barandal y yo los veo en mi mente, tan claros como un mapa—. Así que contrataré un bote en Mizostium, cruzaré el Mar de Tírax y buscaré otra embarcación que me lleve río arriba, por la ría Granda, a las montañas y hacia la libertad.

Exhalo una bocanada de aire.

—Es un camino muy largo.

¡Obviamente, idiota!

No se mueve.

—Vale la pena.

Tiene que ahorrar. Pero ¿y su vida? Quiero decirle que correrá peligro, y no sólo a causa de un príncipe lacustre: los triarcas, los invasores y la República misma, cuando llegue. ¿Por qué aceptaría ésta a una princesa Plateada?

—Lo has planeado durante mucho tiempo —es todo lo que digo y me siento un cobarde.

Se alza de hombros. Su rostro refleja la luz de la luna en el agua. Las pecas oscuras de sus mejillas ponen de relieve el ángulo en sus ojos. Parece hecha de piedra, no de carne.

—En realidad, no. Sabía que quería huir, pero eso era todo. Antes de que la postura de Montfort se diera a conocer en un ataque a Norta, no tenía ningún plan. Sólo sabía que debía huir —mantiene un rostro sereno a pesar de que se retuerce los dedos de las manos—. Ahora hay una oportunidad de algo diferente.

—En un sitio donde serás igual al Rojo que esté a tu lado.

Se vuelve hacia mí con aspereza, me lanza una mirada eléctrica cargada de algo que no entiendo.

—Dicen que los territorios en disputa son así también.

—Nosotros los llamamos Tierras Libres. Y ojalá eso fuera cierto porque, al igual que en los Territorios de Monarcas, aquí también hay una división. Aunque no estamos a merced de los Plateados, vivimos aparte, en mundos distintos, incluso en el río —sospecho que en la República pasa lo mismo, que en el fondo está dividida y es débil—. Jamás he conocido a un Plateado dispuesto a ceder tanto por un mal matrimonio.

Sus ojos se vuelven rendijas y siento que he dado un paso en falso. Se me eriza la piel. *Idiota.*

—Rojos o Plateados, a los hombres siempre se les complica comprender a las mujeres.

Asiento con la cabeza. Cualquier otra cosa podría ser un nuevo error.

—Mi madre estaría de acuerdo contigo —confío en darle otro giro a la conversación, no quiero que termine, ayuda a que pase el terror de esta noche—. Vive en Mizostium, cerca de la Puerta Este.

A pesar de que sabe lo que intento, lo permite. Lyrisa se vuelve hacia el río.

—¿Ésa es una... parte buena de la ciudad?

—Mejor que la mayoría —y es cierto. La Puerta Este es agradable, una comunidad fuerte con raíces sólidas, calles Rojas y calles Plateadas, hermosas fuentes y jardines. No sé por qué, pero imagino que se la muestro a Lyrisa, aunque sea sólo desde la cubierta de la barca. Aparto ese pensamiento tan pronto llega. La abandonaré a la primera oportunidad—. Hay autogobierno, y en algunas partes ni siquiera gobierno.

—Las Tierras Libres hacen honor a su nombre —sugiere diplomática, más Plateada que nunca, un vívido recordatorio de quién es ella y quién soy yo, de la clara división entre nosotros en muchos sentidos—. Me encantaría ver más de ellas.

—Lo harás —respondo sin pensar.

Frunce los labios en una sonrisa amarga.

—¡Qué bien que al menos uno de nosotros lo crea!

—Lyrisa...

Se niega con un gesto que esta vez no parece tan desdeñoso:

—Si Orrian toma la delantera y la tripulación y tú os encontráis con dificultades insuperables... —titubea, busca las palabras—. Dímelo y le pondré fin.

Bajo la luna, me doy cuenta de que tenemos el mismo aspecto. Su sangre y la mía podrían ser iguales. La observo mientras mira, a la espera de que le dé mi autorización para rendirse. Debería hacerlo. Por la vida de Riette, Gill, Gran Ean y yo.

—No —digo con tono cansino, me encojo de hombros y doy la espalda al río.

Abre bien los ojos, sus pupilas se dilatan bajo la tenue luz, las fosas de su nariz aletean de frustración.

—¿Qué dices? —pregunta con voz demasiado ruidosa.

Parpadeo y me aparto del barandal.

—Hay algo que los Rojos compartimos a toda costa: nuestra afición a hostigaros. No le daré a un príncipe borracho la satisfacción de lo contrario. Ya tiene suficiente en este mundo —no puedo evitar agarrarla del brazo y una descarga eléctrica asciende por mi columna—. A ti no te tendrá.

La dejo farfullando a mis espaldas y dirijo toda mi atención a mantenerme erguido y caminar despacio. Mis mejillas llamean de rubor. Me alegra que esté oscuro cuando paso junto a Gill.

¿Por qué estás así, Ashe?

"Perdidamente enamorado", pienso que sisea.

Si no fuera por el príncipe lacustre que nos persigue, lo empujaría al río.

En cambio, le hago señas para que se acerque.

Y le murmuro el plan que he ideado.

SEIS
Ashe

A veces me pregunto si entre Plateados y Rojos existen más diferencias de las que percibo. Nunca he conocido bien a uno de ellos, ni me ha interesado hacerlo. Está la sangre, desde luego: el color y lo que da. Habilidades que no comprendo. Velocidad extrema, control del agua, el fuego o el metal, dominio de los animales y el clima, o una fuerza superior, como la de Lyrisa. Pero además de eso, ¿hay más? ¿Nacen distintos a nosotros, más rígidos, crueles y violentos, o se vuelven así? Antes creía lo primero. Ahora, no estoy tan seguro.

He pasado muchas noches sin dormir en el río. Estoy acostumbrado al cansancio. Lyrisa también, o tiene talento para encubrir la debilidad. Supongo que ambas cosas.

El sol emerge sobre márgenes conocidas y signos crecientes de civilización en el río, que se ensancha. La confluencia es un crucero importante y los muelles asoman ya entre las raíces y los juncos de las orillas de las Tierras Libres. Al norte, la comarca de los Lagos es todavía una gran campiña, aunque el camino se aproxima. Baja desde Sanctum al norte, y concluye en el punto donde el Ohius y el Río Grande se encuentran. Los lacustres pueden entrar ahí a las Tierras Libres, si se atreven.

Me pregunto dónde estarán el príncipe y sus graznantes cazadores. *¿Nos vigilan ahora? ¿Están cerca? Espero que te estés divirtiendo, imbécil.*

Otros botes, grandes y pequeños, se unieron al nuestro conforme la noche se disipaba y daba paso al amanecer. Algunos son poco más que balsas impulsadas por niños, pasatiempo que en otro tiempo conocí bien. Se arremolinan junto a las barcazas y saltan a la espera de sobras. Les arrojo unas manzanas, un antiguo ritual que brinda consuelo.

En su esquife, Gran Ean llama a algunos de ellos con la mano. De acuerdo con el plan, transmite la noticia de la presencia de un príncipe lacustre en las inmediaciones, una presa sustancial para quien piense asaltarlo o raptarlo. Los bronceados y empapados chicos corren la voz de inmediato y reman de regreso a sus muelles o más allá, donde el tránsito se intensifica.

Lyrisa no es una pálida Plateada de piel de porcelana reconocible desde la lejanía. Pese a su tez oscura, como de cobre frío, toma precauciones. No sé de dónde sacó una gorra bajo la que se recogió el cabello. Aunque el uniforme no le ajusta bien, podría pasar por marinera. Cuando pone fin a su transformación, inclino la cabeza, e incluso Riette le dedica un gesto aprobatorio.

El sol ya quema y siento la húmeda opresión del día. Imagino el largo verano que nos espera.

Resguardo mis ojos con una mano y busco el signo distintivo de la confluencia: una franja de agua parda contra el horizonte, el fangoso torbellino donde el Río Grande coincide con el gris azul del Ohius. A pesar de que mi ruta habitual me llevaría más lejos, al centro del río, donde la corriente es rápida y fuerte, mantengo la barcaza lo más cerca posible de la orilla de las Tierras Libres. Esto nos resta velocidad, pero nos preserva al menos a medio kilómetro de la comarca de los Lagos y fuera de las aguas profundas que un ninfo podría volver en nuestra contra. Si ocurriera lo peor, por lo menos tendríamos la oportunidad de llegar a la ribera.

Hay una bulliciosa localidad con mercado justo al sur de la confluencia de los ríos, una parte de la cual flota en el agua. Si puedo llegar allá antes de que Orrian ataque de nuevo, atracar en los muelles... *¿De verdad, voy a dejarla?* Anoche parecía una decisión sencilla.

Aprieto los dientes. Cruzaré ese puente si debo hacerlo. Por ahora, me concentro en el agua frente a nosotros y en qué hacer si Orrian aparece antes de que lleguemos al mercado. La tripulación fue informada del plan, todo está en orden. Lyrisa también, aunque sólo conoce una parte del mismo.

No me aparto ni un momento de mi pistola y hemos ocultado los rifles detrás de la barandilla. Por una vez, desearía haber sido traficante de armas, con un inmenso almacén de municiones a nuestra disposición. Como es de esperarse, nuestras provisiones se agotarán sin remedio.

La confluencia se acerca a cada segundo y mi corazón se acelera junto con la corriente. Tengo que empeñar toda mi moderación para no avanzar por el río, lejos del tránsito de la orilla, donde podría dar rienda suelta al motor y volar. No sé cuánto tiempo más resistirán mis nervios. ¿Una hora? ¿Un minuto? ¡Esto es una tortura!

Me llevo un gran susto cuando el capitán de otra barcaza me saluda a gritos mientras se incorpora al torrente.

Lyrisa abandona su lugar en la popa y se acerca a mí de nuevo, esta vez con el rifle bajo el brazo. Sus ojos rastrillan la ribera, abarca los muelles y los rudimentarios caseríos dispersos. Dudo que algún día haya visto algo así.

—¿Recuerdas el plan? —pregunto.

Asiente cortante, concentrada y casi ofendida.

—¡Por supuesto!

—Ya corrimos la voz sobre Orrian, y le pedí a Hallow que hiciera lo mismo antes que nosotros —el río se agita, más rápido a cada segundo—. Las noticias fluyen sin freno en sitios como éste.

Por poco que sea, esto la consuela.

—Está bien. Espero que tengamos suerte.

—A ninguna le tengo fe.

—¿A la esperanza y a la suerte? —esboza una verdadera sonrisa—. Yo tampoco.

Creo que es su sonrisa lo que lo enloquece.

El río explota en torno nuestro con un rugido atronador y se elevan paredes de agua hacia el claro cielo azul que nos enjaulan en el terror durante una fracción de segundo. Es como si una mano gigantesca hubiera agitado la superficie del río y perturbado la corriente a nuestro alrededor. El agua cae tan rápido como subió, con un alarido que cala los huesos. El remo de Gill se rompe en su mano y Riette arroja el suyo a cubierta para reemplazarlo por un rifle. Gran Ean ya tiene puesta la mirada en las orillas lacustres, muy al norte. Demasiado lejos para cualquier arma que poseamos.

Lyrisa lo sabe.

—¡En las Tierras Libres! —apunta a la orilla, tan cerca de mí que pienso que me bastaría con estirarme para tocarla.

Me giro y mi cuerpo se congela.

Cuento a ocho de ellos, siete nobles Plateados que rodean al inconfundible príncipe lacustre parado en los bajíos. Uno de los Plateados —una mujer— sujeta unos perros, dos babeantes sabuesos cuyos hocicos apuntan al bote y a Lyrisa.

Orrian Cygnet es tan delgado y tan alto como una garrocha, con esqueléticas extremidades salidas de una pesadilla. Su piel es de un amarillo pálido, y su oscuro y húmedo cabello está recogido en una trenza rígida que estira su rostro. No distingo el color de sus ojos pero sí su punzante y malévola sonrisa. Su ropa es azul oscuro, color de río. *Jamás le he temido al azul,* pienso con vehemencia.

Está armado con una pistola y un sable, igual que sus compañeros, pero su arma principal es la que nos tiene cercados.

—¡Vamos, Lyrisa, ya te divertiste demasiado! —grazna sin dejar de mirarla un instante.

Ella no se digna a responder, con la cabeza erguida. En tanto, la barcaza permanece en la corriente, increíblemente inmóvil en un río turbulento.

A nuestro derredor, botes y balsas se escabullen como insectos, empujados por las ondulaciones del poder de Orrian. Ribereños pálidos y boquiabiertos miran aterrados o acuden a sus naves para escapar, atendiendo los reveladores signos de un ninfo malhumorado. En la orilla, los pocos ciudadanos de las Tierras Libres que viajan a pie desaparecen entre los árboles.

Llevo la mano a mi cintura y destrabo mi pistola lo más lenta y silenciosamente posible. Los Plateados no lo notan. Los amigos de Orrian ríen con frialdad, pasan de un lado a otro una botella de licor. Uno de ellos hace girar una daga en su mano. Si actuáramos rápido, acabaríamos con tres o cuatro de ellos, pero los demás caerían sobre nosotros como halcones sobre un conejo y nos harían pedazos.

Orrian repara por primera vez en la tripulación y se rebaja a mirar a los Rojos. Pasea por mi bote una vista desdeñosa antes de que sus ojos aterricen en mí.

—¡Por todos los dioses! Los contrabandistas son más jóvenes cada año —ríe.

Al igual que Lyrisa, no digo nada. Y esto lo enfurece.

Da un paso en el agua. No, no *en*, sino sobre el agua. Sube por el río como si fuese una escalera, la corriente se eleva para encontrarlo mientras asciende para ponerse justo frente a mí. Cara a cara.

—¡Te hablo a ti, muchacho! —me interpela y me abofetea sin fuerza. Su propósito no es lastimarme, sino humillarme. Lo sé. Me arden las mejillas.

Detrás de mí, oigo que la tripulación se mueve y busca sus armas. El pelotón de Orrian hace lo mismo, avanza en el agua. Justo como Lyrisa supuso, él es el único ninfo en el grupo.

Ella se tensa en la barandilla.

—¡Orrian! —lo previene.

Esto sólo alimenta la ira de él, y su diversión. Me abofetea de nuevo.

—¿Desde cuándo te importan las ratas Rojas, Lyri? —el horrendo príncipe inquiere burlón—. ¡Idiota!, ¿pensaste que podrías huir de mí? ¿De Kirsa y sus perras? —ríe en dirección a los sabuesos que están en la ribera. La Plateada emite una risilla mezclada con un ladrido y sus sabuesos reaccionan del mismo modo.

Orrian levanta la mano por tercera ocasión y, rápida como un rayo, Lyrisa lo coge de la muñeca. La amenaza es tan clara como el día. Podría arrancarle el brazo si quisiera.

—Métete con uno de tu tamaño —suelta con desprecio.

Orrian esboza una expresión de desdén, pero no se mueve. Pese a que podría someterla con el río, se infligiría con ello un dolor terrible. Acerté: es un cobarde de cabo a rabo.

Se miran con tanto odio que temo que prendan fuego al bote.

Tampoco estaría mal.

—Ahora que todos nos conocemos… —elevo mi pistola y los nobles de Orrian se tensan en los bajíos, listos para saltar, hasta que fijo el arma en la sien de Lyrisa, gélido metal contra la piel— negociemos, ¿de acuerdo?

Todo se paraliza un momento. El rostro de la princesa pierde su color; sus ojos vuelan anchos y temerosos hacia los míos, y mueve los labios sin decir palabra. La carcajada de Orrian nos moja de saliva a ambos. Aunque no suelta el puño, Lyrisa afloja por efecto de la impresión; me mira con tanto dolor que estoy a punto de titubear.

—¡Ja, ja! —aúlla el príncipe, todavía sobre su peldaño de agua—. ¡Qué gran espectáculo! ¡Bravo, rata, bravo! —mira por encima del hombro a sus amigos, que ríen y graznan tan ruidosamente como él—. ¿Habéis oído eso? Tal vez Lyri le pagó a esta rata también, ¡y ahora él quiere revendérmela! Eres listo, te concederé eso —se balancea hacia mí y sacude un dedo.

—Soy un superviviente —le digo, y vuelve a reír.

—Dime entonces, superviviente —se burla—, ¿por qué no me la llevo ahora, inundo tu remedo de bote y dejo que te ahogues detrás de mí?

Parpadeo como si la respuesta fuera obvia.

—Porque la mataré. No hay magnetrones contigo, y a esta distancia no fallaré —miro su muñeca y los dedos de Lyrisa tensos sobre su piel—. Y estoy seguro de que su reflejo se llevaría tu mano consigo.

Muestra los dientes, es un animal al que se le niega una presa fácil. Sube, cruza el barandal con resolución y azota sus botas húmedas en mi cubierta. Lyrisa tiene que retroceder y me muevo con ella, su espalda contra mi pecho. Nunca afloja el puño.

—¡Suéltame, Lyri! —le sisea en la cara.

Su puño se tensa y un brillo de sudor cubre la frente del príncipe. Lo lastima lo suficiente para recordarle el precipicio en el que se encuentra. Detrás de él, sus nobles persisten, trepan por los costados del barco para subir de un salto a cubierta. Nos exceden en número, casi dos a uno, proporción que ningún Plateado necesita contra los Rojos. Riette y Gill mantienen apuntadas sus armas contra dos de ellos pero están aterrados y sus cañones tiemblan.

Lyrisa no cede, ni siquiera con Orrian a su lado y mi arma contra su cabeza. Atrapada y enjaulada como está, se niega a darse por vencida.

Detrás de mí, la tripulación se mueve como convinimos. Hacia la bodega, a la trampilla entornada con la bota de Gran Ean.

—¡Lyrisa! —exclama Orrian con una voz tan distinta que me asusta. Su tono se ha vuelto empalagoso y pronuncia el nombre con reverencia. Igual que ella, se oculta detrás de una máscara con demasiada facilidad, lo cual me alarma—. Dejemos esto atrás, querida. Es natural que una boda te atemorice, que temas un nuevo país y una nueva vida. Estoy dispuesto a olvidar esto o, mejor todavía, ¡gracias por haberlo hecho! —apunta a sus amigos con su mano libre y una sonrisa histérica—. ¡Hace siglos que no nos divertíamos tanto! Así que suéltame, dale a este hombre las monedas que te quedan en el cinto y dejemos este apestoso bote, ¿de acuerdo?

—¡Sois muy pocos! —responde ella mientras pasa la mirada a toda prisa por las caras que la miran con deseo. Supongo que los conoce a todos—. Y también, unos enclenques. Apenas valéis la sangre que corre por vuestras venas, borrachos imbéciles. Me sorprende que esto sea lo mejor que puedes hacer, Orrian. ¡Pensé que eras un príncipe!

—¡Perra colosa…!

Ella gruñe, gira la mano y le desprende la muñeca, con un estrépito óseo más ruidoso que el terrible alarido que ocasiona. El príncipe cae de rodillas y se sujeta una mano que ahora cuelga de la articulación, sujeta sólo por la piel. Verlo me hace casi vomitar, pero mantengo la compostura y muevo la pistola de la cabeza de Lyrisa a la de Orrian.

Sus nobles arremeten contra nosotros, listas sus armas y habilidades. Detrás de mí, Gran Ean abre su encendedor con un ruido metálico tan cordial como la voz de mi madre.

Aprieto el gatillo.

La pistola se atasca.

—¡Mierda! —susurro.

Los ojos de Orrian son como un huracán en las Puertas, prestos a destrozarme. El río crece detrás de mí, armado con toda su furia, es una pared que ansía aplastarme.

Vuelo por los aires antes de que pueda registrar lo que sucede, arrojado de la orilla a las profundidades. Entonces lo comprendo: Lyrisa se deshizo de mí tan fácilmente como de una muñeca. Apenas tengo tiempo para respirar antes de caer al agua, donde casi choco con la balsa de un chico. Aprendí a nadar y a caminar de manera simultánea y emerjo sin problemas a la superficie, a tiempo para ver que Gran Ean, Riette y Gill saltan de la barcaza. Sus figuras se perfilan contra la propagación de una llama.

No me queda más que esperar que Lyrisa haya hecho lo mismo y saltado al agua cuando la bodega explotó, llena de alcohol y aceite. Conocía el plan. Bueno, casi todo. Tuve que improvisar un poco. Espero que me perdone por haberle puesto un arma contra la cabeza.

La ola cae sobre sí misma mientras la nave se incendia y pone fin al príncipe Orrian, quemado, destrozado por una colosa o ambas cosas. Unos gritos indescifrables se elevan junto con el humo. Nado lo más rápido que puedo, pataleo y braceo para acortar la distancia.

En el río, otros botes se detienen a mirar, y una chica tiene la bondad de parar su balsa junto a mí para que me agarre de ella. Dirige el pequeño motor con una mano, tranquila y perezosa pese a la columna de humo en las alturas.

Cuando me acerco a la ribera, mis marineros salen ya de los bajíos, desgarrados entre el triunfo y la derrota. Perdimos la barcaza, pero sobrevivimos. Exhausto, permito que la chica me arrastre hasta ellos y Gran Ean me ofrece una mano para ponerme en pie.

Nos giramos juntos al ahora desmoronado casco de mi bote. Explotó más rápido de lo que había pensado. Quienquiera que haya estado a bordo, sin duda se calcinó. A lo lejos, uno de los sabuesos aúlla desconsolado antes de escapar en compañía de otro.

Mi pecho se tensa, un agudo pesar acude a mis ojos.

—¿Ella…? —murmura Gill, pero Riette lo disuade con un gesto.

Esperamos a ver si algún Plateado sale del río, sea amigo o enemigo. Confío en que sea Lyrisa, que haya tenido tanta suerte como yo. Pero el bote se hunde y nadie emerge.

¡Cómo me habría gustado enseñarle las Puertas!

SIETE
Lyrisa

El agua limpia casi toda la sangre. Si no fuera por el río, me hundiría en ella. En la de Orrian, sobre todo. Esto suele suceder cuando desprendes una cabeza.

El agua no elimina el recuerdo. Dudo que algo lo consiga.

El río se hizo humo detrás de él, se elevó como las alas de un ave de presa. A cada lado, sus amigos se abalanzaron sobre mí, entorpecidos por su estado de ebriedad. La peor era Helena, pero estaba en el otro extremo. Le habría sido difícil matar a una colosa.

Yo sólo podía mirar a Orrian, que gritaba debajo de mí e intentaba erguirse. Había fuego en sus ojos. No, era la nave, la bodega que ardió e hizo explosión de punta a punta.

—¡Serás mía! —siseó mientras mis manos se cerraban sobre su cabeza. En ese momento vi la que habría sido mi vida, como la de tantas otras antes que yo: resignada a una corona, infeliz y esparciendo esa infelicidad. Miserable en mi fuerza y mi poder. Infligiendo dolor en torno mío, y a mis hijos después de mí.

Jamás habría aceptado esa existencia, aun si la alternativa era la muerte.

Sentí que el río salpicaba y temblaba sobre nosotros, con garras que perseguían mi garganta. Atenacé y tiré. No sé qué esperaba que ocurriera. Que él muriese, desde luego, o que su cráneo se rompiera antes que su columna. En cambio, su cuello se desprendió limpiamente, como la tapa de un frasco. No sabía que un cuerpo pudiera hacer eso.

No sabía que pudiese haber tanta sangre, que un corazón palpitara aun en ausencia de cabeza.

Cosa curiosa, su agua me salvó. Se desplomó en cuanto él murió, cayó sobre ambos al tiempo que la nave se incendiaba. Me sumergí lo más pronto que pude, mi ropa se resistía a quemarse. Aun así, sentí a mis espaldas el dolor abrasador de las llamas, que consumía todo y a todos los que quedaban en el barco.

Los siento ahora, rabiosos y ardientes. Aunque requerirán atención, dudo que encuentren un sanador de la piel en la confluencia; quizás en Memphia. Por ahora, tendré que conformarme con lo que pueda conseguir en el mercado.

Hice lo correcto. Permanecí bajo el agua, atenta a la orilla. Esperé a que Ashe y su tripulación se marcharan. Que pensaran que había muerto con Orrian. Que de mí no quedara ni un susurro en este río. Que nadie siguiera mi rastro.

Es la única forma de huir. Sin dejar huella.

Tendré que ser más prudente con mis monedas. Por suerte, el saquillo que llevo en la cintura sobrevivió a la explosión y al río. Debería bastar, si gasto con sensatez.

Lo primero es lo primero y cambio un empapado uniforme lacustre por ropas que me ajusten mejor. El mono apesta pero me queda bien, y ansío quitarme las prendas de una muerta. El mercado es más grande de lo que imaginé, con cientos de puestos esparcidos en las sucias calles y los muelles. Barcazas, transbordadores y botes más grandes se apiñan en la ribera, donde cargan y descargan paquetes y pasajeros. No será complicado reservar un lugar para las Puertas. No me será difícil dejar atrás este mundo, como lo he hecho con tantos otros.

El terreno bajo mis pies transita de tierra a tablas y a tierra otra vez, porque pequeños canales y corrientes sinuosas cruzan esta parte de la convergencia de los ríos. Mantengo la cabeza baja, abiertos los oídos y el cabello suelto para cubrir mi rostro. Oigo aquí y allá fragmentos de conversaciones, algunas sobre la "conmoción" ocurrida en la confluencia. El resto es estremecedoramente normal. Los comerciantes intercambian noticias, los lancheros se encuentran con sus amigos, los apostadores anuncian juegos, los mercaderes sus productos. Paso rápido por todo eso en dirección al muelle principal, donde las embarcaciones más grandes esperan.

Hasta que una voz que destaca sobre el resto me hace detenerme.

Es una voz conocida y maliciosa, con una sonrisa confiada detrás.

Cuando me vuelvo, veo que una pequeña muchedumbre se reúne en torno a una mesa con dos sillas, una de ellas ocupada por un gigantón bondadoso y sonriente. Le tiende la mano al otro hombre fornido, que se aparta y se frota el brazo al tiempo que hace una mueca.

—¿Sin rencores? —pregunta Gran Ean, todo sonrisas aún.

Su adversario Rojo da media vuelta y maldice entre dientes. Deja unas monedas sobre la mesa, se retira entre zapatazos y sus pisadas sacuden las tablas bajo mis pies.

Ashe guarda con presteza las monedas en el bolso de su chaqueta, que todavía se seca bajo el sol de la tarde, y palmea en la espalda a Gran Ean.

—¡Bien hecho! —sonríe y se vuelve hacia la multitud de viajeros y comerciantes que hay en el mercado—. ¿Alguien más quiere hacer la prueba con Gran Ean? ¡Es el hombre más fuerte de este lado de las Tierras Libres! ¡El que venza lo gana todo!

No debería detenerme. Debería continuar mi camino. Pagar mi acceso a un bote y marcharme.

En cambio, aparto a la gente frente a mí, con el saquillo de monedas en la mano.

Sonrío mientras me siento y tiendo lentamente mi dinero. Saco el brazo, apoyo el codo sobre la mesa y abro la mano.

Gran Ean se resiste, pero sólo tengo ojos para Ashe.

Me mira impasible un segundo, curva los labios en una sonrisa. Entonces le digo:

—Acepto la apuesta.

CRONOLOGÍA (NE)

290-300:

- Se forma la Guardia Escarlata en la comarca de los Lagos. Su influencia y poder aumentará gradualmente en todo el reino y cruzará las fronteras de Norta.

VERANO DE 296:

- Tiberias VI es coronado rey de Norta tras el deceso de su padre, Tiberias V.

OTOÑO DE 300:

- Nace el príncipe heredero Tiberias, hijo de Tiberias VI y su esposa, Coriane, de la Casa de Jacos. Se le impone el sobrenombre de Cal.

OTOÑO DE 301:

- Tras la muerte de su primera esposa, el rey Tiberias VI se une en matrimonio con Elara, de la Casa Merandus.

FINALES DE OTOÑO DE 302:

- Nace en Los Pilares Mare Molly Barrow, hija de Daniel y Ruth Barrow.

INVIERNO DE 302:

- Nace el príncipe Maven Calore, hijo de Tiberias VI y su segunda esposa, Elara, de la Casa de Merandus.

VERANO DE 320:

- Se celebra la prueba de las reinas. Mientras se desempeña como doncella, la joven Roja Mare Barrow da muestras de poseer una imposible habilidad Plateada. Se le hace pasar por Plateada en la corte para evitar la controversia de ese nuevo poder.

FINALES DE VERANO DE 320:

- Tras varias semanas de combate, la Guardia Escarlata intenta tomar el Palacio del Fuego Blanco de Arcón, pero fracasa. Traicionados por Maven, Mare es expuesta como agente de la Guardia Escarlata y Cal forzado a matar a su padre. Se arresta y sentencia a muerte a Mare y al príncipe heredero, pero logran escapar a última hora, gracias a la ayuda de la Guardia Escarlata.
- Con su hermano en el exilio, Maven es coronado rey de Norta.

OTOÑO DE 320:

- Mare y la Guardia Escarlata recorren Norta en busca de Rojos con habilidades Plateadas para que se sumen a su ejército. Esta nueva raza se denomina nuevasangre.

FINALES DE OTOÑO DE 320:

- Una vez acorralados, Mare ofrece su vida al rey Maven a cambio de la de su equipo. Es encarcelada en el Palacio del Fuego Blanco.

INVIERNO-PRIMAVERA DE 321:

- El rey Maven emprende un viaje de coronación por Norta y negocia el fin de la Guerra Lacustre. Rompe su compromiso matrimonial con Evangeline, de la Casa de Samos, para afianzar ese tratado de paz a través de su matrimonio con la princesa Iris, de la comarca de los Lagos.
- La Guardia Escarlata sume la ciudad-fortaleza de Corvium en revueltas y caos. Encabezada por el exiliado Cal, conquista esa ciudad.

PRIMAVERA DE 321:

- Después de varios meses como prisionera y títere político de Maven, Mare escapa con la ayuda de Evangeline durante la rebelión de la Guardia Escarlata en la boda del rey Maven.
- La Casa de Samos forma el reino de la Fisura.

- La democrática República Libre de Montfort se alía con la Guardia Escarlata a fin de convertir los reinos Plateados del este en democracias con igualdad de sangre. A su vez, forjan una frágil alianza, basada en la extorsión, con las Tierras Bajas, para obtener abundantes recursos y tropas.

PRINCIPIOS DE VERANO DE 321:

- Junto con la comarca de los Lagos, Maven intenta recuperar Corvium, pero su ejército es derrotado por la alianza integrada por la Guardia Escarlata, Montfort, la Fisura y las casas Plateadas en rebeldía, encabezadas por la madre de Tiberias VI, Anabel Lerolan.
- El rey de la comarca de los Lagos pierde la vida en la defensa de Corvium.
- Después de la batalla, la alianza Roja y Plateada proclama a Cal como Tiberias VII, verdadero rey de Norta.

VERANO DE 321:

- La alianza compuesta por Tiberias VII, la Guardia Escarlata y la Fisura solicita y obtiene la ayuda del gobierno de Montfort.

- Actuando a nombre de su esposo, la reina Iris, de Norta, elimina la influencia de Montfort sobre el príncipe Bracken, de las Tierras Bajas. Los Plateados toman la base de Montfort en las Tierras Bajas.

FINALES DE VERANO DE 321:

- La alianza Roja y Plateada ataca al mismo tiempo la ciudad tecnológica de Ciudad Nueva y Harbor Bay, que arrebata por igual al rey Maven. Ambos bandos acuerdan parlamentar.
- La reina Iris conspira contra su esposo y lo ofrece a la alianza a cambio del asesino de su padre, el rey de la comarca de los Lagos.
- Maven es despojado de su corona y sentenciado a muerte por su hermano. Una vez ganada la guerra por el trono, el indiscutible rey se niega a dimitir para dar un paso a un gobierno democrático. La Guardia Escarlata y Montfort disuelven su alianza con Norta y secuestran a Maven antes de que sea eliminado.
- La comarca de los Lagos retorna en plena fuerza y asalta a la debilitada Norta, cuya capital, Arcón, ataca. Evangeline y Ptolemus, de la Casa de Samos, huyen de la ciudad y abandonan su Casa Real. Su padre, el rey Volo Samos, muere en la batalla. Casi

aplastadas las fuerzas de Norta, la Guardia Escarlata y Montfort se infiltran en la ciudad guiados por Maven. Cuando éste intenta escapar durante la refriega, Mare Barrow se ve forzada a matar al rey caído.

- Tiberias VII abdica a favor de una nueva Norta y se inicia la reconstrucción de los Estados de Norta.

Los archivistas de Montfort se han empeñado, igual que yo, en consignar y comprender mejor los acontecimientos de los últimos años, que incluyen la Guerra Civil de Norta. Naturalmente, nuestros propios historiadores han incurrido en falta, tanto de enfoque como de la imposibilidad de escribir mientras sorteaban un cambio de gobierno. Es obvio que la documentación que encontré en Norta se inclina a favor del punto de vista Plateado y no merece ser tomada en cuenta ahora. Dicho esto, juzgué fascinante mirar el pasado a través de un cristal distinto, y tú también podrías hallarlo útil, si no es que tan sólo interesante.

—JJ

paso seguro para los ardientes en reinos hostiles. El gobierno y ejército de Montfort emprendieron una operación conjunta para identificar, aleccionar y trasladar a los ardientes afincados en la Pradera, las Tierras Bajas, Norta, la comarca de los Lagos y los territorios en disputa. La necesidad de sigilo complicó nuestros esfuerzos, pero miles de esos individuos y sus familias fueron desplazados de esos territorios en los años previos a la Guerra Civil de Norta.

El primer ardiente identificado públicamente fuera de Montfort fue Mare Barrow, una joven procedente del valle del río Capital, en Norta. A los diecisiete años de edad, mientras se desempeñaba como doncella de la familia real de Norta fue sorprendida en una transmisión pública usando su habilidad de electricona. Pese a que el gobierno y la monarquía de Norta encubrieron rápidamente su condición sanguínea y la catalogaron como Plateada noble, para cualquiera en conocimiento de los ardientes resultó claro lo que ella en verdad era. Barrow fue prometida en matrimonio al segundo príncipe de Norta, Maven Calore, y utilizada como un instrumento clave en la trama de la reina Elara Merandus para usurpar la corona de su esposo y elevar a su hijo al trono de Norta. Mientras vivía como Plateada noble, Barrow fue contactada por el grupo rebelde conocido como Guardia Escarlata, al que juró lealtad. Reunió inteligencia y colaboró en los esfuerzos de ese grupo por desestabilizar al gobierno de Norta. Barrow fue decisiva en la organización de la Masacre del Sol, uno de los primeros actos de violencia expresa de la Guardia en Norta. Durante un fallido golpe de Estado de esta misma agrupación, la reina Elara orquestó el asesinato del rey Tiberias VI. Barrow y el príncipe heredero, Tiberias, fueron incriminados en ese acto y sentenciados a muerte. Escaparon con el auxilio de la Guardia Escarlata. *(Para más información acerca de la Guardia Escarlata, véase la subsección 12.)*

Tras la exposición de Mare Barrow, Montfort despachó más agentes a Norta y la comarca de los Lagos. Se les asignó observar y hacer contacto con la Guardia Escarlata, al tiempo que se encargó a otros que rastrearan a Barrow con el fin de establecer una alianza más estrecha. Ésta no tuvo éxito. Después de reunirse con la Guardia Escarlata en una de sus bases, Barrow se marchó con un reducido destacamento, que incluía al príncipe Tiberias, una capitana de la Guardia Escarlata y su hermano, también ardiente. *(Para más información acerca de la herencia ardiente, véase la subsección 3.)* La inteligencia de Montfort postula que Barrow se vio obligada a huir de esa base de la Guardia por temor a que el príncipe Tiberias y ella fueran perseguidos. En el territorio continental de Norta, su equipo, a la manera del nuestro, buscó a otros ardientes (para entonces ya ampliamente reconocidos y llamados *nuevasangre* en Norta), a fin de protegerlos del gobierno Plateado.

Una vez coronado rey, Maven Calore también buscó a los nuevasangre. Barrow operaba a partir de una lista que se sirvió del análisis de la sangre Roja, una innovación del reino de Norta. En lo sucesivo, Montfort emplearía tácticas similares para ampliar su objetivo de encontrar, proteger y en ocasiones trasladar a ardientes en peligro. A las afueras del territorio contaminado del Wash, en la alguna vez abandonada prisión de Corros, la reina Elara reunía a los ardientes que su hijo encontraba. Se cree que los examinaba y utilizaba su habilidad de susurro para controlarlos. Barrow y su grupo tomaron Corros y la reina Elara murió a manos de la electricona. El rey Maven triplicó sus esfuerzos para dar con Barrow, y al final la rebelde nuevasangre se vio obligada a entregarse al rey Plateado. Resulta obvio que el joven monarca se obsesionó con esta ardiente tras su estancia en la corte.

El rey Maven se apresuró a usar a Barrow a su favor y proyectó transmisiones a su reino. Frente a las cámaras, Barrow desautorizó a la Guardia Escarlata, elogió al rey Maven y llamó a otros ardientes como ella a que se le unieran. Junto con los decretos del rey Maven, que invalidaron crueles medidas contra la población Roja, esto aumentó su popularidad en el reino de manera considerable. Muchos ardientes respondieron al llamado de Barrow y se alistaron en el ejército del rey para su entrenamiento. Los primeros vestigios de fractura aparecieron durante un atentado contra el rey Maven, cuando tres casas Plateadas se declararon en abierta rebelión contra su rey. Apoyaban el retorno del príncipe Tiberias. Durante el viaje de coronación del rey Maven por Norta, la Guardia Escarlata y el príncipe exiliado capturaron la ciudad-fortaleza de Corvium, con lo que debilitaron las defensas norteñas de Norta. Sintiendo la presión, el rey Maven firmó un tratado con la comarca de los Lagos y puso fin a la Guerra Lacustre, que se había prolongado más de un siglo. Se vio forzado asimismo a romper su promesa de matrimonio a una noble Samos para desposar a la princesa Iris de los Lagos. Así, los Plateados de Norta y la comarca de los Lagos estuvieron en libertad de dirigir todo su poderío militar contra la Guardia Escarlata, la cual seguía aumentando en tamaño, notoriedad y peligrosidad.

La Guardia atacó de nuevo y se volcó sobre Arcón durante la boda del rey Maven con la princesa lacustre. Ése fue el primer esfuerzo conjunto de la Guardia y Montfort, después de varias semanas de esmerada planeación. Durante el ataque, las fuerzas combinadas rescataron a Barrow y docenas de ardientes más, y robaron el tesoro de la corona para financiar los esfuerzos rebeldes. Sin que se supiera en Norta, Montfort había facilitado un acuerdo con las Tierras Bajas, y la fuerza de asalto retornó a una base militar en el sur de ese reino. Norta se debilitó aún más cuando Lord Volo Samos se declaró rey de la Fisura y su región se separó del reino. Este hecho suele considerarse un parteaguas en la Guerra Civil de Norta.

El rey Maven actuó en represalia contra la rebelión Roja. Semanas después, una fuerza aliada de la comarca de los Lagos y Norta marchó contra Corvium, ocupada por los rebeldes. Juntas, la Guardia Escarlata y las tropas de Montfort, encabezadas por el premier Dane Davidson, fueron capaces de repeler el asalto. Las asistieron en este empeño tropas de Samos procedentes de la Fisura y otras casas Plateadas en rebelión lideradas por Anabel Lerolan, antigua reina madre de Norta y abuela del príncipe Tiberias. De cara a la derrota, el rey Maven se vio obligado a retirar su ejército, en tanto que el rey Orrec, de la comarca de los Lagos, perdió la vida a manos de un vasallo del rey Volo. Tras su victoria en la batalla de Corvium, la Guardia Escarlata, Montfort, la Fisura y Lerolan llevaron su coalición a una alianza Roja y Plateada sin precedentes contra el rey Maven.

Incapaz de mantener Corvium y la base de las Tierras Bajas al tiempo que ejecutaba todavía el esfuerzo bélico en Norta, la coalición decidió destruir la ciudad-fortaleza. El príncipe Tiberias se autonombró verdadero rey de Norta, respaldado por la alianza Roja y Plateada, la cual se propuso devolverle el trono. Se comprometió en matrimonio con la princesa Evangeline, de la Fisura, para consolidar una muy necesaria alianza. Urgidos de más tropas, Tiberias VII, la reina Anabel, la princesa Evangeline, Mare Barrow y la general Farley, de la Guardia Escarlata, acompañaron al premier Davidson a Montfort. Solicitaron y recibieron de la Asamblea Popular tropas para derrocar a Maven. Durante este periodo los tratados que Montfort mantenía con las Tierras Bajas fueron depuestos y las huestes del rey Maven ocuparon la base militar de Monfort en las Tierras Bajas. Tiberias lanzó un doble ataque, en el que dirigió al grueso de sus fuerzas contra Harbor Bay, ciudad vital para el esfuerzo bélico y la economía de Norta. Barrow, tropas de la Guardia Escarlata, ardientes de Montfort y el premier Davidson tomaron una cercana ciudad tecnológica Roja. Pese a que los lacustres, incluida la monarca reinante, Cenra, arribaron con una flota para proteger Harbor Bay, las fuerzas de Tiberias salieron victoriosas. Después de haber estado a punto de morir en la conquista de esta ciudad, Tiberias organizó un encuentro secreto entre su coalición y algunos aliados de Maven. No se llegó a acuerdos hasta que la reina Anabel ofreció un trueque: el asesino del rey Orrec por la traición al rey Maven. La reina Cenra y la princesa Iris aceptaron. Maven Calore volvió a Harbor Bay encadenado, entonces la Guardia Escarlata y el premier de Montfort urgieron a Tiberias VII a abdicar y a deponer el nuevo pacto con la aún hostil comarca lacustre. Tiberias optó por su corona, y la Guardia Escarlata, Barrow y Davidson retornaron a Montfort, no sin antes secuestrar al prisionero Maven Calore.

En Norta, el rey Tiberias pugnaba por mantener unidas las piezas de un país que se desmembraba y en el que muchos Plateados mantenían lealtad a su traidor hermano. La comarca de los Lagos actuó para atacar la capital, lo que significaba conquistar el resto de Norta de un solo golpe. Montfort y la Guardia Escarlata intercedieron, y se sirvieron de la guía de Maven para infiltrarse en la ciudad. El rey Tiberias y su ejército fueron rodeados hasta que él recibió una vez más la opción de dimitir. Comprometido esta vez a abdicar, las tropas conjuntas repelieron a la fuerza lacustre. El rey Volo Samos murió en la batalla, mientras que sus hijos desaparecieron. Mare Barrow mató a Maven Calore cuando intentaba escapar de la ciudad. La flota de la reina Cenra se vio forzada a retirarse cuando sumergibles de la

Guardia Escarlata aparecieron en el río y torpedearon las naves lacustres. Huyó al mar y a su patria, con su armada severamente diezmada.

En las siguientes semanas, la ardiente Mare Barrow regresó a Montfort al tiempo que su país adoptivo, la Guardia Escarlata y la maltrecha Norta intentaban reconstruirse.

Abajo aparecen mis intentos por reproducir las banderas de los aliados: los Estados de Norta, la Guardia Escarlata y Montfort.

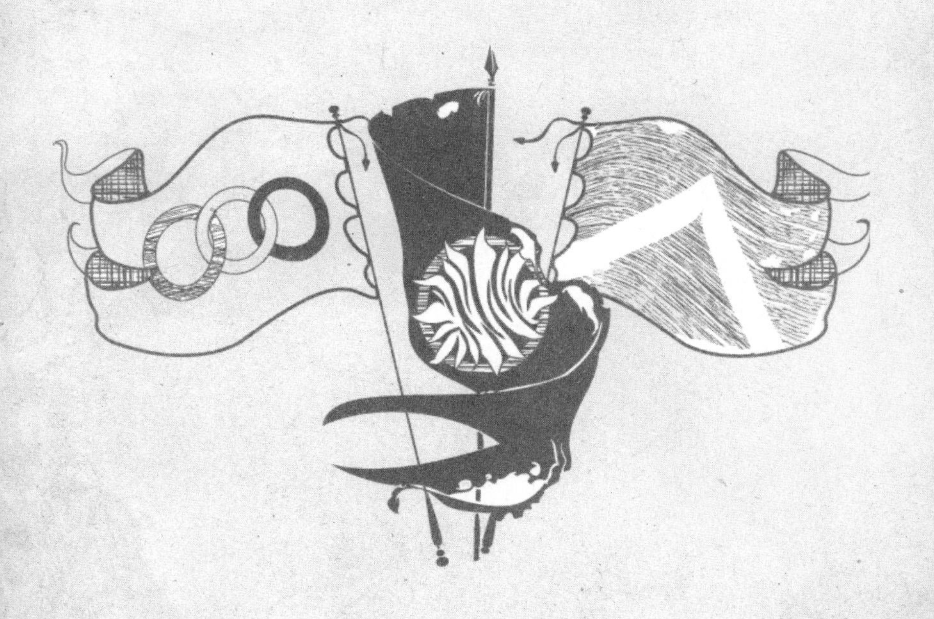

Aquí las banderas de nuestros adversarios directos: las Tierras Bajas, la Secesión Plateada de Norta y la comarca de los Lagos.

CORAZÓN DE HIERRO

UNO
Evangeline

Pese al frío del otoño, el sol brilla en el cielo contra mis gafas oscuras. El jardín está vacío, aunque todavía es verde y próspero. La frescura de la montaña no tiene poder sobre los dominios de Carmadon. Hay flores, un huerto, árboles frutales e incluso una meticulosa parcela de maíz, que crece en media docena de hileras. El esposo del premier atiende este rincón de la finca como si fuera una mascota que visita cada mañana y cada tarde. Es un guardaflora y no necesita mucho tiempo para cuidarlo, pero se entretiene de cualquier manera. Como sea, no puede pasar aquí todo el día, y eso deja la tarde deliciosamente tranquila.

Es un buen lugar para esconderse.

Aunque jamás admitiré que esté haciendo tal cosa.

Corto otra hoja de hierbabuena, la echo en mi bebida y hago girar los cubos de hielo con un tintineo. El punzante sabor del whiskey con azúcar me inunda de calor. Me tiendo de nuevo bajo la luz, satisfecha de estar quieta sobre la manta que cogí de nuestra habitación, escaleras arriba. Es de suave lana, no está destinada a la hierba ni a la tierra, pero para eso son los sirvientes.

Debería pasar aquí una o dos horas más. Y podría dormir si quisiera. Eso, sin embargo, es lo que haría un cobarde: eliminarse por completo del juego. Y todavía tengo un poco de orgullo. No mucho, pero algo.

Elane está ocupada, sabe que quiero estar sola esta tarde. Aun cuando su atención me deleita casi todos los días, no lo hace ahora. Nadie debe ver que Evangeline Samos huye de su deber una vez más.

Llego demasiado pronto al fondo de mi copa y bebo las últimas gotas de alcohol. Si no quisiera pasar inadvertida, llamaría a un sirviente y ordenaría otra. En cambio, me contento con darle vueltas a la copa y sostenerla contra el cielo. El sol llamea en las numerosas tonalidades de la copa de cristal, y me recuerda que Elane es capaz de hacer que la luz dance. Ella encaja aquí mejor que yo. No a la perfección, desde luego. La República Libre de Montfort es muy diferente a nuestro hogar. Plateados, Rojos y nuevasangres viven aquí como iguales. Bajo una democracia, nada menos. Esto es una sorpresa, aunque ya debería estar acostumbrada. Éste es mi lugar ahora, y los Estados de Norta lo imitarán, si todo sale conforme a lo planeado.

No tengo mucha fe en los planes hoy en día, cuando sé de primera mano lo fácil que pueden alterarse.

Otra razón de que me guste este jardín es que no contiene mucho metal. No tengo que sentir nada que no lleve conmigo. Y en estos tiempos cargo muy poco. En mi vida pasada, usaba vestidos hechos de hojas de cromo, o pantalones con encajes de acero, botas con puntas de hierro, sacos blindados, coronas de platino. Incluso mis más hermosos vestidos eran a prueba de balas. Mi ropa era un mensaje y una obra de arte, que exhibía la fuerza y poder que los Plateados de Norta tanto apreciábamos. Y todo lo que me ponía era de diversos matices de negro y plata, los colores de la Casa de Samos. Una familia que no existe más, o que al menos carece ahora de relevancia.

Primos de hierro, reyes de acero. El estribillo resuena en mi cabeza como el eco de un fantasma. Olvidaría estas palabras si pudiera, y las infaustas ambiciones que les dieron origen.

Aun si no tengo motivo para temer un ataque en Montfort, no soy una idiota: no voy a ninguna parte sin algo de metal. Hoy son sólo alhajas. Un collar, una pulsera, varios anillos, todo ello reluciente en torno a mi delicado suéter. Y aunque basta para defenderme si fuera preciso, es fácil olvidar que está ahí. Me pregunto si esto es lo que los demás sienten. Nada sino ellos mismos. La fresca brisa, el roce del pasto seco, el sol que se sumerge sin cesar en las montañas remotas. Me agrada el vacío, aunque me haga vulnerable. Me recuesto, disfruto la sensación y levanto la mirada. Veo los picos sobre los muros del jardín, coronadas sus alturas por una nieve cada vez más densa. Mare subió ahí en una ocasión, para huir de algo. Comprendo ese impulso. Ahora se encuentra en un sitio más al norte, en recuperación todavía. Aún en duelo. Todavía *huye,* por más que esté quieta al fin.

El borde de mi percepción sisea de pronto. La falta de metal en mi persona me facilita sentir por igual a los intrusos. Éste no tiene armas ni pistolas que yo detecte, pero sus pasos son rápidos y seguros y acortan la distancia desde el otro extremo del jardín. Aprieto el puño, reacia a moverme y romper el hechizo del silencio de la tarde. Sé quién es el visitante. Siento la sortija de bodas en su dedo, oro y plata trenzados en un círculo.

—Juro que no hice daño a las plantas —subo las rodillas cuando Carmadon se acerca.

Me inspecciona con una mirada aguda y sonríe como de costumbre. Su vista tropieza con mi copa vacía.

—Esa hierbabuena no estaba madura aún.

—Sabía como si lo estuviera —miento y el aire frío se detiene en mi boca.

El esposo del premier ríe y muestra unos dientes blancos y uniformes. No le importa la temperatura como a mí; está habituado al clima tornadizo de las montañas. Éste es su hogar, y lo ha visto cambiar más de lo que consigo comprender. A veces olvido que su sangre es tan plateada como la mía, pese a los frescos matices de su piel morena. Está casado con un nuevasangre y actúa como si él también lo fuera.

Cruza los brazos y adopta una postura firme. Es un hombre apuesto, su llamativa figura se recorta contra el sol del otoño. Al igual que siempre, viste de blanco, como nieve recién caída.

—Sé que los cerrojos no son un obstáculo para ti, Evangeline, pero al menos deberías aceptar su sugerencia.

Con un leve movimiento del pulgar, apunta al otro lado del jardín, en dirección a una puerta que ahora cuelga de sus bisagras.

—¡Milord Carmadon! —finjo regocijo, pongo una sonrisa encantadora forjada en una corte ya desaparecida y me subo las gafas oscuras—. Sólo disfruto de su magnífico trabajo. ¿No es ése el objetivo de este lugar? —señalo el jardín en flor—. ¿Presumirlo?

Carmadon es quien más me tolera en Montfort, así que duele que sacuda la cabeza.

—A veces olvido lo mucho que debes aprender —dice, y yo río, siento la conocida púa de irritación. No soy una niña ni una tonta. No estoy aquí para que me traten con aires de superioridad—. Supongo que éste es un buen sitio para pensar —continúa y apunta al acicalado jardín—. ¿Sabes? En la ciudad hay empleados que se especializan en colocar a la gente en el puesto ideal. ¿Quieres que te consiga una cita?

Entorno los ojos. La esmerada insistencia en que busque una profesión, una vida, no cesa de importunarme. Aun si en poco tiempo dejaré de depender del gobierno de la República para mi manutención, no deseo pensar en eso. Hoy no.

—Cualquier puesto que elija tendrá la suerte de que lo haya escogido. No necesito que me coloquen —ni que se me recuerde que el reloj avanza inexorablemente en mi contra y contra Elane, Tolly y Wren.

Carmadon lo sabe, pero eso no le impide presionar.

—Aunque sin duda eres una joven muy talentosa, te iría mucho mejor si te agenciaras un empleo antes de que el gobierno de mi esposo deje de pagar tus gastos.

Me pongo en pie y cuelgo la manta sobre mi hombro. La vergüenza se eleva en mis mejillas, que la sangre calienta. No tengo por qué escuchar esto. Hoy no.

—Si su intención era echarme de su pequeño huerto, bien hecho. Lo ha logrado —mascullo.

—¡Ay, por favor, no te vayas por mi culpa! No me molesta que visites mi jardín. Sólo que tu hermano llegará pisoteando en cualquier momento y aplastará algo que no debería —recupera su actitud ligera y bromista tan rápido como la perdió—. Y me gustaría evitar eso.

La mención de mi hermano mayor me pone nerviosa. Mis dedos ciñen con fuerza la manta y de pronto desearía tener algo grande y metálico que destrozar.

—Ptolemus no sabe que estoy aquí.

Ladea la cabeza y la luz de la tarde hace brillar su descubierto cuero cabelludo.

—¿No se te ocurre pensar que registrará cada centímetro de este recinto hasta que te encuentre?

—No tiene tiempo para eso.

—Ese avión no se irá hasta que él quiera —se mofa—. Es inútil que pretendas esperar a que se marche.

Esto sí me hace reír. Mi carcajada retumba en el jardín vacío, es un ladrido antes que una risa contenida. Bajo la manta con un movimiento vigoroso y me tumbo sobre la tela. Para rematar, me bajo los lentes oscuros.

—Cuídeme, Carm.

Sólo sus ojos se agitan en respuesta. Son de un negro azabache, aunque con manchas de un vivo verde esmeralda. Suelto un chillido cuando algo se retuerce debajo de mí, una serpiente o una...

Enredadera.

Es una rápida docena de ellas, que me toman desprevenida. Pese a que convierto mi pulsera en un látigo puntiagudo, las parras se tuercen y lo esquivan, lo que me obliga a levantarme en un movimiento poco elegante. Una de ellas me echa incluso la manta encima y me cubre la cabeza.

—¡Cómo se atreve! —retiro la manta, mi rostro se torna cenizo de nuevo y siento que mi trenza se desmadeja. Si antes no parecía un desastre, ahora sí—. ¡Qué descortesía la suya!

Carmadon se dobla en una reverencia exagerada, ofensiva.

—¡Disculpe usted, princesa!

El título es como una patada en el estómago, pega donde más duele. Mis anillos desarrollan espinas en tanto mis entrañas se retuercen. Miro un segundo la hierba, intento poner en orden mis arremolinados pensamientos y sentimientos. Pero escapan a mi tacto, están demasiado lejos para que los alcance.

Princesa Evangeline. Dama de la Casa de Samos. Hija de Volo y Larentia.

Ya nada soy de eso. No después de hoy. Debería estar contenta; debería sentirme aliviada de verme libre del nombre y de la vida que mis padres me dieron. Y algunas partes de mí lo están. Pero el resto recuerda sin remedio lo que di a cambio de vivir como ahora. Lo que traicioné. Lo que maté. Lo que para siempre perdí.

—¿Echarás de menos ese trato? —Carmadon da un paso al frente y me muevo junto con él, para mantener mi distancia.

Mis ojos vuelan hasta los suyos, furiosos y ardientes. Son un reto y un escudo.

—Títulos y coronas nada significan en la República. No habrá nada que echar de menos.

Aun así, siento la ausencia como un hueco en mi interior. La he sentido todos los días desde hace varias semanas, desde que puse un pie en ese tren subterráneo, dejé Arcón atrás y abandoné a mis padres a su destino. Mi sangre se enfría. Sé lo que ocurrió. Pese a que no estaba ahí, lo sé. Y la idea de que mi padre, terrible como era, haya caído del puente, y de que su cuerpo se haya destrozado con la roca... no la soporto. La aborrezco. ¡Ojalá nunca lo hubiera sabido!

—Acompaña a Ptolemus —dice el esposo del premier, no le importa mi tormenta emocional, que ignora lo más amablemente que le es posible—. Es la mejor forma de poner punto final a esto.

Detrás de mí, sus enredaderas se deslizan de nuevo sobre la hierba, se curvan unas en otras. Doy media vuelta y, con mi antigua habilidad, desprendo el collar de mi cuello y corto en dos la parra más gruesa, en medio de un siseo satisfecho. Devuelvo la gargantilla a su sitio.

—¿Me obligará a hacerlo? —intento mantener mi voz bajo control. Ya tomé mi decisión. ¿Nadie la va a honrar?—. ¿Lo hará el premier?

—No, Evangeline —contesta rápido—. Pero sabes que estoy en lo cierto. Tu hermano abdicará y deberías estar con él cuando lo haga.

Frunzo la boca.

—Él puede hablar sin que lo lleve de la mano.

—Lo sé. A lo que me refiero es que, cuando abdique, el reino de la Fisura será transferido a ti.

Incluso un niño Plateado sabe eso. Es penosamente obvio. Todos conocen las leyes de sucesión de mi antigua Casa, o al menos las que regían en su momento. Primero los hombres; si no resta ninguno, el mando pasará a una hija. Una mujer nacida para ser peón se convierte en la más importante del tablero.

Mentiría si dijera que no he pensado en ello. Bajo la oscuridad, en los momentos apacibles, en el espacio entre la vigilia y el sueño. Nadie podría impedir que una monarca reinante viva como le plazca, en compañía de quien quiera.

Una monarca de un reino Plateado, y todo lo que eso implica.

Esta idea me enfada, hace que aflore la vergüenza. Antes desconocía esta sensación. Ahora la experimento a menudo. Es difícil no hacerlo si se compara esta nación con mi reino de origen, el lugar que habría preservado.

—Para eso es la carta —farfullo. Consta de unas cuantas frases, las suficientes para separarme de la vida que estaba destinada a soportar.

—No es lo mismo. No llevará el peso de tu voz —es el mismo argumento de siempre, de Carmadon o del premier Davidson. Incluso Ptolemus insinuó que mi presencia sería útil. Y también Elane. Esa clase de cosas le importan—. Debe ser difícil, renunciar…

Hastiada de esta conversación, lo interrumpo.

—No quiero regresar a ese lugar —casi le grito, con voz demasiado enérgica—. Ya no quiero tener nada que ver con él —sobre todo si se sopesa contra lo que tengo ahora. No vale la pena el intercambio. Pero… ahí crecí. En la Casa del Risco, en los inolvidables valles de la Fisura, entre sombras, árboles y ríos. Canteras de hierro, minas de carbón. Fue un hogar hermoso que recordaré siempre. Por más que ame a Elane y que valore lo que soy, ésa es una vida difícil de olvidar—. No volveré.

—Bien —aprieta los dientes—. Entonces díselo a Ptolemus. Ve a despedirlo. Ten aplomo, Evangeline —me mide de pies a cabeza con una mirada fulminante. A pesar de mí y de mi orgullo, me siento expuesta bajo su juicio. Carmadon es como yo, y en el fondo valoro su opinión—. Aquí puedes vivir como te plazca, así que vive con dignidad.

La rabia reemplaza de pronto toda vergüenza en mí. Lengüetea como una flama, alimenta mi obstinada resolución. Casi tomo asiento de nuevo, caprichosa como una chiquilla.

Pero tiene razón.

—Gracias por su consejo, milord Carmadon —hago una reverencia más profunda que la suya y cuando me levanto, de sus dedos se desprende un anillo que recorre la arboleda. Regresa en un suspiro y deposita una pequeña manzana roja en mi palma.

Él no se mueve.

—No está madura —dice con voz teñida de picardía.

Le doy al fruto el mordisco más grande que puedo mientras me marcho. Ignoro su amargo sabor.

DOS
Elane

¿Estuvo mal que le pidiera a Carmadon que hablase con ella?

No lo sé. Evangeline quería pasar tiempo sola, esperar a que pasara la hora de Ptolemus y Wren, pero lo lamentará más tarde. Si no tiene el brío de partir con ellos, deseará haber ido a despedirlo al menos. A pocas personas valora más que a su hermano, y sé por experiencia que los demás tenemos un efecto muy profundo en sus emociones. Cree que no noto la influencia que el resto de nosotros ejercemos en ella. La menor palabra, una mirada malintencionada, la ponen intranquila, cualquier cosa que amenace nuestros lazos. Incluso la ligera posibilidad de que nuestro círculo se desbarate. Después de todo, somos lo único que le queda.

Y ella es también lo único que me queda.

Aprovecho lo mejor posible el tiempo a mi disposición. A pesar de que es arduo recoger su ropa sin su ayuda, hago lo que puedo. En Norta y la Fisura, ambas favorecíamos los colores de nuestras casas, lo que se traducía en una monótona paleta en el armario: negro, plateado, algo de blanco. En Montfort es distinto. Los colores de las casas no tienen significado aquí, y reviso un arcoíris de matices para elegir los trajes más adecuados para una abdicación. La mayoría de los vestidos de Evangeline son tan pesados que no puedo moverlos sin ayuda, así que me apego a la seda. Y aunque la cota de malla cromada es menos voluminosa, descolgarla de su gancho resulta complicado.

Una hora después sudo un poco, pero tengo dos maletas llenas de todo lo que podríamos necesitar —vestidos, blusas, pantalones, chaquetas—, para no hablar de mi ropa. Sólo por si Evangeline cambia de opinión.

Dejo las maletas en el armario y cierro la puerta para esconderlas.

Aun si nuestra habitación es menos grandiosa que las estancias de la Casa del Risco, es tan espléndida como nuestra condición lo exige. Por lo pronto.

Y si bien en la Fisura dormíamos en la misma casa, mis aposentos estaban siempre en otra parte, para guardar las apariencias. Ahora es extraño y emocionante saber que compartimos el mismo espacio, nuestro y de nadie más. La finca de Davidson tiene un estilo propio, y mis gustos no coinciden con la madera expuesta o el bosque. Pese a todo, no me he molestado en decorar. No estaremos aquí mucho tiempo.

Las ventanas se orientan al oeste, a petición de Evangeline. Aunque prefiere despertar con el amanecer, sabe que a mí no me agrada. Fue un gesto amable, que requiere un poco de tacto por la tarde, cuando el sol se coloca al nivel de los ojos. Por costumbre, hago girar mi mano entonces como si moviera una perilla, y los rayos adoptan un tenue resplandor dorado. Mucho mejor.

Aquí tengo escasos motivos para usar mi habilidad de sombra en todo su poder. Montfort carece de una corte real, una reina que espiar, un joven príncipe al que seguir sin ser vista. Aun así, escucho cuando puedo. Sobre todo en la calle, durante mis despreocupadas exploraciones de la ciudad de Ascendente. Después de todo, soy una noble de Norta, una Plateada nacida para gobernar, y estuve a punto de ser la futura reina de la Fisura. Pese a que estoy a salvo aquí, no siempre soy bien recibida fuera de la finca. Los Rojos y nuevasangres que me reconocen me miran con desprecio; los Plateados, con envidia o piedad. En ocasiones, salgo con Evangeline escudada en el velo de mi habilidad, aunque esto dificulta sortear a la multitud. Pero a ella jamás le ha importado pasar por encima de alguien.

Las entrevistas del premier Davidson están muy vigiladas, incluso para mí. Se reúne con sus asesores a puerta cerrada, y unos guardias nuevasangre le pisan los talones. Uno de ellos detecta habilidades; los agudos sentidos del otro le permiten oler u oír una intrusión invisible. Este último me recuerda a la madre de Evangeline, una mujer a la que era imposible tomar por sorpresa. Siempre tenía demasiados ojos con los cuales entrever, demasiadas narices, demasiadas fieras a su mando.

Si todo marcha como debería, es probable que yo pase más tiempo con esos guardias nuevasangre, y con Davidson, en particular.

Han transcurrido al menos dos horas desde que Evangeline desapareció. Desayunó bajo un silencio inusual y devoró todo lo que la doncella le puso enfrente. No le llamé la atención. Es un día difícil para todos, y en especial para ella. Cuando me dijo que quería estar sola un rato, accedí con gusto a concederle el espacio que tanto necesitaba.

Me entregó una copia de la carta que escribió, la misma que se supone que Ptolemus leerá en su emisión de mañana. No es de las que piden opinión, y menos todavía apoyo, pero entre nosotras no hay secretos en estos tiempos. Quiso darme la oportunidad.

No la he leído.

Descansa en la mesita de la sala, desde donde se mofa de mí. No soy tonta. He vivido en cortes Plateadas tanto tiempo como Evangeline, y quizás he oído más intrigas de las que ella escuchará en toda su vida. Así es como una sombra mira y atiende. Que envíe una carta en lugar de ir en persona es un ingrediente para el desastre. Pero por más que se lo digo, se niega a escuchar. Siempre ha sido obstinada e intransigente. Por más que pensé que este sitio le quitaría eso, que aquí cambiaría, muy poco en ella ha cambiado. Sigue siendo orgullosa, viperina, temerosa de perder a los pocos que tanto ama.

Evito la estancia y la tentación de la carta y me ocupo en cambio de la cama ya tendida. A pesar de que no tenemos asistentes personales, unas doncellas asean nuestros aposentos todos los días y nos proporcionan cuanto necesitamos.

Aunque no durante mucho tiempo más.

Suelto un resoplido y aparto un mechón de mi rostro. No tengo ni idea de cómo lavaré la mayor parte de mi ropa, en particular las prendas de encaje que más le gustan a Evangeline. Incluí algunas en las maletas. Ella merece un premio si cambia de parecer.

Acerca de la abdicación, y también de lo demás.

Suspiro y me tumbo sobre la fresca colcha de nuestra cama. Las sábanas son verde oscuro, el color de la bandera de Montfort, e imagino que estoy tumbada en el bosque. Mi cabello escarlata destaca contra la tela, brillante como una herida. Justo cuando se me ocurre que debería llamar a la doncella para que me prepare un baño caliente, alguien entra. Sólo hay una persona que no se molestaría en llamar a la puerta; me armo de valor para enfrentar el ineludible desacuerdo del día.

Evangeline se desplaza con gracia. No como un gato: como un lobo, siempre al acecho. Usualmente, me gusta que me persiga, pero no soy su presa ahora. No me mira cuando entra a la habitación, aunque mi silueta contrasta con las ventanas. La luz cambia en mí, motea mi piel pálida y mi vestido rojo con una bella bruma. Me gusta vestir de rojo, combina con mi cabello, hace que me sienta viva. Ella lleva puestos los colores de su casa, pese a que ya no le enorgullecen: cuero negro, lana gris. Contra su costumbre, parece desvaída.

Tira algo al suelo y alcanzo a ver que una manzana a medio consumir rueda debajo de una silla. La otrora princesa no parece darse cuenta, o no le importa. Arrugo la nariz.

—Más vale que la recojas, Eve —hablo antes de que me eche en cara que le haya enviado a Carmadon. Despisto al lobo.

Se encoge de hombros y la suave luz atrapa su cabello de plata, donde danza y se refleja. Durante un instante, ella porta una corona que sólo yo veo.

—Disfrutaré de nuestras últimas horas de servicio de doncellas.

¡Qué dramática!, pienso, y me abstengo de poner los ojos en blanco.

—Dudo que nos lo nieguen tan pronto.

—Conoces a Davidson, ¿verdad? —me dirige una sonrisa afilada. Siento el aguijón de un reproche conocido y me libro de él con un ademán.

—No voy a discutir otra vez sobre eso. Tenemos cosas más importantes de que hablar.

Se acerca al pie del lecho y se tiende sobre él apoyada en sus palmas. Cruza su mirada con la mía, ojos de nubes de tormenta contra mi azul cielo. Veo desesperación, y cólera.

—Tu futuro profesional es importante para mí.

—Puede esperar —le digo, y no por primera vez. Sea cual fuere el papel que yo vaya a desempeñar en Montfort, la decisión es mía—. Deberías ir a la Fisura —me incorporo para tocarla.

Se mueve rápido y su mejilla evade mis dedos. Resuella y se deja caer sobre las sábanas con los brazos cruzados. Su cabello se abre en abanico hasta que casi se enreda con el mío. Rojo y plata, los dos colores que gobiernan este mundo.

—¿Por qué enviaste a Carmadon a que hablara conmigo si vas a repetirme los mismos argumentos? Es un poco redundante, querida.

—Muy bien —como siempre, la sangre se me calienta con su proximidad—. ¿Debería probar otra táctica?

Me mira y oprime la mejilla contra la cama. Actúo lenta y pausadamente, columpio una pierna sobre su cintura y me monto en ella.

La sonrisa no acude a sus ojos.

—¡Hazlo, por favor! —busca mi cadera con una mano y mantiene quieta la otra.

Me agacho y hablo de tal forma que mi respiración desaparece en su cuello. Tiembla debajo de mí.

—Ya hay dos facciones entre los Plateados de la Fisura. Una está a favor de la reorganización —le planto un beso en la vena del cuello—. De la unión con los Estados de Norta, el imperio de las leyes de ese nuevo gobierno, la igualdad de sangre y una sociedad reestructurada. Preferiría perder sus privilegios a derramar más sangre en otra guerra.

Su garganta salta mientras traga saliva y permanece atenta, pero la mano que tiene puesta en mi cadera se desvía y sube a mis costillas. Siento vivamente su tacto sobre mi vestido, como si arrastrara las uñas en la carne desnuda.

—¡Qué listos! —no es tonta, me deja hacer mi juego mientras ejecuta el suyo. Engancha un dedo en los cordones de mi espalda y juguetea con ellos. Si quisiera, me arrancaría el vestido sin pestañear—. Los Plateados siempre sabemos cómo salvar el pellejo.

Me inclino de nuevo y pongo una mano en su cuello. En el borde de mi visión, la luz a nuestro alrededor chisporrotea, claro y oscuro se combinan al compás de mis latidos.

—Y la otra...

Su voz es cortante.

—No importa.

Insisto.

—La otra es la que respaldan los primos que te quedan —aparto el cuello de su suéter y expongo su piel pálida.

Finge reír. Es un intento fallido.

—No sabía que los hubiera aún.

No mientas, Evangeline. Mi princesa Samos sabe exactamente qué piezas de su familia respiran todavía en este mundo.

—Incluso los miembros inferiores de tu casa tienen interés en mantener a un Samos en el trono.

Me agarra la cintura con ambas manos, para fijarme e inmovilizarme.

—No habrá ningún trono…

—Tu hermano hace lo que debe para dejar eso muy claro —me incorporo y pongo cierta distancia entre nosotras.

Me mira furiosa, se repliega en un silencio amargo.

Antes, lo habría permitido. Que se abstrajera y me llamara cuando estuviera lista. Pero no es justo. No viviré más de esa manera. No tengo que hacerlo.

—Eve…

—¡No importa quién me apoye! —dice entre dientes con los ojos cerrados—. Jamás volveré. No reclamo nada. Nunca seré una reina, princesa o lo que ellos quieran que sea.

—Ése no es el problema —cubro sus fríos dedos con los míos—. Tus primos apoyarán a una reina en el exilio. Dirán que estás presa, esclavizada, cualquier cosa que justifique sus leyes y su superioridad. Habrá un regente, el Samos de más alto rango después de ti. Hablará y gobernará en tu nombre mientras tú te *escondes* aquí…

Abre de pronto unos ojos que brillan de ira. Cambia de posición, se incorpora y tengo que apartarme.

—¿*Nos* estamos escondiendo, Elane? —abandona la cama y se pone a dar vueltas. Pasa una mano por su cabello, enreda y alisa en sucesión sus rizos de plata—. ¿O *tú* te estás escondiendo? Ésa es tu especialidad, ¿no es así?

Todo en mí se tensa. A diferencia de ella, no me altero con facilidad. Pero aun cuando mi temperamento nunca ha sido como el suyo, no soy ajena a la rabia. Deslizo una pulsera por mi muñeca, y mientras la dejo caer al suelo agradezco no llevar encima ningún otro metal que ella sienta.

Y desaparezco.

—¡Elane! —suspira, no pesarosa sino exasperada. Como si yo fuera una carga o una vergüenza.

Esto me enfurece más.

Soy experta en el arte del silencio. Todos los sombras lo somos. Mantiene la vista en la cama mientras me marcho, incapaz de mirarme mientras cruzo la habitación.

—Discúlpate —siseo en su oído. Salta como si la hubiera electrocutado y se da la vuelta para hacerme frente.

Aunque aflojo el control de la luz y relajo la manipulación que me conserva invisible, no la suelto por completo. Las sombras se congregan en mis contornos, heridas abiertas para que ella las vea. Después de todo, ella tuerce su hierro y acero a la menor oportunidad. Que vea cuánto me afecta eso.

Fija su atención en las sombras, las rastrea. Pese a que se estira un segundo para tocarlas, lo piensa mejor.

—Lo siento —se derrumba ante mis ojos. Oigo congoja en su voz, la suficiente para reducir la tensión—. Eso fue injusto.

—Así es —mis sombras se propagan en respuesta, fluyen como la marea. Es mi turno de acosarla y la cerco—. Si alguien se esconde eres tú, Evangeline Samos. Nunca sales de la finca. Apenas hablas con alguien fuera de nuestro círculo. Ni siquiera te despedirás de Ptolemus, menos aún lo acompañarás a la Fisura. Y a nadie le dirás, a nadie de tu pasado, lo que eres en realidad.

Lo que somos.

Pero ni siquiera ahora lo admitiré, no para ella, no en voz alta. Ha sacrificado una vida por mí y aun así quiero más, necesito más, su amor, su dedicación. Una promesa hecha a plena luz, no en la oscuridad. Pese a que parece malo y egoísta, no lo puedo negar.

Adivina la decepción en mi rostro y el veneno se apodera de ella.

—Oh, y tú has mandado cartas por doquier, ¿cierto? ¿Has trasmitido un programa especial en el que detalles cada elemento de tus preferencias amorosas? —supongo que destruirá algo, una perilla o un vestido; en cambio, permanece quieta, sólo apunta con un dedo acusador—. Si yo me escondo, tú también lo haces.

—Mi padre lo sabe. Mi Casa lo sabe. Cada persona en este edificio sabe con quién paso mis noches y por qué —aunque me tiembla la voz, me mantengo firme sin la menor dificultad. He enfrentado cosas mucho peores en las cortes de Norta y la Fisura—. Hago lo que puedo por forjar aquí una vida para nosotras.

Ríe y veo desdén en ella. No por mí, sino por sí misma. Eso duele más que cualquier cosa que pueda decir.

—¿Piensas que mezclarte con los otros no es esconderse, Elane? Invisible o en las sombras: de todas formas, huyes de la mirada ajena.

Mis oscuros contornos llamean de pronto, durante un momento me ciegan.

—¿Qué tiene de malo que desee integrarme a esta nación? —sacudo las manos entre paredes de piedra y madera—. Sé lo difícil que es desaprender las lecciones que nos enseñaron, Evangeline. Lo sé, ¡por mis colores! —suelto sin pensar el antiguo lema de nuestro país, ya con la apariencia de una reliquia—. Mentiría si dijera que no he soñado con volver, con gobernar un reino a tu lado. Pero ese mundo es imposible tal como somos. Este lugar quizá parezca más difícil, más artificial. Rojos y Plateados, nuevasangres: todavía no me acostumbro a eso. Aun así, dejan que vivamos como queremos. Vale la pena el sacrificio.

Cuando me callo, reparo en que tengo sus manos entre las mías, con nuestros dedos rodeados de chispas. Permanece quieta, como si su rostro hubiese sido tallado en piedra.

—Por eso quise que viniéramos aquí —dice en voz baja—. Deseaba nuestra libertad. Y te quería a salvo.

Contengo lágrimas de frustración. Es experta en volver contra su adversario un debate. Yo no suelo ser uno de ellos.

—No corro peligro, Evangeline. Te lo he dicho muchas veces.

—Si vas a insistir en que debo ir a la abdicación, yo insistiré en que declines la oferta de Davidson —con todo y su tono combativo, roza el dorso de mi mano con un pulgar. Así es ella: aleja y acerca al mismo tiempo.

—¡No es lo mismo! —protesto—. Jamás he intentado disuadirte de que ingreses al servicio de patrullaje.

Ladea la cabeza y ríe.

—Porque soy mucho mejor que tú para pelear.

Quiero igualar su risa. Me sale hueca, una simulación. Y hablo sin pensar.

—Algunos de los mejores guerreros del mundo parten de esta vida muy pronto.

Desprende sus dedos de los míos y se retrae como si se quemara. Se vuelve tan rápido que casi paso por alto las lágrimas que brotan de sus ojos. Intento seguirla y me aparta con un gesto, levanta unas palmas temblorosas. Sus anillos, pulsera y collar vibran y danzan, giran a su alrededor. Reflejan su dolor.

—Lo siento —me siento una tonta de marca mayor.

Está recordando a su padre, un gran guerrero que partió de esta vida muy pronto.

Aunque Volo Samos la tenía presa, hizo de ella lo que es ahora, una mujer fuerte y valiente. Y a pesar de todo, ella lo amaba. Lo amaba y lo dejó morir. Sé que se culpa. Ésta es todavía materia de sus pesadillas, sueña que escapa de su jaula, pero el precio es la vida de un gran hombre.

Todos los pensamientos acerca de la abdicación y mi profesión futura se disipan. La estrecho entre mis brazos sin titubear, apoyo una mejilla en su espalda. Su suéter de lana me pica el rostro.

—¡Cuánto lo siento, Eve! —susurro—. No quise recordártelo.

—Está bien —me corta—. No hay bisagra que no me lo recuerde.

Cada pendiente. Cada cerrojo. Cada lámpara. Cada cuchillo. Cada arma. Cada pieza de metal dentro de su campo de percepción. ¡Él le enseñó tanto! La convirtió en el arma que es hoy. No es de sorprender que corra al jardín a la primera provocación. Escapó de él, nunca de su recuerdo.

Al menos permite que yo la abrace. Es un buen comienzo. Y una oportunidad. Una responsabilidad.

—Sé que te gusta aparentar que estás hecha de hierro —la abrazo más fuerte, reclina su cabeza hacia mí, sube y baja los hombros—. Que incluso tu corazón es así, amor. Lo sé, no tienes que esconderte de mí.

La carta en la mesita despeja mi mente. Debe abdicar junto con Ptolemus. Es la mejor forma de concluir esto, la forma más efectiva. Porque si bien no es seguro que eso nos salve de otro derramamiento de sangre, la salvará a ella de nuevas culpas. Ignoro cuánto tiempo más podrá soportar esta situación.

—Sé por qué no regresarás a la Fisura —murmuro, y aunque se tensa, no huye; una buena señal—. Temes que tu madre esté ahí.

Eve se libera con tal facilidad de mi abrazo que apenas noto que se ha ido.

La puerta se azota a sus espaldas y me quedo sola.

TRES
Evangeline

Llego al extremo opuesto de la finca antes de recuperar el aliento. En otro tiempo habría culpado a la altura, pero me acostumbré desde hace mucho al aire enrarecido. No, la tensión que siento en el pecho se debe a sentimientos insensatos, absurdos, ni que decir de la usual vergüenza.

Elane no es ajena a mis lágrimas. Eso no significa que me guste llorar frente a ella o mostrar cualquier clase de debilidad, ni a Elane ni a nadie. Porque por brutal que haya sido la corte en Norta, yo comprendía su juego. Lo dominaba bien, escudada en mis joyas, mi armadura y mi familia, todas tan temibles como la que más. Eso quedó en el pasado.

No estuve ahí, no lo vi morir. Pero oí lo suficiente para conocer su final. Y lo sueño, además. Despierto casi cada noche con esa imagen, el gran Volo Samos cruzando el campo de batalla, subiendo al puente, con los ojos oscuros, vidriosos y distantes. Julian Jacos lo arrulló y lo envió a su muerte. Todavía me pregunto si sabía lo que estaba haciendo. Si, atrapado en su cabeza, se dio cuenta de que el borde se acercaba cada vez más.

En cada ocasión, veo el cuerpo de mi padre destrozado en un barco lacustre, su cráneo hecho pedazos, los dedos moviéndose todavía, sangre de plata corriendo profusa desde múltiples heridas. La imagen cambia en ocasiones: la espina rota, las piernas torcidas, los intestinos derramados, la armadura hecha trizas. Otras, él estalla y se convierte en cenizas y polvo. Siempre despierto antes de que las reinas lacustres lleguen hasta él o el río se lo trague entero.

Suponemos que los lacustres reclamaron su cuerpo. No estaba en el río cuando nuestros ninfos lo dragaron en busca de supervivientes. Cenra e Iris conservaron su cadáver por razones que no puedo concebir, se marcharon veloces a su lejano reino con él pudriéndose en sus alforjas.

—¡Perra ninfa! —repito las palabras de un rey que murió hace mucho tiempo. Me alivia un poco, aun si mi cólera está mal dirigida. Iris Cygnet no mató a mi padre. Ni siquiera creo poder culpar a Julian. Sólo una persona viva lleva esa carga sobre los hombros.

Yo sabía que sucedería y nada hice para evitarlo.

Paso los dedos por mi cabellera, tiro de las raíces. El conocido dolor despeja mi mente y me libera de esa profunda angustia.

Muevo de un lado a otro la cabeza para estudiar el entorno. Pese a que no es tan grande como el Palacio del Fuego Blanco, los aposentos de Davidson son más sinuosos y todavía me pierdo con facilidad. ¡Vaya! Igual que el resto de las habitaciones, este remoto salón cuenta con pisos de madera pulida, relieves de piedra de río y paredes de un color verde oscuro. Un ventanal exhibe un espeso bosque de pinos que cuidan de Ascendente. El sol se sumerge más cada segundo. Siento y oigo el reloj que avanza en una pequeña mesa próxima. Sin duda, Ptolemus partirá antes que anochezca. No hay piloto que quiera despegar de las montañas en medio de la oscuridad.

Como fui echada del jardín de Carmadon y, ahora, de mis propios aposentos, me enfrento a una disyuntiva y dos formas de distracción muy diferentes, a saber: las cocinas o el gimnasio. El corazón me arrastra hacia la comida. Puede que Carmadon sea un entrometido, pero es un espléndido cocinero, y su personal es tan talentoso como él. Por desgracia, seguramente las cocinas estarán repletas de mozos, y quizá Carmadon mismo supervise su siguiente interrogatorio disfrazado de cena.

Tiemblo ante la idea. Pronto habrá una especie de fiesta, una celebración, aun si la guerra en el este dista mucho de haber concluido. Por más que ignoro qué podríamos celebrar, será sin duda un espectáculo. Obra de Davidson, lo sé. Invitará a delegados de los Estados de Norta, Rojos y Plateados por igual; a miembros de su propio gobierno, y a voceros de la Guardia Escarlata capaces de abandonar por un momento sus responsabilidades. A pesar de que algunos ya van y vienen, apuesto que el premier hará cuanto pueda por reunir en una misma sala a todos los representantes de la alianza. Le encanta la falsa imagen del frente unido: Rojos, Plateados y nuevasangres, iguales en metas y lealtades.

Quizás dentro de una década, me burlo. Todavía hay mucho por hacer para que el sueño de Davidson se haga realidad. La comarca de los Lagos se interpone en el camino, junto con las Tierras Bajas, la Pradera y demasiados obstáculos más para mencionarlos todos.

Me pregunto si participaré en esto. Si deseo hacerlo.

¡Basta, Evangeline!

Esto lo decide. Necesito el gimnasio. Mi cerebro está demasiado revuelto para hacer otra cosa que no sea algo intenso y vigoroso.

Los centros de entrenamiento de Norta eran lugares asépticos, con paredes blancas, cercas de cristal y pistas con obstáculos repletas de protecciones. Eran rígidos y perfectos, con sanadores a la mano para que atendieran hasta la menor de las lesiones. El del Risco era similar, aunque por lo menos tenía vista al paisaje. Pasé muchas horas en esos sitios, en los que me ejercitaba al grado de la perfección militar. No será difícil que recupere esa antigua rutina.

En Montfort se favorecen los exteriores y el aire fresco. Tal vez creen que entrenar en el campo y la nieve los hará más fuertes. Situado junto al arsenal, el centro de entrenamiento de la finca es un conjunto de pequeños edificios en torno a una pista circular, ella misma una improvisada arena para el combate.

En cuanto me cambio y me pongo ropa cómoda, hago una carrera de calentamiento. Los pinos proyectan largas sombras en la pista vacía.

Cuando llegué aquí, correr me resultó más difícil de lo que pensé. La altura se resiente, y dediqué una semana entera a tomar agua cada vez que podía para evitar la deshidratación. Al final nos adaptamos, aunque Elane tardó un poco más en lograrlo. Todavía se aplica muchas cremas hidratantes para combatir la sequedad del aire.

Ahora apenas siento el esfuerzo. Este lugar te fortalece en más de un sentido.

Treinta minutos después, con mi pulso atronador en los oídos, reduzco la marcha mientras el sudor me refresca y me hace estremecer.

Una distante sensación a cobre me obliga a darme la vuelta mientras la adrenalina se irriga por mis venas. Mi orgullo impide que eche a correr.

—Ptolemus —musito.

Mi hermano avanza con el disco de cobre de siempre metido en el cinto. Es un faro, un ancla, una pieza de metal que significa que jamás nos perderemos de vista en el campo de batalla. Lo usa hoy no porque marcharemos a la guerra juntos, sino para que sienta su presencia. Quiere darme la oportunidad de huir.

Aprieto los dientes y me planto en mi sitio.

Se lo debo.

En estricto sentido, Tolly es ahora un rey. En cuanto el cráneo de mi padre se abrió contra la cubierta de un barco, se convirtió en el rey Ptolemus de la Fisura, aunque ninguno de nosotros lo admita todavía. Hoy parece una sombra, con el cabello de plata bien pegado a la cabeza y el cuerpo cubierto de negro. No es un atuendo de corte o de viaje. Cuando se acerca, reparo en que viste un traje de entrenamiento como el mío, de cuero negro y adornos de plata, con suficiente espacio para moverse, pero lo bastante firme para protegerlo de un golpe. Está listo para pelear.

—Buenas tardes, Eve —dice con voz ni suave ni dura.

Suspiro sin remedio, exasperada. En este instante se me ocurre que debería cargar un letrero que diga *NO VOY A IR.*

—¿Me estáis siguiendo? ¿Os turnáis? De acuerdo, Tolly, ésta es tu oportunidad.

Tuerce la comisura de los labios y delata la necesidad de sonreír. Mira los árboles.

—¿Ya viste a Wren?

—¿A Wren? —se me retuerce el estómago de sólo pensar en que debo hacer frente a alguien más que tratará de disuadirme. La novia de Tolly no insistirá tanto, al menos—. No, aún no la he visto. Pero ya pasé por Elane y Carmadon, y me dio la impresión de que lo habían ensayado.

—Elane, tal vez. Carmadon, sin duda —con las manos en las caderas, su postura se abre y resalta el ancho de sus hombros. Se parece a Cal, un soldado más en el grandioso esquema de nuestro caos—. Supongo que no tuvieron mucha suerte.

Elevo el mentón, desafiante.

—No. Tú tampoco la tendrás.

No se desanima.

—No vine aquí para intentarlo.

—¿Ah, no?

Se encoge de hombros, como si se aburriera o no le interesara.

—No —busco la mentira en su voz, y no la encuentro.

—¿Entonces...? —miro el apagado ruedo de entrenamiento. Ahora que lo pienso, esta área no debería estar desierta a esta hora. Estamos solos. Sospecho que Davidson tiene algo que ver en esto. Desea allanar mi camino, darle una oportunidad a mi familia para que modifique mi sendero. *No lo lograrán*, me digo. *Mantente firme*.

No le incomoda mi silencio. Empieza a estirarse, tuerce el cuerpo para flexionar los brazos.

—Quise tener una última sesión de entrenamiento antes de marcharme —dice—. ¿Te gustaría acompañarme?

—Sabes que yo inventé esta táctica —pienso en Mare Barrow y el gimnasio de la Casa del Risco. Peleé con ella mientras Cal miraba, hasta acabar hechas papilla. El propósito era que se acercaran, aunque también lograr que Barrow reaccionase. Sospecho que Ptolemus cree que puede hacer lo mismo.

—¿Qué táctica? —abre bien los ojos, con fingida inocencia. No paso por alto que retuerce los dedos. Hemos combatido tantas veces que sabe que pego duro, rápido y sin contenerme.

Sonrío y doy vueltas a su alrededor. Se mueve para igualar mis desplazamientos, no permite que me coloque detrás de él o fuera de su campo visual.

—Si no puedes convencerlos, dales una paliza.

—Por fin admites que soy capaz de vencerte —saca el pecho.

Para ganar tiempo, busco metal en el área. No hay mucho, y mi escasa joyería no bastará para someter a alguien como él.

—No lo hice.

Me mira con la sonrisa Samos, una navaja feroz. Sabe que estoy buscando armas y tengo las manos vacías.

—Eso pareció, Eve —extiende los dedos. Noto y siento seis anillos en ellos.

Todos son de tungsteno, un metal pesado y brutal. Esto va a doler.

Si consigue asestarlos.

Espera que me mueva primero, así que aguardo, continúo en círculo. Lo pongo nervioso. Agilizo mis pasos y procuro mantener mi anillada mano entre nosotros, lista para repeler cualquier lance. Hace lo mismo y sonríe. Sus armas sobrepasan por mucho a las mías.

O eso cree.

Los magnetrones no controlan la tierra.

De inmediato arrastro los pies y lanzo patadas, de manera que levanto una nube de polvo que lo ciega. Se encoge, cierra los ojos y gira para evitar lo peor de esto. Sin perder tiempo, salto hacia él mientras mi anillo y mi brazalete se funden en un puñal sin filo. Lo someteré si logro atacarlo por la espalda, poner el puñal contra su cuello o sus costillas, picar para que lo sienta y reclamar la victoria. Sobre mi hermano y cualquier otro que pretenda decirme lo que debo hacer.

Lo sujeto por el pecho con intención de girar sobre él con el impulso, pero se recupera pronto, planta una mano en mi hombro y me arroja al suelo. Caigo con fuerza y ruedo, evito apenas una patada. Esquivo, me sigue; esquiva, lo sigo. Avanzamos y retrocedemos, nos rodeamos uno al otro a modo de imágenes en un espejo. Poseemos la misma habilidad, el mismo adiestramiento. Sé cómo se mueve y él sabe cómo me muevo. Esquiva mi daga con un escudo circular, me protejo con un látigo de acero tan delgado como un hilo. Permite que se enrede en su puño y cuando aprieta forma un guante de púas. Sabe que soy rápida para esquivar y lo hago, así que el guante de afiladas agujas silba en mi oreja. Respondo con un golpe en el tobillo y un tirón a sus pesadas sortijas para arrastrarlo. Su habilidad se enfrenta con la mía, nos destrozamos uno a otro. Le arranco dos anillos de tungsteno y los uso en mi beneficio, los aplano y estiro en delgados pero fuertes cetros que empuño con destreza.

Me sonríe. No produce un arma propia, deja en sus dedos los anillos restantes. La danza vuelve a comenzar, hábiles y preparados por igual. Aunque él es más fuerte, yo soy más rápida, y eso nos equilibra. Entrenar con él es como pelear con mi sombra, o mi fantasma. Cada vez que lo hacemos, escucho la voz de mi padre, la del instructor Arven o incluso la de mi madre, las personas que nos convirtieron en los guerreros que somos ahora, tan duros e implacables como el acero que controlamos.

Continuamos así durante largos, emocionantes y agotadores minutos. Nos cansamos al mismo tiempo, ambos resollamos y sudamos. Tengo un corte sobre el ojo, que sangra profusamente pese a ser superficial. Tolly escupe sangre si tiene la oportunidad de hacerlo, quizá perdió uno o dos dientes. A pesar de que su cara está ceniza y la mía debe estarlo también, no somos de los que se rinden o piden un descanso. Nos exigimos uno al otro demasiado, hasta que alguien tome la delantera, que por lo general soy yo.

Derrapo sobre la arena de entrenamiento con un siseo de satisfacción. Cruzo los brazos, desvío otro golpe y me dispongo al contraataque. Cuando me yergo, él embiste también, con las manos tendidas como si fuera a abrazarme.

Me golpea con sus anillos en ambas sienes y siento como si me hubiera golpeado un tren. De inmediato veo estrellas y caigo, aunque todos mis instintos me piden lo opuesto. La tierra refresca mi mejilla cuando abro los ojos. Fue apenas un segundo, nada de qué preocuparse. Ptolemus ni siquiera tuvo tiempo para mostrar angustia.

El mundo gira durante unos segundos y él me concede el espacio que requiero para recuperarme. Permanezco tendida más de lo necesario, quiero que el dolor que siento en mi cráneo se desvanezca.

—Llamaré a Wren —dice y lo disuado con un gesto.

—Es sólo un mareo —me pongo en pie con los dientes apretados, procuro no caer para no darle pretexto a Tolly de traer a un sanador; no necesito que nadie me cuide. Casi protesto cuando me ayuda a levantarme—. ¡Mira, estoy bien! No me hice daño —no tiene por qué saber que siento como si me hubieran dado un martillazo en la cabeza. Ya surgen moretones, desde luego—. Buen lance —añado, sólo para distraerlo, y también a mí. La arena de entrenamiento gira todavía a mi alrededor. El tungsteno no es cosa de risa, sobre todo en manos de un avezado magnetrón.

Examina sus sortijas con una expresión extraña, los labios fruncidos. Una de ellas es más gruesa y más pesada que las otras. Las gira en su dedo y un tono ceniza colorea sus mejillas con un brillo de plata. Mi hermano no es precisamente un tipo expresivo. Ninguno de los dos fuimos enseñados a lidiar con nuestras emociones, sólo a ocultarlas. No aprendió esa lección tan bien como yo.

—Nuestro padre te enseñó a hacer eso, ¿verdad? —me vuelvo y el súbito movimiento pone a girar mi cabeza. Los recuerdos llegan demasiado rápido. Tolly era el heredero y, naturalmente, recibió un trato distinto. Lecciones con mi padre, sobre todo, de adiestramiento, del arte de gobernar. Fue preparado para dirigir nuestra casa y nuestro reino.

—Sí.

Esa sola palabra tiene un hondo significado. Su relación con nuestro padre fue diferente a la mía, más cercana, mejor. Ptolemus fue todo lo que mi padre quiso que fuera: un hijo, un guerrero fuerte, dócil y leal a nuestra sangre. Sin *defectos* como los míos. No es de sorprender que lo haya querido más. Y él también lo quería, pasara lo que pasara en Arcón.

Me niego a llorar por segunda vez en este día y me concentro en el dolor que me tritura el cráneo, no en la pena que embarga mi corazón.

—Yo…

Me interrumpe tan rápido que debo mirarlo.

—Si te disculpas por lo que le sucedió, te amordazaré —tenemos los mismos ojos de nube, y los suyos amenazan con tormenta.

Me muerdo el labio.

—Si te atreves…

La gastada broma no lo tranquiliza. Se acerca más a mí, posa sus manos en mis hombros para evitar que yo aparte la mirada.

—Hicimos lo que debíamos, Eve. Nos obligaron —hemos estado juntos en esto mucho tiempo y él no permitirá que lo olvide—. Se empeñaron en que sobreviviéramos y lo lograron.

Sobrevivimos.

La Casa de Samos no se distingue por su habilidad para mostrar afecto, y Tolly y yo no somos la excepción a la regla. Recuerdo el día que vi que Mare Barrow se despedía de su familia en su más reciente salida de Montfort. Todos se abrazaban con efusividad y hacían tanto alboroto en público que me repugnó. Pero ahora que abrazo a Tolly pienso en cómo lo hizo ella, y lo estrecho un poco más que de costumbre. Él reacciona igual y me da una brusca palmada en la espalda que casi me deja sin aire.

Aun así, es inevitable que experimente calidez, una sensación que ya se ha vuelto conocida para mí. Ser querida y saber que lo eres resulta un poco extraño de todas formas.

—¿Ya preparaste tu discurso? —me aparto para mirarlo a la cara. Si miente sobre su discurso de abdicación, lo sabré.

No evade la pregunta, lo admito. Ofrece una sonrisa torcida.

—El vuelo es para eso.

Pongo los ojos en blanco.

—Jamás terminabas tus tareas a tiempo, por terrible que fuera el castigo.

—Según recuerdo, usted hacía innumerables trampas en sus deberes, Lady Samos.

—¿Alguna vez me descubrieron? —levanto una ceja, niega con la cabeza y me suelta, renuente a darme entera satisfacción. Después se encamina a uno de los edificios próximos para que nos aseemos—. ¡Eso pensaba, Ptolemus! —corro para alcanzarlo.

Llegamos al edificio, abre la puerta y deja que entre primero. El vestidor es alto y angosto, con espaciosos tragaluces que dan a las ramas de los pinos. Fuerza un casillero y hurga en un botiquín para buscar una venda. Cojo una toalla de una pila y se la lanzo. Cuando se limpia la cara, mancha el algodón de tierra, sudor y algo de sangre de su boca.

Hago lo mismo y tomo asiento para secarme el sudor del cuello.

—Habría sido un mal rey —dice de pronto, como si fuera una conclusión prevista, el fin de una ecuación fácil, y prosigue en su búsqueda de algo con lo que vendar su herida—. Pienso que nuestro padre siempre supo que la corona moriría con él. Por más que hablara de su legado y la familia, era demasiado listo para creer que el reino de la Fisura sobreviviría sin Volo Samos —hace una pausa— o sin Evangeline.

La búsqueda de la venda es inútil. Wren Skonos es capaz de hacer crecer nuevas manos; cicatrizará sin dificultad una pequeña herida. Ptolemus necesita distraerse con algo ahora que no intercambiamos golpes.

—Piensas que quiso que gobernáramos juntos —intento hablar tan calmadamente como él, mi educación en la corte me lo permite. Ni siquiera Tolly sospecha que esa idea, la posibilidad perdida de un futuro así, se despliega ante mis ojos. Gobernar en compañía de mi hermano, con Elane entre los dos, una reina para cada cual. Sin sujetarnos a nada ni nadie, ni siquiera a nuestros padres llegado el momento. Podría vivir como quisiera, con todo el esplendor y la fuerza para los que nací. Pero no, no puede ser. Ptolemus fue siempre el heredero y yo siempre fui el peón. Mis padres estuvieron más que dispuestos a cambiarme por una esperanza más de poder. Es absurdo pensar en eso, un futuro maldito que no llegará jamás.

—Aun así —suspira, con los ojos aún sumergidos en el botiquín. Cuento no menos de tres vendas, que él ignora—. Al final, la guerra nos habría alcanzado.

—Aún lo hará —el miedo de siempre, tan nimio que a menudo me es posible ignorarlo, emerge burbujeante. Pese al sudor y nuestros ejercicios, se me eriza la piel. La batalla de Arcón está fresca en la memoria todavía. Y si bien doblegó a los lacustres con su victoria, la Guardia Escarlata no terminó con las hostilidades que aún aquejan a Norta.

No pasará mucho tiempo antes de que lleguen aquí. Los invasores de la frontera son cada vez más audaces, sus ataques en el llano más frecuentes. Aun cuando todavía no han llegado a Ascendente, tarde o temprano probarán las alturas de las montañas.

Me lee la mente.

—Elane mencionó que has pensado en el patrullaje.

—Es para lo que soy buena —me encojo de hombros y tiro la toalla sucia—. Así es como eliges un trabajo, ¿no? Buscas algo en lo que eres bueno y por lo que te paguen.

—Supongo que el de lanzadora de insultos profesional ya está ocupado.

—No, lo guardan para cuando Barrow vuelva de contemplar montañas.

La sola idea me hace reír: Mare Barrow recibe a cuantos arriban a Montfort con una observación mordaz o un comentario áspero. Por supuesto que es buena para eso. Ptolemus suelta una risa forzada, su malestar es obvio. No le gusta que mencione a Mare ni a los Barrow. Después de todo, mató a uno de ellos, y nunca lo compensará por más penitencia que haga. Aun si Ptolemus Samos se convirtiera en el más aguerrido defensor de la igualdad de sangre y salvara a un montón de bebés Rojos, la balanza no se movería a su favor.

Debo admitir que los Barrow y la general Farley todavía me preocupan. Les debemos una vida, y aunque Mare prometió que jamás cobraría esa deuda, ¿los demás no querrán hacerlo un día?

A ver si pueden. Ptolemus es un soldado, y el resto de nosotros también. Lo parece desde luego en su uniforme de entrenamiento. Es más apto para los rifles y las armaduras que para galas y coronas. Esta vida le pega. Eso espero.

—¿Y qué hay de ti? —lo espoleo.

Renuncia de inmediato al botiquín, feliz de cambiar de tema. Tras la abdicación, todos estaremos en el mismo barco. El premier y su gobierno no tendrán motivo para alimentarnos y hospedarnos si ya no somos dignatarios.

—No me molestaría el patrullaje —me da un vuelco el corazón ante la perspectiva de que trabajemos juntos, aunque es obvio que no lo ha pensado mucho—. No tengo que apresurarme a decidir.

—¿Por qué? —arrugo la nariz—. ¿Los antiguos reyes reciben mejor trato que las princesas?

El título perdido no le incomoda tanto como a mí. Permite que se desvanezca y me dirige una mirada traviesa, incluso maliciosa.

—Wren es sanadora, conseguirá trabajo sin ninguna dificultad. Puedo tomarme un tiempo.

—¡Ptolemus Samos, amo de casa! —grazno. Sonríe y la vergüenza se extiende por sus mejillas—. Te casarás con ella, ¿cierto?

El tono cenizo se expande. Ya no creo que se avergüence. Casi podría describirlo como *orgullo*.

—En la primavera —juguetea con uno de sus anillos—. Cuando la nieve se derrita. A ella le gustará eso.

—¡Le encantará! —por fin tenemos algo que esperar con ansia.

Su sonrisa decrece un poco, se suaviza junto con su voz.

—¿Y tú? —pregunta—. Aquí puedes hacerlo.

Mi corazón salta en mi pecho y tengo que carraspear.

—Puedo —digo sin más, y para mi alivio Ptolemus no insiste. Por más que yo piense en Elane y en lo mucho que disfrutaría de casarme con ella, éste no es el momento. Aún somos demasiado jóvenes, vivimos en un país diferente, nuestra vida está por definirse. Y no hemos decidido el camino que seguiremos. *Rechaza la oferta de Davidson, Elane,* ruego en mi cabeza. *Dile que no.*

—¿Qué buscas? —descifra mi rostro.

Exhalo despacio. No es el empleo lo que me molesta.

—Elane dice que me escondo.

—Tiene razón, ¿no?

—Uso púas de metal todo el tiempo, es difícil que pase inadvertida —señalo el corte que sangra sobre su ojo, no se inmuta y su mirada de fastidio me hace titubear—. No es... no debería tener que estar aquí para decirle al mundo lo que soy. Debería ser suficiente con que lo fuera.

Como es un inepto para ocultar sus emociones, o incluso para expresarlas correctamente, a veces Ptolemus es demasiado simplón. Demasiado directo.

—Eso podrá ser cierto dentro de un siglo. La gente como tú será y ya. ¿Pero ahora? —sacude la cabeza—. No lo sé.

—Yo sí —estamos en Montfort, un país inverosímil, un lugar que yo no habría soñado hace unos cuantos años, tan diferente de Norta, la Fisura y cualquier otra realidad en las que antes creía. Los Rojos están al mismo nivel que el resto de nosotros. El premier no tiene motivos para ocultar a quien ama—. Soy diferente, no un error.

Ladea la cabeza.

—Parecería que hablaras de la sangre.

—Quizá sea lo mismo —me avergüenzo otra vez, por mi cobardía de ahora y mi estupidez de ayer. Cuando me negaba a ver que el mundo antiguo estaba equivocado—. ¿Todavía te incomoda?

—¿Lo tuyo? —ríe—. Si cualquier cosa tuya me molestara, ya te lo habría dicho.

—¡No me refiero a eso! —intento darle un manotazo en el hombro, pero esquiva el golpe con facilidad.

—No, Montfort ya no me incomoda tanto. No es fácil reaprender las cosas —dice—. Lo intento. Mido mis palabras. Guardo silencio en grupos diversos para no decir algo indebido. Aunque en ocasiones, lo hago sin darme cuenta siquiera.

Asiento, comprendo lo que quiere decir. Lo mismo nos pasa a todos, luchamos cuanto podemos contra viejos hábitos y prejuicios.

—Bueno, sigue tratando.

—Tú también, Eve.

—Lo hago.

—Intenta ser feliz —me aguijonea—. Haz el esfuerzo de creer que todo es real.

Sería fácil aceptarlo, asentir y dar por terminada la conversación. En cambio, vacilo, un millar de palabras quedan atrapadas en mis labios. Un millar de escenarios se despliegan en mi cabeza.

—¿Durante cuánto tiempo? —susurro—. ¿Durante cuánto tiempo esto será real?

Sabe de qué hablo. ¿Cuánto tiempo transcurrirá antes de que la Guardia Escarlata pierda terreno y los Estados de Norta se desplomen? ¿Cuánto hasta que los lacustres dejen de lamerse las heridas y vuelvan a la carga? ¿Cuánto tiempo durarán estos días?

El servicio de patrullaje equivale a alistarse en el ejército de Montfort. Tienes un uniforme, un rango, perteneces a una unidad. Haces ejercicio, marchas, cubres tus rondines. Y cuando llega el momento y se emite el llamado, peleas por la República. Arriesgas la vida para mantener a salvo a esta nación.

Elane no me pidió que considerara algo más cuando pensé en integrarme al patrullaje. No me forzará a dejarlo.

Doy pausadas vueltas al brazalete en mi muñeca, cambio el metal de posición para que refleje la luz. Podría hacer fácilmente una docena de balas con ella.

—¿Pelearías por este sitio, Ptolemus? —por Montfort y nuestro nuevo lugar en el mundo.

—Pelearía por ti. Siempre lo he hecho y siempre lo haré —contesta rápido, no necesita pensarlo.

Yo tampoco.

—Necesito entregarte mi carta.

CUATRO
Elane

Aquí, la bañera tarda más tiempo en llenarse, sea porque el agua se transporta desde el lago o porque todavía no domino el arte de hacerlo sola. Sería ridículo llamar a los sirvientes en estas condiciones, sobre todo para que hagan algo que yo debería poder hacer sin su ayuda. Y admito que saberme capaz de realizar esta tarea me da una satisfacción que nunca antes había sentido.

Me sumerjo en el agua mucho después de que se ha entibiado y las burbujas se han desvanecido. No hay razón para que me apresure. Eve estará de regreso pronto e intentará ocultar su aflicción, deseosa de haberse marchado con su hermano en lugar de quedarse aquí. Respiro, reúno la energía que será indispensable para tranquilizarla y lograr que duerma. Para alguien tan habituado al dolor físico, no tiene la menor idea de cómo lidiar con la agitación emocional. Por más que le digo que se apoye en mí, se resiste, y eso me enloquece.

Cambio de posición y echo la cabeza atrás para que mi cabello se extienda en esta majestuosa bañera. Es lisa, cubierta de piedras como el lecho de un río, y el agua luce oscura bajo la menguante luz. Dudo que podamos permitirnos algo tan grandioso una vez que nuestra estancia en este palacio llegue a su fin. Disfrutaré de esto mientras pueda.

Antes de que abra el grifo para añadir más agua caliente, oigo ruido en mis aposentos. Una puerta se abre de golpe en la sala y después en la recámara. Es Evangeline y viene acompañada.

¡Qué fastidio!

Resulta más difícil enfrentarla en público. Es demasiado orgullosa para mostrar sus imperfecciones.

El aire está más fresco que el agua, tiemblo cuando piso el azulejo y casi resbalo en busca de mi bata. Ciño a mi cuerpo la prenda de seda y cuero, y me pregunto si Davidson accederá a que la conserve. Tengo debilidad por las cosas finas, en particular de este tono verde esmeralda.

Reconozco las voces en nuestra recámara. Una es la de Eve, por supuesto, y la otra de mi exesposo, Ptolemus Samos. Su acento grave es inconfundible y me relajo un poco. Compartimos algo que ninguno de los dos quería. Un matrimonio por conveniencia, sí, pero también contra los dictados de nuestro corazón. Hicimos lo que pudimos para facilitárnoslo, y se lo agradezco. Mi padre podría haberme entregado a alguien mucho peor y jamás he olvidado lo afortunada que fui.

Afortunada, repite mi mente en son de burla. Cualquier otra no vería fortuna en la vida que he llevado, en que haya sido forzada contra mi naturaleza, echada de mi familia y obligada a escapar a un lugar extraño con apenas la ropa que llevaba puesta y un apellido noble y extranjero. Aun así, sobreviví, junto con Evangeline. Soy afortunada de tenerla conmigo, de que hayamos huido del futuro al que estábamos condenadas.

Cuando salgo, me preparo para sus peleas. Aunque Ptolemus no es de los que le alzan la voz a su hermana, podría hacerlo ahora. Sabe tan bien como yo que ella debería abdicar con él.

—Tolly —lo saludo con una sonrisa cautelosa y asiente en respuesta. Ambos se ven desaliñados, con moretones nuevos—. ¿Entrenasteis? —paso un dedo por la mancha púrpura en la sien de Evangeline—. ¿Quién ganó?

—¡Eso qué importa! —contesta ella demasiado rápido. Sonrío a mi dulce manera y le oprimo el hombro.

—Felicidades, Tolly.

Ptolemus no se regodea:

—Ya ansía la revancha.

—Siempre —resopla Evangeline, se sienta en la orilla de nuestra cama y se quita las botas sucias, que deja sobre la alfombra. Me muerdo la lengua y me abstengo de señalar de nuevo sus malos modales.

—¿Y qué ganaste exactamente? —los miro a ambos. Saben qué pregunto, por más que finja.

El silencio se impone, tan espeso como una tarta de arándanos de Carmadon.

—Orgullo —responde él por fin, como si entendiera que Evangeline no lo hará, o no admitirá lo que no es capaz de enfrentar—. Debo irme, ya es tarde —no puede impedir que su voz transmita desilusión—. Necesito la carta, Eve.

Sin mediar palabra, ella señala con la cabeza hacia la mesita. Y hacia el sobre aún a la espera, un rectángulo blanco sobre madera pulida. No lo he tocado todavía. No pienso hacerlo.

—Gracias —murmura él y supongo que recorrerá la habitación molesto de que su hermana no lo haya seguido.

La miro. Pese al resplandor de la corte de Norta, es más bella en Montfort. Sin su maquillaje, sus vestidos de agujas ni las gemas radiantes en su piel, contemplarla es más fácil: la nariz afilada, los conocidos labios, los pómulos por los que vale la pena morir. Y todo lo que encierra en su interior: rabia, carencia, dolor. No tiene armadura aquí.

Reconozco la sombra que atraviesa sus facciones, libre de oscuridad. Ya no es resistencia. Es rendición. Es alivio.

—Hay dos, Eve —Ptolemus regresa rápido, con el sobre abierto en una mano y dos hojas en la otra. Nos mira confundido—. Son dos cartas.

Ella no aparta la vista de sus pies descalzos, como si estuviera contando sus dedos.

—Porque escribí dos, ¿cuál es el problema? —su tono altanero hace que yo viaje en el tiempo y aparezca sentada en una cena de gala, observando cómo ella descuartiza a un pretendiente. Le sonríe a su hermano como nunca debería sonreírle a un hombre—. Me gusta estar preparada para varios resultados.

Una de las cartas es obvia, su propia abdicación, para ser leída delante de su país una vez que Ptolemus haya rechazado el trono de la Fisura. ¿Pero la otra? Ignoro de qué se trata.

—Vamos —lo exhorta—. Léela.

Con el ceño fruncido, Ptolemus hace lo que se le pide. Eleva la segunda carta, cubierta con una esmerada caligrafía, y abre la boca para recitar las palabras de Evangeline:

—"Querida Iris".

Me quedo boquiabierta por la conmoción y él vacila, tan desconcertado como yo.

—¿Escribiste a Iris Cygnet? ¿A la comarca de los Lagos? —sisea, con una voz repentinamente baja—. ¿Estás loca?

—¡Son nuestros enemigos, Evangeline! Montfort financia y libra una guerra contra ellos justo ahora. Pondrás... pondrás en peligro todo lo que tenemos aquí —me siento en la cama a su lado y cojo sus manos en las mías—. Nos echarán, nos enviarán a la Pradera. Peor aún, esto podría verse como traición —y sé lo que Montfort hace con los traidores, lo que cualquier país haría con ellos—. ¡Amor mío, por favor...!

—Léela —repite entre dientes.

En esta ocasión, su voz me trae un recuerdo distinto, uno peor: mi boda con Ptolemus, modesta y privada como fue. Tan silenciosa como jamás debió haber sido una unión de las Grandes Casas. Quizá porque mis padres sabían que yo lloraría durante toda la ceremonia y que Ptolemus se negaría a pasar la noche conmigo. Evangeline estuvo a mi lado todo el tiempo, como correspondía en su carácter de hermana del novio y amiga de la novia. "Soportaremos esto", dijo entonces, con palabras teñidas de desesperación, como las de ahora.

Él se asoma por las ventanas, e incluso a la puerta, como si diera por hecho que encontrará ahí a un espía de Davidson. Para dejarlo satisfecho me enciendo, lleno un segundo la habitación con una luz cegadora, ilumino cada esquina y cada sombra.

—No hay nadie, Tolly —le digo—. Haz lo que te pide.

—Muy bien —es obvio que no está convencido, y tal vez piense que hemos perdido la razón.

Querida Iris:

No te aburriré con los sobrecargados preámbulos dignos de tu rango. Ahora soy una plebeya y tengo permitido tomarme estas libertades. No te escribo como amiga ni enemiga, y ni siquiera como una antigua princesa a otra que lo sigue siendo, aunque confío que mi conocimiento de este tema, así como mi experiencia en la pérdida de reinos, te sean útiles si no has quemado esta carta ya. ¿O preferirías hundirla en el río? ¿Cómo saberlo, en realidad?

Nuestros caminos se cruzaron antes y te aseguro que, tal como están dispuestos ahora, se cruzarán de nuevo. Si tu madre persiste en su campaña; si mantiene esta desgarradora guerra entre tu país y el mío, te aseguro que volveremos a encontrarnos, en el campo de batalla o en la mesa de negociaciones, si sobrevives para verlo. Norta cayó bajo la Guardia Escarlata, bajo Montfort, bajo la marea Roja que ahora está azotando tus fronteras. No conseguirás evadirla, por fuerte que seas. Aun si los Estados de Norta parecen ser presa fácil, no encontrarás jamás una oposición tan grande como la de Tiberias Calore, la Guardia Escarlata y el gobierno de Norta ahora en funciones.

Las piezas del tablero que compartimos ya están en su sitio y no es difícil adivinar el juego. Las Tierras Bajas han actuado en tu nombre con los invasores de las Praderas, quienes mantienen a Montfort ocupada en sus demarcaciones para dar tiempo a que la comarca de los Lagos se reagrupe. Después de todo, fuiste ignominiosamente vencida en Arcón, e imagino que los nobles lacustres agobian a tu madre por ese motivo. Encontraste oposición en la Fisura, y no porque los Plateados nobles estén en tu contra, sino porque temían y respetaban a mi padre. Él acabó muerto en tu barco, ¿cierto? ¡Horrible malentendido! Los rumores se resisten a abandonarnos, ¿cierto? Y tu país, la devota, orgullosa, pródiga comarca de los Lagos... se acerca inexorablemente al invierno. Su cosecha está pronta, y sospecho que un sinnúmero de labriegos Rojos han abandonado sus campos, ¿no es así? ¿Quién puede culparlos si les basta con cruzar la frontera para procurar una vida mejor para sus hijos?

Eres una ninfa, Iris. Interpretas las mareas, cambias las corrientes. Pero este curso veloz es imposible de ser cambiado. Conozco bien el metal, princesa. Y sé que el que no se dobla está condenado a romperse.

Si valoras tu trono, tu corona y la vida de los tuyos, considerarás qué puedes hacer para protegerlas. La igualdad de sangre y leyes nuevas, en cuanto seas capaz de promulgarlas, son la única posibilidad de que sobrevivas a esto, y de que lo hagas con algo de poder todavía a tu alcance.

Evangeline Samos de Montfort

Mientras que, con los ojos muy abiertos, Ptolemus contempla la audaz estrategia de su hermana, el mundo se nubla a mi alrededor. El zumbido que resuena en mis oídos ahoga su voz mientras relee algunos fragmentos del consejo de Eve a la princesa lacustre. *Evangeline Samos de Montfort*. Yo sabía que ya no tendría títulos, ¡pero oírlo, tan llanamente...! *De Montfort*. Es cierto que ha dejado atrás lo que fue... y abraza ahora lo que podemos ser.

Las lágrimas acuden a mis ojos y su mano se tensa en la mía.

Evangeline Samos de Montfort.

Elane Haven de Montfort.

—¿Y la carta de abdicación? —pregunto con la voz quebrada al tiempo que trato de contener las lágrimas.

Él tensa la mandíbula, pero ella baja la cabeza en un gesto de aceptación.

—La leeré yo misma.

Toda la tensión de los últimos días se desvanece y siento como si me quitaran un gran peso de encima. Casi suspiro de alivio. En lugar de eso me levanto de un salto, con mi bata revoloteando a mi alrededor de camino al armario.

—Lo bueno es que ya preparé el equipaje.

El atardecer es rojo y frío cuando llegamos al campo de aviación incrustado en las laderas de Ascendente. Los pinos parecen inclinarse para observarnos mientras los cuatro bajamos a la pista desde nuestro transporte. Aunque vamos muy retrasados, a nadie le importa: ni a Ptolemus, ni a nuestros pilotos y escoltas de Montfort y ni siquiera a Carmadon y el premier Davidson, quienes han venido a despedirnos. Destacan en medio de su grupo de criados, Carmadon con su habitual traje blanco y el premier con su rutinaria e inescrutable sonrisa. A nadie le sorprende que Evangeline esté aquí, como si hubieran sabido que cambiaría de opinión.

Aun si Ptolemus será el primero en abdicar y es todavía el heredero de la Fisura, camina detrás de Evangeline y permite que ella marque el paso. Avanza rápido, ansiosa de terminar con esto. Pese a todo, es indudable que parece una princesa. Su maltrecho traje de entrenamiento ha sido sustituido por unas mallas negras de cuero, una chaqueta a juego y una capa de plata que ondea como mercurio líquido. Por lo que sé, bien podría serlo. Los demás también vestimos de gala. Ptolemus usa un uniforme con una capa que combina con la de Evangeline, en tanto que Wren se ha puesto un vestido estampado en rojo y plata, los colores de la Casa de Skonos. Esta noche, no opté por los colores de mi casa. En lugar de negro, mi vestido es azul pálido y oro, como las nubes del amanecer. Contrasta con mis ojos.

Le gusta a Evangeline y no lo oculta. Me mira de nuevo mientras avanzamos, sus ojos se detienen en mi atuendo con ansiosa satisfacción.

Nuestra escolta de guardias y diplomáticos de Montfort no pierde tiempo para abordar el avión en espera, y apenas saludan al premier antes de desaparecer en los peldaños. Evangeline intenta hacer lo mismo para evitar la mano tendida de Carmadon, pero el premier es difícil de ignorar. No le obstruye el camino y le da la oportunidad de evadirlo.

Ella es lo bastante sensata para no hacerlo.

¡Vaya!, pienso, y veo que lo coge del brazo. Si bien esta acción le pesa, la ejecuta igualmente. El premier es nuestro mejor aliado aquí y ella debe ser cortés. Aun si su oferta de empleo pende sobre mi cabeza.

Susurran para que nadie los oiga. Espero que ella le informe de su misiva a Iris. No para obtener su permiso, sino para dejar claras sus intenciones. No dudo que la carta sea interceptada y leída, y preferiría que el premier se enterara con anticipación de lo que Eve trama.

Ptolemus y Wren son breves con Carmadon. Es demasiado parlanchín para el gusto de ambos, pero yo disfruto mucho de su compañía. Sonrío cuando coge mis manos e inspecciona mi traje de vivos colores con una sonrisa genuina.

—Se ve como un amanecer en invierno, Lady Haven —me besa en la mejilla.

—Bueno, alguno de nosotros tenía que llevar un poco de color —miro su traje blanco.

Me apunta con un dedo de piel morena en son de broma.

—No deje de venir a visitarnos una vez que todo esto termine y se instale en la ciudad.

—¡Por supuesto! Según lo disponga el premier —y hago la misma reverencia que he hecho desde que aprendí a caminar.

—¿No estamos todos así? —dice en un susurro y me guiña un ojo, conforme a sus antiguas jugarretas. Pero hay algo debajo de su bufonería habitual, un reconocimiento más profundo.

Me pregunto si siente la misma afinidad que yo. Aun cuando soy una niña en comparación con él —es con facilidad tres décadas mayor que yo—, ambos nacimos en mundos muy diferentes a aquel en el que vivimos ahora. Y ambos amamos a personas que el antiguo mundo nos decía que no deberíamos amar. Grandes personas, que proyectan una sombra enorme. Los dos estamos contentos, si no es que felices, de permanecer debajo de ella.

Evangeline es eso: grandeza. Es fuerte, orgullosa... incluso implacable. E innegablemente sensacional. No sólo en el campo de batalla, donde resulta formidable, por decir lo menos. Su carta es prueba de ello. Aun en sus momentos de mayor debilidad, veo eso. Su aptitud para vencer la adversidad. No por primera ocasión en este día, la contemplo, todavía enfrascada en una conversación en susurros con el premier. Carmadon sigue mis ojos, aunque los suyos aletean rápido hacia su esposo. Los observamos a ambos, avizoramos un sinuoso camino sin fin a la vista.

¿Adónde nos llevarán estas personas?

Dondequiera que sea, yo iré siempre detrás de la mía.

El premier coge mi mano cuando paso junto a él. Intercambiamos saludos y poco más.

—Hablaremos pronto —dice sin aspavientos y el sentido de sus palabras es evidente.

Se refiere a su oferta de trabajo.

Evangeline no lo pasa por alto, a pesar de que ya sube las escaleras del jet. Se congela un instante, con la espalda tensa. Su capa metálica ondula como la superficie de un lago perturbado.

—Sí, pronto —repito, aunque sea sólo por educación.

Quisiera darle un empujón por ser tan indiscreto.

Lo último que necesito es más tensión con Evangeline. Eso ya será en sí demasiado difícil.

CINCO
Evangeline

Debería dormir.

El vuelo a la Fisura dura varias horas, sobre los extensos y vacíos campos de la Pradera y las serpenteantes fronteras de los territorios en disputa. Está muy oscuro para distinguir cualquier cosa por la ventanilla del avión, e incluso las estrellas parecen opacas y distantes. No sabré en qué momento cruzaremos al antiguo reino de mi padre, la tierra donde crecí. Han pasado varios meses desde la última vez que puse un pie en la Casa del Risco, la residencia ancestral de mi familia. Antes de que mi padre muriera, antes de que Arcón cayese. Antes de que fuera libre de amar a quien elegí y de ir adonde quisiera. Pese a que el Risco era hermoso, un santuario alejado de la rigurosa vida de la corte, no dejaba de ser una condena.

Elane dormita sobre mi hombro, oprime la mejilla contra la suave piel de mi chaqueta. Cuando duerme, sus habilidades desaparecen, la privan de su resplandor usual. No me importa. Es encantadora como sea. Y me gusta poder asomarme detrás de su escudo de luz tenue y tez perfecta. Es vulnerable en esos momentos, y esto quiere decir que se siente a salvo.

Por eso hago esto, más que por cualquier otra cosa. Para mantenerla a salvo.

Y para negociar.

"Hablaremos pronto."

Las palabras del premier resuenan todavía.

Debería concentrarme en mi discurso de mañana, en la transmisión y la negación de la superioridad de mi sangre, pero no puedo eludir las palabras de Davidson.

Cuando Elane me habló de su oferta, pensé en hacer el equipaje. No necesitábamos muchas cosas. Los vestidos finos y la ropa bonita de nada sirven en el desierto. Lo único que necesitaba era una buena colección de metales y algunos trajes de entrenamiento. Y varias raciones de comida, claro. Aún pienso en eso a veces, reviso la lista de lo que debemos llevar si hay que huir. Imagino que es la fuerza de la costumbre, después del tiempo de guerra. No va conmigo confiar en alguien fuera de mi pequeño círculo, al menos no todavía.

"¡No, por favor!", le dije, y puse sus manos en las mías. Aunque el sol entraba a raudales por las ventanas de la sala, sentí frío.

"Es sólo un empleo, Eve", me reprendió. "Quiere que sea su ayudante, que lo acompañe como lo hacen los nuevasangre. Que cuide su espalda y mantenga bien abiertos los oídos. Sabe que tengo experiencia en las cortes Plateadas, que seré apta para tratar con los nobles en Montfort. Sé cómo piensan. ¡Lo he hecho antes!

"Para ti." Escuché esto en los espacios entre sus palabras. Sí, ella espió para mí en el pasado. Sí, arriesgó su vida por mí, para que mi familia y yo acomodáramos las piezas. Espió a Maven más de una vez, poniendo en riesgo su vida si la atrapaban.

"No es lo mismo, Elane", le dije, y pensé que él no valoraba su vida como yo lo hago: "Al principio te sentarás en una esquina, invisible y callada. Después te pedirá que vayas a sitios a los que él no puede o no quiere ir. Para que vigiles y le informes. Espiarás a sus adversarios políticos, sus generales del ejército, sus aliados, y quizá también a sus enemigos. Cada misión será más peligrosa que la anterior".

La agarré con más fuerza, ya sentía que se escabullía. Imaginé que Davidson la convencía de infiltrarse en un campamento de invasores o en el séquito de un jefe militar de la Pradera.

"Eres una sombra, amor mío", continué. "Piensa cómo te utilizará."

Entonces desprendió sus dedos de los míos.

"Algunos somos más que nuestra habilidad, Samos", sentenció.

Recuerdo el aguijón en su voz, agudo y definitivo. Supuse que se marcharía en el acto a la oficina del premier y aceptaría el puesto. No lo hizo entonces y no lo ha hecho aún. Ya ha transcurrido un largo mes desde que se le ofreció un puesto permanente en Montfort. Por más que quiera encajar en las montañas, ella todavía espera.

Por mí.

Echo atrás la cabeza y me apoyo en la pared del jet. No es justo retenerla. Ambas tendremos que poner algo de nuestra parte muy pronto, y está en lo cierto: lo ha hecho antes. En lugares más peligrosos, con consecuencias más graves. *El premier la protegerá.*

No seas ingenua, Evangeline.

Aunque Montfort no es Norta, no está exenta de peligros.

—Deberías descansar —susurra Ptolemus desde el otro extremo del pasillo y me saca de mis pensamientos. No aparta la mirada de los documentos que tiene enfrente, papeles cubiertos con sus garabatos. Pese a que nuestros discursos no serán largos, el suyo lo hace sufrir. Su diminuta lámpara ilumina el oscuro interior de la aeronave, salpicado por las débiles luces del techo y la cabina.

Todos los delegados de Montfort dormitan, apiñados al fondo del avión para concedernos espacio.

Niego con la cabeza, no quiero despertar a Elane con mi voz. Wren también duerme, tumbada en los asientos frente a Ptolemus, cubierta con una manta con forro de piel, y la cara escondida del aire fresco.

Él me mira de soslayo y la tenue luz se refleja en sus ojos. Se entretiene demasiado pero no tengo adónde huir. No me queda más que permitir que lo haga.

Me pregunto si el Risco seguirá en pie. Con mi padre muerto, imagino el desorden en que habrá caído nuestra Casa. Nobles Plateados en pugna por llenar el vacío que dejó. Rojos sumándose a la Guardia o a los Estados de Norta, o forjándose un lugar propio. Una parte de mí confía en que la caótica finca haya sido quemada hasta sus cimientos. La otra sufre por no ver los recintos de cristal y acero que conectan a valles y colinas que se pierden en la distancia.

Mi pecho se tensa mientras mi mente da vueltas en torno a una pregunta ineludible. Intento evitarla, bordeo el ojo de un huracán que no arrasa conmigo.

—¿Crees que ella está allí? —indago con voz áspera y Elane se mueve pero no despierta. Ptolemus afila la mirada y levanta una ceja. Las palabras casi se me atoran en la garganta—. ¿Nuestra madre?

No contesta.

No lo sabe.

Espero vergüenza. Pesar. Alivio. Miedo. Pero cuando pongo un pie en la pista del campo de aviación y aspiro por vez primera el aire de la Fisura, sólo pienso en dientes. Dientes de lobo. Me aprietan el cuello pero no rompen mi piel, sólo me mantienen fija en mi sitio.

Avancé unos metros apenas.

Durante una fracción de segundo estoy en el suelo otra vez, con la mejilla contra la fría baldosa. Mis padres se ciernen sobre mí, un ceño de disgusto deforma su rostro. Los traicioné. Ataqué a mi padre. Intenté huir. No llegué lejos. Los lobos de mi madre se encargaron de ello. Si ella hubiera querido, podría haber hecho que me destrozaran. Larentia Viper no es alguien con quien se pueda jugar, y yo traté de hacerlo, desde luego.

Ptolemus es la única razón de que ella no me haya arrastrado a casa por los tobillos y que los lobos no hayan intentado morderme a lo largo del trayecto. De no haber sido por su intercesión —si Tolly no hubiese vencido a mi padre y matado al lobo que me inmovilizó—, no quiero imaginar dónde me hallaría ahora.

Aquí, pienso, y miro las colinas que rodean al campo de aviación.

El otoño también ha llegado a la Fisura, motea de rojo y naranja los verdes bosques. La brisa mece las hojas y hace que el sol de la mañana dance entre las copas de los árboles. A lo lejos, sólo distingo la Casa del Risco al otro lado de la cresta de una colina. Es modesta y pequeña, como una traza oscura contra un color brillante.

Elane baja del jet detrás de mí y sigue mi mirada. Lanza un suspiro y señala con una mano gentil los transportes en espera. Ptolemus y Wren ya abordan el primer vehículo. El resto de los delegados y guardias de Montfort se dirigen al segundo, para dejarnos solos. Creí que al menos uno de ellos nos acompañaría, aunque fuera sólo para vigilarnos. Después de todo, somos los herederos de este reino, los supervivientes de Volo Samos. Por lo que saben, podríamos tener la intención de reclamar nuestro derecho de nacimiento ante los ojos de todo un continente.

Es casi ofensivo que nadie nos vea ya como una amenaza.

Wren todavía está bostezando cuando subo al transporte y me deslizo en el asiento vacío frente a ella. Sus colores de Skonos tienen una apariencia más oscura esta mañana; el escarlata de su vestido es rojo sangre: el gris, acero. Está preparada para observar, resuelta en su apoyo a la decisión de abdicar de Tolly. Elane hará lo mismo conmigo. Ayer se inclinó por el encantador vestido azul y oro, y ahora lleva un atuendo de perlas rosadas. Su mensaje es claro. Los usos de su antigua casa, los colores, las alianzas y estratificaciones de la nobleza ya nada son para ella. La Casa de Haven no es su familia ni su futuro.

No puede decirse lo mismo de mí y Ptolemus. La Casa de Samos abdicará del trono dentro de una hora y debemos parecer acordes. Nuestra blindada vestimenta es de azogue y cromo pulidos, y hace juego con nuestro cabello de plata y ojos de nubes tormentosas. Armo un estrépito cada vez que me muevo y perturbo los abundantes anillos, brazaletes, pendientes y collares que cuelgan de mi cuerpo. Fui educada para el esplendor y éste bien podría ser mi último desfile.

—¿Ensayarás? —alzo la barbilla hacia mi hermano. Terminó su discurso durante el vuelo, así que aún no lo ha leído en voz alta.

Pone los ojos en blanco. Con el cabello echado hacia atrás, tiene todavía el aspecto de un príncipe. O de un rey.

—¿Lo harás tú?

Sonrío y retrocedo en mi asiento, con las manos enlazadas en mi regazo. Mis afilados anillos resuenan mientras el transporte ruge en la pista.

—Me alegra ser la segunda. Será fácil seguirte.

—¿Es un reto? —replica.

Me encojo de hombros y disfruto de nuestro juego. Cualquier cosa que me distraiga del conocido paisaje que ilustra más allá de la ventanilla.

—Sólo es una observación.

Wren posa una mano en el hombro de Tolly y deja que sus largos dedos cuelguen de la armadura. Retira una invisible mota de polvo.

—No será un acto largo —lo mira fijamente en busca de cualquier defecto o imperfección. Su tacto es suave cuando se da la vuelta y pasa los pulgares por las ojeras de él. Su piel oscura contrasta con la de Ptolemus a medida que lo despoja de todo signo físico de agotamiento. Las ojeras desaparecen gracias a su habilidad; de pronto, él tiene el aspecto de haber dormido en un castillo, no en un jet estrecho—. Sobre todo, porque los demás no hablarán.

—¿Los demás? —mi mandíbula se tensa junto con mi pecho. A mi lado, Elane inhala con intensidad y sus ojos vuelan a los míos. Está tan confundida como yo.

—No me gustan las sorpresas, Tolly. En especial, un día como hoy.

No deja de mirar a Wren.

—No te preocupes, no es alguien con quien no hayas peleado.

—Eso no reduce mucho la lista —mi cerebro se agita entre las diversas posibilidades.

Mare es la primera que viene a mi mente pero está muy lejos, en un valle de Montfort, lamiéndose las heridas fuera de nuestro alcance. Cuando regrese a la civilización, todo el país lo sabrá.

Antes de que empiece a pasar lista de las incontables personas con las que he peleado o a las que he lisiado, la respuesta flota literalmente junto a nosotros. Dos transportes aéreos zumban en lo alto en el momento en que iniciamos nuestro ascenso por las colinas, y ahogan un instante todas las conversaciones. Apoyo la frente contra la ventanilla, siento la vibración en los dientes y con mi percepción Plateada. No detecto en las aeronaves la presencia de armamento pesado.

—¡La Guardia Escarlata! —veo estampado el sol dividido de color carmesí en el flanco de la nave principal. La otra está cerca de gotear pintura fresca y lleva en la cola un emblema nuevo: tres círculos engarzados: rojo, blanco y plateado, uno por cada raza de sangre, unidos en prueba de igualdad—. Y los Estados de Norta.

Sé quién estará esperándonos en la Casa del Risco, sobre el cascarón de mi antigua vida.

Normalmente, el recorrido del campo de aviación a la finca me parece demasiado largo, pero hoy quisiera que no acabara. Subimos por las onduladas colinas en lo que semejan segundos, con las predecibles puertas del antiguo palacio erguidas entre los árboles. Inclino la cabeza cuando cruzamos la imponente fachada de cristal y acero, incapaz de mirarla.

Podría cerrar los ojos si quisiera y salvar los pasillos sin dificultad. Llegaría a la sala del trono sin ver. Un cobarde lo haría.

En cambio, pestañeo y permito que todos me vean bajar del vehículo sobre el amplio patio cubierto de hojas. Lo atraviesa un arroyo que serpentea entre firmes puentes de hierro en su descenso al centro de la Casa del Risco. El único cambio perceptible en los árboles y las flores es la caricia de fuego del otoño. Distingo paredes conocidas detrás de la vegetación, e instintivamente recuerdo las habitaciones que dan a este patio: cuartos de huéspedes, aposentos de los sirvientes, galerías, salas de vigilancia, el salón de las estatuas. Todo está en su lugar. La guerra no ha llegado al Risco. Se diría que retrocedimos en el tiempo.

Falso.

Antes de que mi padre muriese, las puertas sólo eran flanqueadas por Plateados, guerreros leales a la Casa de Samos. Ahora todos los celadores pertenecen a la Guardia Escarlata. Pañoletas púrpura y carmesí cuelgan de sus cuellos con orgullo, imposibles de ignorar. Y están demasiado atentos a nuestro avance.

Los delegados de Montfort son los primeros que entran a la residencia, nos guían con su ropa blanca o verde bosque. Sus propios celadores también cuidan de nosotros, vigilan nuestros pasos. Algunos son Rojos, otros nuevasangre, otros más Plateados. Todos están armados, listos para pelear de ser necesario. Me apenaría que alguien quisiera atacar a los hermanos Samos aquí, en un lugar que conocemos tan bien. Sería absurdo pelear con un magnetrón en un palacio de acero. Ni siquiera mis primos Samos lo intentarían. Son tontos y quizá realicen en mi nombre un intento de golpe de Estado, pero no son suicidas.

El aire dentro de la casa tiene un olor rancio, y me saca de mis cavilaciones. Aunque el Risco está intacto, advierto de inmediato el deterioro a nuestro alrededor. Incluso en el lapso de unos cuantos meses, mucho ha cambiado. El polvo cubre paredes usualmente limpias. La mayoría de las estancias que le siguen al vestíbulo están a oscuras. Mi casa, o esta parte de ella, se encuentra en el abandono.

Elane me coge de la mano con vehemencia, su tacto es fresco. Reparo de súbito en la sensación de calidez que se arrastra bajo mi piel y me hace sudar. Aprieto su mano, agradecida por su presencia.

Un manojo de cables casi se funde con la mampostería bajo nuestros pies y ondulan entre las sombras en la base de la pared a mi izquierda. Conducen a la sala del trono, ya lista para lo que debemos hacer y decir. El Recinto del Atardecer fue alguna vez nuestra estancia principal, antes de que mi padre decidiera coronarse rey. Alberga todavía nuestro trono y muchas otras cosas. Siento desde aquí la maquinaria: las cámaras, el equipo de transmisión, las lámparas. Hierro y aluminio, bordeados por ausencias que sólo podrían ser vidrio o plástico.

Por más que quiera, no titubeo. Hay demasiados ojos aquí, de Montfort y de la Guardia Escarlata. Sería muy arriesgado dar indicios de debilidad. Y la presión del público me ha convertido siempre en una mejor intérprete.

A diferencia del resto del Risco, la sala del trono de mi padre está impoluta. Las ventanas fueron pulidas y brindan una vista precisa del valle y el río Allegiant. Todo fulgura bajo las cegadoras luces del equipo de transmisión, que ya apuntan a la plataforma elevada desde donde alguna vez reinó mi familia. Quienquiera que haya aseado, fue muy meticuloso y lo restregó todo, del suelo al techo. Supongo que fue la Guardia Escarlata. Los Rojos tienen más práctica en esas cosas.

Los Estados de Norta no enviaron una delegación numerosa. Cuento a dos individuos sin uniforme, en contraste con Montfort y la Guardia. Aun así, resulta fácil saber quién representa al nuevo país del este, todavía en reconstrucción sobre las cenizas del antiguo reino. Y sus enviados son más fáciles de reconocer aún. En tanto la Guardia acomoda las cámaras y ajusta la iluminación, los dos heraldos de Norta se rezagan. No para eludir el trabajo, sino para no estorbar.

No los culpo. Julian Jacos y Tiberias Calore son inútiles aquí, reducidos a meros espectadores. Parecen incluso más excéntricos que los Rojos armados que mancillan los pisos de mi madre.

No había visto a Cal desde su última visita a Montfort, que duró unos cuantos días. Apenas tuvo tiempo entonces de estrechar la mano del premier e intercambiar halagos en una de las cenas de Carmadon. Se ha dedicado a apuntalar alianzas y relaciones, y a servir de intermediario entre los nobles Plateados de su antiguo reino y el nuevo gobierno que ya cobra forma. No es un trabajo fácil y parece exhausto —cualquiera puede verlo—, con sus ardientes ojos rodeados por sombras oscuras. En ocasiones me pregunto si acaso no preferiría liderar un ejército a parlamentar acuerdos.

Atrapa mi vista y tuerce la comisura de la boca, es la mejor sonrisa que puede ofrecer.

Hago lo mismo y bajo la cabeza.

¡Qué lejos estamos ambos de aquella prueba de las Reinas!

Él ya no es mi futuro y se lo agradeceré eternamente.

Es su tío quien me preocupa y llena de terror.

Como de costumbre, Jacos parece pequeño al lado de Cal. El arrullador mira el suelo, renuente a mirarnos a mi hermano o a mí, no sé si por culpa o por compasión. Después de todo, él mató a nuestro padre. A veces aparece en mis pesadillas con colmillos y lengua de serpiente, muy distinto a su modesta realidad de académico.

Cuando nos acercamos, tiene la prudencia de excusarse, con la cabeza gacha todavía. Sólo Wren le esboza una sonrisa al pasar. Uno de sus primos es compañero suyo; los lazos de la añeja nobleza se mantienen firmes pese a la ruina de la corte.

Ptolemus estrecha la mano de Tiberias y le ofrece la sonrisa más cálida de la que es capaz. No es proeza menor para mi hermano. Tiberias reacciona, saluda y baja la barbilla.

—Gracias por hacer esto, Ptolemus —dice un antiguo rey a otro que también dejará de serlo. Cal tiene un aspecto extraño con esa chaqueta sencilla, sin un uniforme repleto de condecoraciones. Sobre todo en comparación con mi hermano, engalanado bajo sus colores y su armadura.

Tolly libera su mano.

—Gracias a ti por venir. No era necesario.

—¡Por supuesto que lo era! —replica Cal con tono afable—. Desde hoy te sumarás a un club muy exclusivo. Me tocaba darte la bienvenida a los Abdicadores.

Aunque frunzo la boca, lo cojo del brazo y lo estrecho rápida y rígidamente entre los míos.

—¡No nos llames así, por favor! —refunfuño.

—No suena mal —interviene Elane y ladea la cabeza en busca de luz. Todos menos ella lucimos espectrales o deslumbrantes bajo la intensa fluorescencia del equipo de iluminación—. Me alegro de verte, Cal.

—Yo también, Elane, a todos vosotros —desplaza los ojos hacia Wren y más allá, en busca de alguien.

Pero Mare Barrow no está aquí.

—¿Eres el único enviado de los Estados?

Agradece mi pregunta porque le permite cambiar de tema.

—No, los demás representantes están con la general Farley —contesta—. Son dos organizadores Rojos, la nuevasangre Ada Wallace y uno de los hijos del exgobernador Rhambos —apunta al otro extremo de la sala y no me molesto en darme la vuelta; los veré dentro de un momento y, la verdad, no deseo topar con la mirada fulminante que Diana Farley dirige contra Ptolemus. Como siempre que estoy cerca de la general Roja, siento que se me revuelve el estómago. *Detente,* me digo. Ya temo a las cámaras, no tengo energía para temerle a ella también.

—Wren comentó que no tomarás la palabra… —digo.

—Así es —Cal cruza los brazos y adopta una postura que conozco bien. Está listo para la batalla—. Tampoco formaremos parte en la transmisión. Enviaría el mensaje equivocado.

Su lógica no es difícil de seguir.

—Quieres que el país vea que hacemos esto por voluntad propia, no porque una espada penda sobre nuestras cabezas —me crispo en cuanto lo digo, igual que él. Sospecho que recuerda el momento en que una espada atravesó el cuello de su padre—. ¡Perdón, no quise decir…!

Me disculpa con un gesto, pese a su rostro pálido.

—Vinimos a apoyar —murmura.

Parpadeo con el ceño fruncido.

—¿A nosotros? —pregunto irónica.

Sacude la cabeza.

—No, a ellos —mira al otro lado de la sala, libre de aparatos. Un nutrido grupo espera junto a las ventanas, ceñido como una bandada de aves coloridas. Siento que podría vomitar y busco una silueta conocida, con una pantera a sus pies, pero mi madre no está entre esos nobles Plateados.

Elane no tiene tanta suerte. Cuando detecta a su padre, respira con dificultad.

Jerald Haven conversa en voz baja con los nobles de la Fisura y algunos de Norta también. No hay nadie de la Casa de Samos entre ellos, pero reconozco al Lord General Laris, aliado de mi padre y excomandante de la flota aérea de Norta. Ninguno nos mira. Se resisten a hacerlo. No aprueban nuestro acto. Aunque no pueden impedirlo.

Elane desvía la mirada con rostro apacible, sin mejillas pálidas. Hasta donde sé, no ha visto a su padre en varios meses. Intercambiaron escuetas cartas, abiertamente ofensivas de parte de él. Quería que volviera a casa y ella se negó. Al final dejó de escribir.

Me enfurece verlo, por el inmenso dolor que le ha causado a su hija. Como de costumbre, Cal es pésimo para entender a las mujeres y mi indignación lo confunde. El otrora rey me da un ligero codazo.

—Tranquila, no permitas que te atemoricen. Me hicieron lo mismo cuando abdiqué —explica con grave voz—. Mi abuela no me habló en varios días.

Resisto el socorrido impulso de entornar los ojos frente a Tiberias Calore.

Wren levanta una ceja.

—¿Asistió de cualquier manera? —inquiere, con un fútil tono de esperanza. Conozco lo suficiente a Anabel Lerolan para saber la respuesta.

Cal ríe.

—No, pero lo acepta. No tiene opción. La Corona Ardiente se ha apagado bajo mi voluntad ya nadie ocupará el trono que yo destruí.

"No mientras vivas", me gustaría agregar.

Para ser tan brillante estratega, Cal es miserablemente miope. Habrá pretendientes, aquí y en Norta. Esto sólo terminará mucho después de que nosotros hayamos muerto.

A pesar de que esto desesperaría a cualquiera, yo encuentro consuelo. Decido alejarme porque puedo. Y si alguien quiere reclamar la corona que rechazo, que así sea. No es asunto mío. He hecho todo lo posible para confirmarlo.

—Nuestro pueblo debe ver que estamos unidos en esto —mira aún a los Plateados con los ojos encendidos, como si pudiera prenderles fuego—. Que estamos listos para abandonar juntos el mundo antiguo.

Tan simples como son sus dichos, es imposible que yo los refute. O que niegue la emoción que se aviva en mi pecho.

Mi sonrisa es amplia y sincera.

—Sí, lo estamos.

SEIS
Evangeline

Permanezco inmóvil mientras mi hermano pronuncia su discurso, un tanto apresurado pero firme, de palabras contundentes y decididas. Con la vista fija al frente y sin parpadear, se sienta frente a un sencillo escritorio elevado delante de nuestro antiguo trono de acero. Conmigo a su lado, somos los únicos protagonistas de la transmisión. Los otros que hay en la sala guardan absoluto silencio y ven cómo la historia se desenvuelve ante sus ojos.

—Aquí Ptolemus Escarian Samos, rey de la Fisura, Señor de la Casa de Samos. Hijo del finado rey Volo Samos de la Fisura y de la reina Larentia de la Casa de Viper. Por el presente acto comunico a mi pueblo la voluntad irrevocable de abdicar al trono de la Fisura y de renunciar a todos los derechos que mis descendientes o yo poseíamos sobre su territorio. Es mi solemne deseo que el reino de la Fisura sea disuelto, ya que fue creado debido a la separación ilegal del antiguo reino de Norta, y sea parte nuevamente de las fronteras de los Estados de Norta. Espero vivir lo suficiente para ver prosperar esta nación bajo un gobierno libre que garantice la igualdad de sangre.

Pese a que está renunciando a su corona, nunca como hoy Ptolemus había lucido como un rey. Mira un largo rato la ronroneante cámara. La transmisión se difunde a todo el reino, a las pantallas de vídeo de la totalidad de las ciudades, a fin de que todos —Rojos, Plateados y nuevasangres— sean informados. La noticia no permanecerá mucho tiempo dentro de las fronteras de nuestro país. La comarca de los Lagos lo sabrá en cuestión de minutos, y las Tierras Bajas también. Los Estados de Norta riñen ya a causa de la abdicación después de que Cal dimitiera. Otro trono destrozado podría dar origen a celebraciones o disturbios.

Elane se mantiene tan cerca de mí como le es posible, apenas fuera del campo visual de la cámara. Aunque no la miro de frente, su cabello rojo, que refulge bajo la luz de la mañana, resulta inconfundible en los contornos de mi visión. Su padre y sus partidarios Plateados son más obvios. Están delante de mí, apiñados detrás de la cámara en el centro de la larga sala del trono. Los miro sin verlos, como mi madre me enseñó.

El alto mando de la Guardia Escarlata permanece al margen, y algunos de sus miembros se apoyan contra la pared. La general Farley ofrece un aspecto rígido y tenso, con los ojos fijos en los pies. No puede o no quiere mirar a mi hermano mientras éste habla, y se lo agradezco. Cuanto menos atención le preste, más a salvo estará él.

Impertérrito, Ptolemus inclina la cabeza y levanta la pluma para firmar la declaración oficial de abdicación. Su rúbrica es nítida y contenida, imposible de confundir. Deja bajo su nombre el suficiente espacio para que yo escriba el mío.

Soy reina ahora, durante extraños y prolongados segundos. Me siento diferente e igual. Revoloteo así en el umbral de dos puertas muy distintas. A través de ambas, veo un instante lo que encierran para mí. ¡Cuántos triunfos y pesares puede haber en la vida de una plebeya o una reina! Tiemblo cuando miro a Elane y me permito buscar refugio en ella. La decisión es clara como el cristal.

Cuando Ptolemus se levanta de su silla, la atención de los partidarios Plateados cambia en el acto y todos los ojos se fijan ahora en mí. Siento cada uno como una aguja en mi piel. No me hace falta ser una susurro para saber qué me imploran.

No te arrodilles.

Busco a Cal, oscurecido por la luz del sol que se filtra por las ventanas. Se yergue contra el cristal con los brazos cruzados sobre la chaqueta. Siento una punzada de afinidad con él, un peso que ambos conocemos y compartimos. Baja despacio el mentón, como si necesitara su apoyo.

Tomo asiento lenta y grácilmente, y mi rostro adopta una fría máscara de satisfacción. Mi capa de mercurio ondea sobre un hombro y cae entre mis pies.

—Soy Evangeline Artemia Samos, reina de la Fisura —pese a mi educación en la corte, no puedo evitar que mi voz tiemble cuando pronuncio estas palabras. *Reina. Sin rey, padre ni amo. Sin otras reglas que las que haría para mí.*

Es una fantasía, una mentira. Siempre hay reglas y consecuencias. No quiero ser parte de esto. Ninguna corona vale el precio que yo tendría que pagar. Me tranquiliza pensar en Elane, en su destello rojo que miro de soslayo.

—Dama de la Casa de Samos. Hija del finado rey Volo Samos de la Fisura y de la reina Larentia de la Casa de Viper. Por el presente acto comunico a mi pueblo la voluntad irrevocable de abdicar al trono de la Fisura y de renunciar a todos los derechos que mis descendientes o yo poseíamos sobre su territorio.

Al final, nuestros discursos debían ser idénticos. Es muy poco lo que en este caso puede dejarse al azar o a la interpretación. Ninguno de nosotros puede permitirse margen alguno para un malentendido, deliberado o no.

—Es mi solemne deseo que el reino de la Fisura sea disuelto, ya que fue creado debido a la separación ilegal del antiguo reino de Norta, y sea parte nuevamente de las fronteras de los Estados de Norta. Espero vivir lo suficiente para ver prosperar a esta nación bajo un gobierno libre que garantice la igualdad de sangre.

Acto seguido levanto despacio la pluma, tibia todavía por el tacto de mi hermano. La página que está encima del escritorio luce impecable, es una hoja blanca en la que están impresas las palabras que acabo de recitar. Los colores de la Casa de Samos, negro y plata, aparecen estampados abajo.

La miro y me siento incompleta. Elevo la vista otra vez y busco el ojo de la cámara, uno de los miles que me observan ahora.

Algo aletea en la ventana y llama mi atención durante una fracción de segundo.

La polilla es pequeña, sus alas relucen entre el negro y el verde como un pozo aceitoso. Debería estar afuera, en la luz. Las polillas son criaturas nocturnas acostumbradas a islas luminosas en la oscuridad. Poseen también una notable audición. Todo esto cruza por mi mente en un instante y las piezas embonan a la perfección.

Mi madre observa.

El lobo apresa mi cuello de nuevo y hunde en él unos dientes afilados y penetrantes. Amenaza con partirme en dos. Sólo la cámara, la audiencia y los ojos de muchos me mantienen en mi sitio. Un temor y una vergüenza que me son familiares ascienden por mi espina dorsal y envenenan mis entrañas, pero no puedo mostrarlos. No permitiré que me detenga ahora. Hay más que decir todavía, y más sueños maternales que arruinar.

Mi mano se cierra en un puño bajo el escritorio. Por una vez, lo que me guía no es la rabia, sino la resolución.

Apenas he pensado las palabras que diré a continuación. Ni siquiera las he pronunciado en un murmullo. Y menos aún en público, frente a diez o diez mil, ni dicho a mi madre, la mujer que siempre escucha y que quizás ahora me escuchará por fin.

—De ahora en adelante me llamaré Evangeline Samos de Montfort, porque hoy juro lealtad a la República Libre, donde se me permite ser y amar libremente. Renuncio a mis raíces en la Fisura, Norta y cualquier otro reino donde se condena a la gente por las circunstancias que le son inherentes.

La pluma rasga la hoja, casi la parte en dos con la fuerza de mi florida firma. Aunque mis mejillas se derriten de calor, mi maquillaje es tan espeso que oculta cualquier cambio de tonalidad que pudiera delatar a mi acelerado corazón. Un zumbido asciende junto a mí, ahogando el ronroneo de las máquinas. Guardo la calma y hago lo que se me indicó. Mantengo el contacto visual. Miro. Espero la señal. La lente de la cámara parece tragarse el mundo; el borde de mi visión se difumina.

Uno de los técnicos Rojos juguetea con la cámara y acciona interruptores mientras nos hace señas a Ptolemus y a mí para que permanezcamos quietos. Siento que las vibraciones de la máquina cesan cuando la transmisión concluye, se funde a negro en todas partes menos aquí. El Rojo baja el dedo, nos deja en libertad y exhalamos al mismo tiempo.

Esto ha terminado para siempre.

Con un estallido de concentración, echo atrás la silla de acero para que mi trono se desplome en una pila de esquirlas. Y si bien eso no demanda mucha energía —conozco el acero—, me siento exhausta y me apoyo en mis codos.

Los Rojos y la Guardia Escarlata se retraen un poco, recelosos de mi acto. Los nobles Plateados se muestran indignados, aunque ninguno de ellos se atrevería a decírnoslo de frente. Jerald se acerca a su hija con aire desdeñoso, pero Elane lo elude hábilmente.

Ella coge mi hombro y su mano tiembla sobre mí.

—Gracias —musita, para que sólo yo pueda escucharla—. Gracias, amor mío, mi corazón de hierro.

Las luces de la sala se condensan en su piel. Está radiante, luminosa, es un faro que me llama a casa.

No lo hice sólo por ti, quisiera decirle, pero mi boca no se abre. *Fue también por mí.*

La polilla ya no está en la ventana.

Y para ella.

Como el resto de la finca, el jardín de las esculturas se encuentra en el abandono, lleno de maleza sin el cuidado de un guardaflora. Carmadon haría maravillas aquí. A un lado ofrece una vista imponente del valle, hasta el Allegiant. Cada estatua es más grande y ominosa de lo que yo la recordaba, congelada bajo arcos de acero y cromo, denodado hierro, cobre orgulloso e incluso plata y oro pulidos. Deslizo mis dedos por ellas conforme avanzo, me demoro en cada una. Algunas danzan bajo mis órdenes, se reforman en curvas vertiginosas o rectas ahusadas. El empleo de mi habilidad con fines artísticos es catártico, una liberación de tensión que por lo común hallo únicamente en la pista de entrenamiento. Paso largos minutos sola, moldeo todo a mi gusto. Tengo que relajarme lo más posible si quiero salvar el obstáculo que aún me aguarda.

Debo hacerle frente sola. Sin apoyo. Sin Elane ni Ptolemus. Sería demasiado tentador permitir que libren esta batalla por mí. Y no deseo habituarme a ello.

Me espera en un lugar que adoro. Para mancharlo. Para herirme. Se ve minúscula sin sus usuales criaturas, casi oculta en las sombras de un arco de acero, sin su pantera y sin sus lobos. Ni siquiera la polilla. Quiere encararme sola. Aunque su atuendo tiene una apariencia opaca, es un eco lejano de las joyas, sedas y pieles que recuerdo. Su vestido es simple, de un fino verde oscuro, y alcanzo a ver mallas debajo de sus faldas. Larentia Viper está de pie. Imagino que es aliada de Jerald y los otros nobles Plateados, lo que nos opone en cuanto a sentimientos pero no lo podemos demostrar abiertamente.

El viento hace susurrar su negra cabellera, en la que percibo rayos grises que no había visto antes.

—¡Sabías lo que iban a hacerle! —su acusación me pega como un martillazo. Mantengo mi distancia—. ¡Sabías que esa mujer y ese alfeñique, ese cobarde bibliotecario, matarían a tu padre! —sus dientes destellan como el gruñido de un predador. Sin sus animales que controlar, es muy vulnerable, impotente contra mí en un jardín que brilla con mis armas. Eso no la detiene. Se desplaza con rapidez y casi sisea cuando frena a unos centímetros de mi rostro—. ¿Tienes algo que decir en tu defensa, Evangeline?

—Os di una oportunidad, a ambos —respondo con aspereza.

Es cierto. Les dije que me marchaba. Que no deseaba participar más en sus intrigas. Que mi vida era mía y de nadie más. Y ella envió un par de lobos a atraparme. Él se burló de mi congoja. Por más que los amara, o ellos a mí, eso no bastó.

Sus labios tiemblan y sus ojos crepitan. Me inspecciona hasta los huesos.

—¡La vergüenza te seguirá a la tumba!

Lo hará, pienso. *Sin duda.*

—Pero esa tumba se cavará muy lejos de aquí —respondo en un susurro. Aun si soy más alta que ella, hace que me sienta pequeña—. En la cumbre de una montaña que nunca verás. Con Elane a mi lado.

Sus ojos verdes se desorbitan de furia.

—¡Y también tu hermano!

—Si él así lo decide.

Su voz se quiebra un instante.

—¡Ni siquiera fuiste capaz de dejarme a mi hijo! —ojalá no pudiera oírla ni ver tan claro en sus ojos. Hay demasiada cólera, demasiado dolor contenidos en ellos. Y entendimiento. Mi madre está sola en el mundo. Para siempre. Pese a lo que ha hecho y todo el dolor que me ha inflingido, la compadezco.

—Espero que un día veas las cosas de otra manera —mi deseo es infundado en el mejor de los casos, sin garantía alguna—. Y que encuentres un lugar para ti —aun si lo intentara, no podría imaginarla en Montfort.

Esta idea le resulta tan absurda como a mí.

—¡No será ese sitio maldito que ahora llamas hogar! —me da la espalda y levanta unos hombros tensos y huesudos—. Para ver que vivas con descaro, sin orgullo ni honor, y ni siquiera tu nombre verdadero. ¿Es que no tienes vergüenza?

He perdido la cuenta de las veces en que mi madre ha lamentado mi *defecto*. La persona que soy desde que nací, las inclinaciones que no puedo cambiar y que nunca volveré a negar. Pero jamás es fácil oír su decepción. Es muy duro soportar la idea de que considera un fracaso lo que soy.

Siento un nudo en la garganta y no hablo para no llorar. No lo haré frente a ella. No merece mis lágrimas, mi piedad o mi amor, por mínimo que éste sea.

Eleva la cabeza, aún de espaldas a mí. Tiembla mientras exhala un delicado suspiro.

—¡Nunca más volverás a verme! —en la vida había oído una voz tan vacía—. Me lavo las manos de vosotros dos. ¡Mis hijos están muertos para mí!

Mi pulsera gira y tiembla en mi mano, extiende perezosas ondulaciones en mi pálida piel. Esta distracción me ayuda a pensar con claridad.

—Entonces deja de perseguir fantasmas —sentencio.

Y me alejo.

* * *

No vuelvo a dormirme hasta que estoy en casa, en las montañas, en Montfort, en los brazos de Elane y con la luz granate del atardecer sobre mi rostro. Me acometen pensamientos de guerra y del futuro. Pueden esperar. Los enfrentaremos juntas, Elane y yo. Buscaremos el punto medio y el compromiso.

Ahora puedo descansar, para curar mi corazón de hierro.

LUZ DE FUEGO

UNO
Mare

Dejaron que eligiera los días, pero al final la nieve habló por mí.

Tanto mejor. La decisión escapó de mis manos. Cuánto tiempo permanecer aquí, en qué momento regresar a la capital de Montfort: estas preguntas se evaporaron cuando el clima cambió. Pese a que eran sólo quince centímetros, apenas una capa de polvo para un lugar como Valle Paraíso, habría más. Me habían dicho que los inviernos eran aquí más rigurosos que los habituales, peores que el que soporté en la Muesca. Los ventisqueros son de tres metros de hondo, los ríos se congelan, las tormentas de nieve duran varios días. Todo es demasiado peligroso para los transportes o los jets de asalto. Claro que pudimos quedarnos la temporada entera. En su comunicado más reciente, Davidson aseguró que la cabaña estaba a nuestra disposición cuanto quisiéramos, pero no toqué el tema con mi familia. Ninguno tiene el menor deseo de pasar el invierno sepultado en la nieve con géiseres y bisontes como única compañía.

Afuera, Bree hace una aparatosa excavación frente a la puerta principal mientras nuestro padre supervisa, apoyado en su pala. Han dedicado toda la mañana a abrir un camino en la nieve que sirva de pista de aterrizaje para el jet, y sus rostros se han puesto rojos bajo sus gorras y pañoletas. Tramy ayuda a mamá a hacer el equipaje para nuestro vuelo al sur y la sigue de una habitación a otra. Ella lanza la ropa y él la atrapa y la dobla a la carrera. Gisa y yo observamos desde la pared de piedra de la cocina, con nuestro equipaje ya preparado. Llevamos puestos unos abultados suéteres combinados y nos inclinamos sobre tazas calientes para entrar en calor. La de Gisa contiene un cacao tan espeso como un budín y es igual de dulce. A pesar de que huele divino, prefiero el té con miel. Me recupero de un resfriado y no quiero volver a Montfort con la garganta irritada.

Es indudable que, una vez que lleguemos, tendré que hacer las consabidas rondas de discursos y conversaciones. Por más que estoy feliz de regresar a Ascendente, la capital, esto equivale a regresar en el tiempo, al creciente caos de una ceremonia de gala con la alianza. Y preferiría hacerlo en poder de toda mi fuerza.

En especial si Cal está ahí, pienso, y bebo otro hirviente sorbo. El calor me produce un escalofrío que llega hasta los dedos de mis pies.

Gisa me mira con curiosidad por encima de su taza y agita el cacao con una cuchara. Curva los labios en una sonrisa.

—¿Cuentas los segundos? —pregunta en voz baja, para que el torbellino del cuarto de al lado no la oiga.

—Sí —contesto sin rodeos—. Lamento la pérdida de un poco de paz y silencio.

Lame la cuchara hasta dejarla limpia y quién sabe cómo termina con una mancha de cacao sobre la ceja.

—¡Ay, por favor! Te volverías loca aquí. No creas que no me di cuenta de cómo un pequeño relámpago se arremolinaba con la ventisca de ayer.

Loca. Hago una mueca. Conozco pocas personas a las que les ajusta esa palabra, y una de ellas todavía me intranquiliza hasta la médula. El té se congela en mi estómago.

Cuando llegamos aquí, me dije que era para que sanáramos y lloráramos juntos. Y para que olvidáramos. Para que yo dejara a un lado todo lo que Maven me hizo y lo que yo le hice a él. En cambio, a duras penas pasa un día sin que sufra por su causa y su destino, se lo mereciera o no. ¡Si yo hubiese tomado la decisión correcta! ¡Si él pudiera haberse salvado!

Aún recuerdo la pequeña daga que tenía en la mano, la fuerza con que me sujetó. *Eras tú o él*, me digo por milésima ocasión esta mañana. Sea como fuere, parece siempre una mentira. *Tú o él*.

Mi hermana interpreta mi silencio con una mirada aguda. Es buena para descifrar mis emociones, por más que yo intente ocultarlas. Sabe cuándo insistir en ellas y cuándo dejarme en paz. Hoy debe ser esto último.

—¿Ya estás? —señala mi taza.

Asiento y consumo el resto del líquido. Me quema la garganta.

—Gracias.

Se desplaza al fregadero, donde se empeña en fregar hasta el último trasto. La sigo un segundo más tarde para recoger los platos secos del desayuno. ¿Alguien más vendrá aquí en los próximos meses o seremos las últimas caras que la cabaña verá hasta la primavera? El invierno debe ser encantador en este sitio, pese a lo difícil que es llegar a él. Y lo difícil que es dejarlo.

—¿Alguien ha visto mis calcetines? —aúlla Bree desde la sala e ignora el coro de protestas de Tramy y mamá. Seguro que arrastró nieve por todo el suelo.

Gisa ríe ante el fregadero lleno de espuma:

—¡Los quemé! —grita—. ¡Por el bien de la humanidad!

Mi risa es silenciosa en estos días, apenas poco más que un jadeo y una sonrisa tirante que tensa mis cicatrices. Mi estómago se tensa de cualquier forma, y casi me dobla de dolor. Hicimos bien en venir aquí. A reconstruirnos, a entender lo que somos ahora, a pesar de las piezas que hemos perdido.

Shade está enterrado a miles de kilómetros de aquí, pero siento que está con nosotros. Y por una vez, no me siento triste.

* * *

No había mucho equipaje que preparar. Los muebles, las raciones de comida e incluso el jabón de los baños se quedan en la cabaña. Sólo tenemos nuestra ropa y otros artículos personales. Gisa es la que tiene más *cosas*. Sus utensilios de arte y su costurero son quizá la carga más pesada que hay en el avión estacionado al borde del claro. Se preocupa por ellos como una madre nerviosa y vigila muy atenta mientras el piloto de Montfort los reúne con el resto de nuestro equipaje. Me sorprende que no insista en que viajen en su regazo. Mamá y los chicos ya están dentro, y se abrochan los cinturones de seguridad una vez a resguardo del frío.

Papá se aparta de la nave conmigo. Escudriña el terreno escarchado. Pienso que supone que un géiser explotará bajo nuestros pies y hará volar el avión en pedazos. No es una idea ridícula. Muchos de los claros y cuencas en Valle Paraíso están agujereados por géiseres y aguas termales, que humean incluso bajo la nieve.

Nuestra respiración forma nubes en el aire, como constancia del mal tiempo. Me pregunto si ya hará tanto frío en Ascendente. Apenas es octubre.

—¿Estás lista? —su voz es un rumor casi inaudible sobre los motores del jet encendidos. Sobre el avión, unas hélices enormes giran a un ritmo creciente.

Me gustaría responder que sí. Que estoy lista para regresar. Lista para ser Mare Barrow una vez más y que todo el mundo pueda verlo. Lista para volver a la lucha. Nuestra labor dista mucho de haber concluido y no puedo pasar el resto de mi vida rodeada de árboles. Sería un desperdicio de mi talento, mi fuerza y mi influencia. Puedo hacer más, y quiero más para mí.

Pero eso no significa que esté preparada. Ni por asomo.

El piloto nos indica que subamos antes de que yo pueda responder, y me ahorra la pena de mentirle a mi padre.

No importa. Papá conoce la verdad. Lo siento en la forma en que se apoya al caminar, aunque él es el de la pierna que volvió a crecer.

Cada paso es más pesado que el anterior, el cinturón de seguridad una cadena en mi regazo. Y entonces despegamos, el terreno desaparece bajo un cúmulo de grises nubes en el que todo se vuelve vacío y brillante.

Permito que mi mentón caiga sobre mi pecho y finjo dormir. Aun con los ojos cerrados, siento que todos me miran. Calculan mi estado físico y mental basándose en la posición de mis hombros o mi mentón. Todavía tengo dificultades para hablar de las preocupaciones que rondan mi cabeza, así que mi familia se ve forzada a improvisar. Esto da ocasión a las preguntas idiotas de Bree, carente de toda sensibilidad emocional. En cambio, los demás han encontrado maneras de hacerlo, en particular Gisa y mi padre.

El rugido del avión dificulta hablar y entiendo sólo fragmentos de sus conversaciones, la mayoría de ellas inocuas. ¿Permaneceremos en la finca del premier antes de que nos mudemos a la nueva casa? ¿Gisa llevará por doquier a esa tendera para que los conozca a todos? No quiere hablar de ella y Tramy cambia amablemente de tema. En su lugar, la mortifica con que necesita una chaqueta nueva para la inminente ceremonia de gala. Ella ríe, pero acepta hacérsela. Algo bordado con las flores silvestres que salpicaban Valle Paraíso, púrpuras y amarillas, también verdes.

La ceremonia de gala. Ni siquiera he tenido tiempo para pensar en los detalles de la celebración. Sobra decir que no soy la única que regresará a la capital esta semana. Una parte de mí se pregunta si Davidson envió una tormenta que me obligara a volver a la ciudad. No me molestaría si lo hubiera hecho. Me dio un buen pretexto para volver ahora, a tiempo para reunirme con tantos.

La nieve tomó la decisión, no yo.

Tampoco la fiesta.

Y desde luego, tampoco el señuelo de un joven de ojos broncíneos y un trono destrozado.

Kilorn nos espera en la pista de Ascendente, para sorpresa de nadie. Ignoro si es posible, pero parece más alto que la última vez que lo vi, hace dos meses. Pese a que aseguró que nos visitaría en el norte, no tuvo oportunidad de hacerlo, entre sus deberes en Montfort y la forja de su vida aquí. Es probable que Cameron también tenga algo que ver en eso. Sirve de intermediaria junto con su padre, rebota entre la Guardia Escarlata, Montfort y su casa en los Estados de Norta, en tanto habla a nombre de los Rojos, hombres y mujeres por igual, de su ciudad tecnológica.

Ambos han sido invaluables para el esfuerzo de reconstrucción de los Estados y el allanamiento de las relaciones con la República. Kilorn aguarda solo, así que Cameron no debe haber llegado todavía, si es que va a venir. Por más que me gustaría verla y enterarme de todo lo que ocurre en el este, me alegra tener a Kilorn para mí sola durante un momento.

Su sonrisa se ensancha cuando nos ve, es una alta figura en la pista de aterrizaje. El furioso viento de las hélices agita su cabello leonado. Aunque intento contenerme para no esponjar su ego más de lo que ya está, no puedo evitar correr a su lado. Ansío verlo, y bajar de la estrecha caja de metal en la que estuvimos atrapados durante tres horas.

Abraza primero a mi madre, siempre un caballero. Ella es su madre en mayor medida que la mujer que lo abandonó hace unos años.

—¡No te has perdido las comidas! —mi madre palmea su vientre y él sonríe y se ruboriza. En efecto, está también más rechoncho, gracias a la alimentación de Montfort y un estilo de vida menos arriesgado. Yo no dejé de correr durante mi estancia en la cabaña, pero no creo que él pueda decir lo mismo. Su aspecto es sano, normal… estable.

—No le digas gordo, mamá —se burla Gisa, le pica el costado y sonríe—. Aun si es cierto —cualquier amor de colegiala que haya sentido por él, nacido de la proximidad, los celos o un deseo anticuado, se ha esfumado por completo.

Mamá la aleja y la reprende.

—¡Gisa! Kilorn se ve por fin como si se hubiera alimentado decentemente.

Él no se queda atrás, le revuelve el cabello y desprende de su moño perfecto un par de rizos rojos.

—¡Creí que eras la educada de la familia, Gee! —replica.

Bree se echa a cuestas su maleta y le da un codazo a nuestra hermana.

—Vive varios meses con ella en una cabaña y perderás todas tus ilusiones sobre esta pequeña dama.

Gisa no se molesta en empujarlo. Él casi mide el doble que ella. En cambio, cruza los brazos y frunce la nariz al tiempo que se retira airadamente.

—¿Sabes qué? —dice por encima del hombro—. También *iba* a hacerte a ti una chaqueta para la fiesta, ¡pero supongo que no me tomaré la molestia!

Bree sale disparado detrás de ella para quejarse mientras Tramy lo sigue con una sonrisa. No se atreverá a poner en peligro su atuendo, así que guarda silencio. Mamá y papá se encogen de hombros, satisfechos de ver que todos corretean y me dejan con Kilorn.

Por fortuna, nadie comenta que *yo* me he convertido en la civilizada de la familia, con mi adiestramiento en la corte, el tiempo durante el que me hice pasar por princesa y mi nueva afinidad con el silencio. ¡Qué gran cambio después de haber sido la ladrona de Los Pilares, cubierta de barro, sudor y un humor de mil demonios! Kilorn lo sabe.

Mira comprensivo mis prendas, mi cabello, mi rostro. Parezco más sana que cuando me fui, igual que él.

—¡Eh! —extiendo los brazos y giro sobre la pista. Mi suéter, chaqueta, botas y pantalones son de matices grises o verdes, colores apagados. No deseo atraer más atención de la que necesito—. ¿Ya terminaste tu prueba?

—Sí.

—¿Y cuál es el veredicto?

Me hace señas para que camine junto a él.

—Que no has dejado de ser una pesadilla —dice mientras igualo su paso.

Siento un estallido de calor en el pecho.

—¡Eso es fantástico!

Aunque Los Pilares no fue un buen lugar para crecer, eso no significa que no viviera algunas buenas experiencias. Y tengo la suerte de decir que todavía están conmigo. Caminar junto a Kilorn en dirección a la ciudad y la finca del premier me recuerda días muy remotos, y esas pequeñas cosas que los volvían soportables.

Nuestro camino nos eleva sobre la urbe, cubierta de sombras ahora que los días han empezado a acortarse. Las luces salpican la ladera, y las que se mueven de un lado a otro manchan las calles principales. El lago que está al pie de la ciudad lo refleja todo como si fuera otro cielo, de azul oscuro con amarillo y estrellas rojas. Avanzamos despacio, para permitir que mis padres y hermanos se adelanten. Descubro que Kilorn admira el paisaje, como yo. Habíamos olvidado lo bello que era esto, una ciudad inverosímil en un país imposible.

Por más que quisiera detenerme y contemplarlo todo, debo concentrarme en mi respiración. La vibrante electricidad que recorre la urbe es más intensa que la que he sentido en varios meses, incluso aunque nos atrapara una pasajera tormenta de truenos. Apela a mis sentidos, pide que la deje entrar. En vez de cerrarme a la sensación, accedo a que fluya en mí y llegue hasta los dedos de mis pies. Esto es algo que los electricones me enseñaron hace unos meses en otro país, en lo que parece otra vida. Es más fácil fluir que pelear.

Kilorn no me quita la vista de encima, con sus danzarines ojos verdes. Pero no me siento escudriñada. No me mira para ver si mantengo el control. Sabe que no lo necesito para eso, ni a nadie más. Me controlo sola.

—¿Así que adónde he venido a meterme? —inquiero y percibo las luces de la ciudad. Algunas de ellas son de los transportes, que se entretejen en las calles. Otras son de ventanas, lámparas, farolas que titilan mientras la tarde da paso al crepúsculo. ¿Cuántas pertenecen a los funcionarios del gobierno, soldados o diplomáticos? ¿A los visitantes?

La finca del premier sobresale en una loma, tal como la recordaba. *¿Él ya se encuentra ahí?*

—Las cosas están tensas en la casa del premier —dice, y sigue mi mirada— y en la Asamblea Popular. Aunque ya no vivo por esa zona y ahora tengo una pequeña casa colina abajo, es difícil no notar el constante tráfico hacia la montaña. De representantes en su mayoría, sus asistentes y algunos militares. Los voceros de la Guardia Escarlata llegaron ayer.

¿Y él?

Un nombre distinto cae de mi lengua y sabe a alivio.

—Farley…

Ella es lo más parecido que tengo a una hermana mayor. Me pregunto al instante si se alojará en la finca con nosotros o en otra parte de la ciudad. Confío en lo primero, por mi bien y el de mi madre. Mamá se muere de ganas de ver a Clara, y es probable que termine durmiendo dondequiera que su nieta esté.

—Sí. Farley está aquí, y ya les da órdenes a todos. Te llevaría a verla, pero ahora tiene una reunión.

Con la bebé en su regazo, sin duda, pienso, y recuerdo que también llevaba a mi sobrina a los consejos de guerra.

—¿Y en la comarca de los Lagos qué ocurre? Allí hay una guerra en curso todavía —aquí, allá, por doquier. Es imposible ignorar la amenaza que aún se cierne sobre nosotros.

—Está a la espera, en realidad —me mira y percibe mi confusión—. ¿No leíste los informes que Davidson te envió?

Aprieto los dientes. Recuerdo los paquetes, páginas de información mecanografiada que llegaban cada semana a la cabaña. Papá les dedicó más tiempo que yo, que en todo caso buscaba en ellos nombres conocidos.

—Algunos.

Sonríe y sacude la cabeza.

—¡No has cambiado! —dice orgulloso.

Sí lo he hecho, querría rebatir. Aun si la lista de todas las formas en que he cambiado sería infinita, lo dejo pasar. Acabo de llegar aquí. Puedo concederle a Kilorn un poco de tiempo antes de agobiarlo con mis problemas.

No me da oportunidad de tragar saliva.

—Sí, básicamente estamos enfrentados todavía —alarga una mano y cuenta con los dedos—. La comarca de los Lagos y las Tierras Bajas contra la República, la Guardia y los nuevos Estados de Norta. Pero ahora estamos en un punto muerto. La comarca se está reagrupando todavía después de lo de Arcón, las Tierras Bajas se niegan a atacar solas y los Estados de Norta no están por lo pronto en condiciones de pasar a la ofensiva. Todos estamos a la defensiva, a la espera de que el otro bando actúe.

Imagino un mapa del continente mientras caminamos, con piezas puestas en movimiento. Líneas divisorias bien trazadas, ejércitos que aguardan a emprender la marcha. En espera, en espera, en espera. De algún modo, en la cabaña podía fingir que el resto del mundo también seguía su curso. Que se recuperaba de la violencia igual que yo. Que si ignoraba los informes y evitaba las noticias del sur y el este, todo se resolvería sin mí. Una pequeña parte de mí pensaba que la guerra llegaría a su término fuera de mi alcance, cuando lo cierto era que se escondía por igual, contenía la respiración como yo. *La muy maldita me esperaba.*

—¡Qué encanto! —tengo que decir. El pavimento está salpicado de escarcha bajo la sombra de los pinos, donde no llega el sol—. Así que no se ha conseguido ningún progreso.

Sacude la cabeza y ríe.

—¡Yo no dije eso!

—De acuerdo —me encojo de hombros con demasiado énfasis—. Como de costumbre, no era de esperar que supieras algo de verdadera importancia.

Suelta un grito ahogado y se lleva una mano al pecho, la imagen misma del orgullo herido. Se queda boquiabierto para esconder una sonrisa.

—Aunque no lo creas, soy muy importante para la causa. ¿Por qué crees que ayudo a Carmadon a obtener pescado para sus cenas?

¿Quién organiza giras de caridad en beneficio de los refugiados en los Estados de Norta? ¿Quién pide al gobierno de Montfort que asista a huérfanos de guerra dispersos en los campos de batalla que abrimos? ¿Quién duerme prácticamente en la oficina del representante Ravis y trabaja con funcionarios tanto Plateados como Rojos? Kilorn, desde luego, a pesar de que no es su estilo jactarse de esas cosas, por admirables que sean. Es curioso que las personas más valiosas suelan ser las más humildes.

—¿Y algunas veces asistes a esas cenas... con compañía femenina?

Un rubor escarlata sube por su cuello y llega a sus mejillas, pero no lo esconde. No tiene que hacerlo conmigo.

—A Cam no le gustan las fiestas —rezonga.

No te culpo, Cameron.

—¿Entonces vosotros…?

—Estamos juntos siempre que podemos, eso es todo. Ella tiene mayores y más importantes prioridades. Aun así, nos escribimos. Es mejor para eso que yo —su tono es práctico, sin trazas de envidia ni enfado por el tiempo que no pasa junto a él. Sabe que Cameron tiene las manos más que ocupadas con la reconstrucción de Norta—. Y ninguno de los dos es un soldado. No estamos obligados a hacer algo para lo que no estemos preparados.

No lo dice como un reproche. De cualquier forma, es imposible no hacer paralelismos con mi vida. Cada romance en el que estuve involucrada conllevaba una espada que pendía sobre mí, a veces de forma demasiado literal. Cal me besó cuando era la prometida de su hermano, antes de que partiera a la guerra, cuando yo era un secreto mortal oculto a plena vista. Maven me *amó* como pudo en circunstancias terribles, en las que me amenazaba la muerte y él era la mayor amenaza de todas. En realidad, no sé en qué consiste estar enamorada sin una nube de tormenta lista para estallar. Lo más parecido a eso que recuerdo es la temporada en la que estuve en la base de las Tierras Bajas, los días que pasé entrenando con Cal. Era entrenamiento para la guerra, desde luego, pero al menos no temíamos morir mientras dormíamos.

Jadeo de sólo pensarlo. Mi definición de normal es increíblemente retorcida.

El camino se curva cuesta abajo y llega a peldaños que ondulan por los prados sobre la ciudad. La finca del premier está enfrente, bañada por la luz dorada del sol. Los pinos se doblan sobre el recinto palaciego, más altos que la torre más elevada.

Cerradas contra el gélido aire otoñal, cada ventana centellea de tan pulida. Pese a que estamos demasiado lejos para distinguir lo que hay dentro, pestañeo ante las docenas de paneles de cristal en busca de un rostro conocido.

—¿Me vas a preguntar por él o seguirás dando rodeos hasta que lo mencione? —resopla al fin.

No pierdo el paso.

—Ya lo mencionaste.

Resopla otra vez.

—Se supone que Cal llega mañana por la mañana a más tardar —hace señas vagas hacia la finca. "Mañana por la mañana." Mi corazón enloquece en mi pecho—. En compañía de Julian y su abuela, así como de otros miembros de la delegación de Norta. Rojos, Plateados, nuevasangres. Una variedad equitativa.

Miembros de las Grandes Casas de antaño, damas y caballeros que preferirían ensartar a un Rojo que sentarse a su lado. *Si no fuera por Cal, si no fuera por Montfort...* No puedo imaginar siquiera cómo es esa delegación, o cuán preñada estará de caos y conflicto.

Con Cal en el centro, pese a que ya no sea rey, sino poco más que un espectador, un soldado, una voz entre muchas. No puedo imaginarlo así tampoco.

—Supongo que querrás hablar con él.

Siento náuseas. Claro que sí. Desde luego que me atreveré.

—Sí.

La última vez que vi a Cal, nos encontrábamos bajo la fría sombra de un avión y nos despedíamos. Estábamos molestos, exhaustos y acongojados, sumidos en el duelo. O al menos, yo lo estaba. Debía marcharme. "No te pediré que me esperes", le dije. En ese momento, sentí que eso era lo correcto. Lo justo. Pero cuando lo dije, su mirada fue espantosa. Como si hubiera matado de nuevo a su hermano. Me besó y sentí que el dolor nos traspasaba a ambos.

—¿Tienes idea de lo que vas a decir? —Kilorn me mira de soslayo y apaciguo mi rostro, intento ocultar la tormenta que se desata debajo de él. Mi mente da vueltas en el huracán de todo lo que he pensado en los últimos meses. Todo lo que he querido decirle.

¡Te eché tanto de menos! Me alegro de haberme marchado. Fue un error que partiera. Hice lo correcto. Lamento haberlo matado. Lo volvería a hacer si tuviera que hacerlo. Ahora te necesito. Dame más tiempo. Te quiero. Te quiero.

—No estoy segura… —murmuro al fin.

Hace el chasquido de un maestro regañón. Y fastidiado.

—¿Callas porque no sabes o porque no quieres decírmelo?

—¡Apenas puedo hablar en mi cabeza, para encima tener que hacerlo en voz alta! —replico antes de perder el valor—. No sé qué voy a decir, porque todavía no sé qué... quiero.

—¡Ah! —hace una pausa para pensar. Siempre ha sido muy extraña la mirada de Kilorn Warren—. Bueno, tienes todo el derecho de sentirte así.

Pese a que algo tan simple no debería darme alivio, lo hace. Pongo un momento mi mano en su brazo y aprieto. Me da un codazo en respuesta.

—Gracias, necesitaba eso —digo en un susurro.

—Lo sé —murmura.

—La cena de gala será el fin de semana —cuento las horas en mi cabeza: esta noche, todo el día de mañana, el día siguiente...—. ¿Realmente en Norta se necesita tanto tiempo para prepararse para una fiesta?

¿O quieren más tiempo aquí? *¿Alguien* quería estar aquí antes? ¿Y permanecerá mucho después? Detente, Mare Barrow. Basta una mención de Cal, unas cuantas horas antes de verlo, para volverme loca. ¿Y por qué? Apenas han pasado dos meses desde la última ocasión que lo vi. Eso no es mucho tiempo, en absoluto.

¿Fue suficiente? ¿Para que sanáramos, olvidáramos, lloráramos?

¿O fue demasiado? ¿Él siguió adelante? ¿Esperó? ¿Yo lo he hecho?

Ambas posibilidades me llenan de un temor glacial.

—Si te hubieras molestado en leer tus informes, te habrías enterado de que la cena es una oportunidad —su voz me trae de regreso—. Una excusa para reunir en un mismo lugar a todos los participantes clave de la alianza sin provocar demasiada expectativa. Aunque ya ha habido reuniones de delegaciones, jamás hemos podido reunir a todos. Los Estados, la Guardia, la República.

Entrecierro los ojos:

—La comarca de los Lagos no es tonta. Vigila nuestros movimientos. Es probable que tenga espías infiltrados en nuestras filas. Iris y Cenra sabrán que no nos dedicamos a beber y bailar toda la semana.

—Como dijiste, yo no sé nada de importancia —se luce, y tengo que mirar hacia arriba mientras continúa—. Farley mencionó algo sobre la negación. Si nos reunimos en consejos de guerra y hacemos claras nuestras intenciones, la comarca y las Tierras Bajas no tendrán otra opción que actuar primero.

Esta lógica resulta incontestable, pero ¿cuándo eso ha detenido a alguno de nosotros?

—Así que la fiesta es para ganar tiempo —murmuro.

—Y unos cuantos bebedores y bailarines nunca le hacen daño a nadie —se da la vuelta para dar un mayor efecto a sus palabras, sus botas resbalan en el asfalto.

Sé por experiencia que los bailes, las fiestas y las galas no son motivo de celebración, pero soy incapaz de arruinar el festejo. Sé que Kilorn está emocionado, y supongo que mi familia lo estará también. En casa, lo más que conseguimos alguna vez fueron unos cuantos violines en la plaza del mercado o algún granero. Nunca han visto de lo que son capaces en sus placeres las cortes Plateadas.

Río y retiro de la hombrera de su chaqueta una inexistente mota de polvo. Le va algo pequeña, aunque le ajustaba bien hace unos meses.

—Espero que tengas otro traje a mano.

Retira mis dedos.

—Supuse que Gisa me ayudaría con eso.

Oigo a lo lejos que Bree pincha a nuestra hermana, a quien quizá le pide exactamente lo mismo. Sonrío ante la idea de que ella esté tan demandada. Disfrutará sin duda de rechazar a los chicos, o de obligarlos a vestir trajes cada vez más extravagantes.

Me pregunto qué tiene reservado para mí. De nuevo, mi corazón late con fuerza. No he tenido muchas razones para cultivar la belleza en los últimos meses. Sospecho que debería hacer un esfuerzo para una reunión tan importante y mostrar la parte del héroe que todos piensan que soy.

Y si esto hace sonrojar a Cal, tanto mejor.

—Gisa me ayudará, ¿cierto? —murmura con aprehensión mientras la mira.

—Vas a tener que hacer fila.

DOS
Cal

Acaba de atardecer en las montañas; los picos nevados están pintados de rojo sangre todavía, un color adecuado para este lugar. Observo por la ventanilla del avión en el que volamos, en dirección al ya conocido valle a las afueras de Ascendente. Como uno más de los representantes entre los Estados de Norta y la República Libre, siento que he hecho mil veces esto. Siempre hay mucha agitación dentro de la alianza, y Montfort está invariablemente en el centro. He estado tantas veces en estas alturas que ya sé qué esperar del viaje. La nave se agita, encuentra turbulencias sobre los picos. Apenas se perciben. Las corrientes ascendentes de la montaña hacen que el aterrizaje sea algo accidentado y me sacudo contra las hebillas cuando tocamos tierra.

Aunque aterrizamos sin contratiempos, mi ritmo cardiaco se acelera y mis manos tiemblan mientras me quito el cinturón de seguridad. No salir corriendo del jet requiere más fuerza de voluntad de lo que debería.

Nanabel se toma su tiempo para bajar de la nave. Cumple con su papel de vieja y se apoya en el respaldo de los asientos durante su trayecto por el pasillo.

—¡No me imagino cómo es posible que hagas tanto esto, Cal! —su voz es más sonora de lo que debería, aun bajo el ruido del aeroplano—. ¡Estoy tiesa!

Pongo los ojos en blanco a sus espaldas. Todo es teatro, sé de primera mano lo vivaz que es. Mi abuela no es una flor marchita. Desea que me aplaque, para no dar la apariencia de que estoy demasiado ansioso. "Como un cachorro a la espera de una golosina", siseó cuando me ofrecí a presentarme en la abdicación de los Samos. No para ver a Evangeline y Ptolemus, y ni siquiera para mostrar mi apoyo a los Plateados de la realeza que tomaron la misma decisión que yo. Ella sabía que pensaba que Mare estaría ahí. Y me bastaba la mera posibilidad.

No apareció, para mi desaliento.

No seas injusto, me digo. No tenía motivos para ir a la Fisura. Ha recibido su más que justa ración de Plateados deseosos de renunciar a su corona.

Mi tío Julian tiene la gentileza de coger a Nanabel del brazo y la ayuda a avanzar con un paso más ágil. Ella le ofrece en agradecimiento una sonrisa exangüe, lo aprieta con fuerza. Julian palidece bajo la opresión, sabe que las manos de un olvido pueden ser mortales.

Gracias, le comunico con un movimiento de labios y él asiente en respuesta.

También le emociona estar aquí, aunque por razones muy diferentes. Disfruta de la República como sólo un erudito puede hacerlo, y está impaciente de enseñarle el país a Sara. Ella camina frente a él, fijando un buen paso con una suave determinación. Igual que yo, ninguno usa ya los colores de sus Casas. Todavía no me acostumbro a ver a mi tío cubierto de oro desvaído, ni a Sara en colores que no sean el rojo y el plata.

Nanabel se apega a la tradición, por supuesto. No creo que posea una sola prenda que no sea roja, negra o naranja. Arrastra por el jet su largo abrigo de seda, mostrando así un explosivo brocado rojo con incrustaciones de piedra negra. Cualquiera diría que aún pertenecemos a la realeza con sólo asomarse a su armario.

No es la única que viste todavía como antaño. Hoy, la delegación de los Estados de Norta incluye a otros cuatro Plateados, dos de ellos de Grandes Casas. Uno, de la Casa de Laris, es representante nuestro y del territorio de la Fisura. Su atuendo amarillo parece estridente en tiempo de guerra. Otro de ellos es el exgobernador Cyrus Welle, un anciano agobiado por la guerra. Pese a que sus verdes mantos están limpios, parecen desteñidos. Su medallón, un árbol enjoyado, apenas refleja las luces del jet mientras camina. Atrapa mi vista y me dirige una sonrisa más débil que su mentón. *Al menos está aquí,* me recuerdo.

Los otros dos Plateados no son nobles; fueron seleccionados entre los numerosos comerciantes, artesanos, soldados de carrera y otros profesionales que se ofrecieron de las Casas bajas. Naturalmente, son menos reacios a la reestructuración que cualquier noble.

Los demás delegados de los Estados descienden con nosotros de la aeronave y algunos sacuden las piernas para entrar en calor. En casa no hace tanto frío, y la mayor parte de la delegación, en especial los Rojos, nunca habían estado a tanta altura.

Ada Wallace habla en voz baja entre ellos. Tal vez explica lo alto que estamos, por qué el aire es tan pesado y qué efecto tiene en el cuerpo. Con una sonrisa de aliento, insiste en que beban más agua. Aunque apenas la conozco de hace un año, parece una vieja amiga, y una reliquia de una vida distinta. Como Mare, es nuevasangre, una entre los muchos de su especie que reclutamos hace meses. Ahora es más vulnerable que nunca, quizás el miembro más valioso del esfuerzo de reconstrucción de los Estados. Y un auténtico alivio. Alguien que me conoce como algo más que sólo un rey sin corona.

No como los Plateados. Aun cuando me alegra que algunos nobles de las Grandes Casas trabajen con nosotros, no bajo la guardia a su alrededor, sean Welle, Laris, Rhambos o cualquier otro. Ni siquiera con mis primos de la Casa de Lerolan. Sería un idiota si pensara que están aquí porque creen en la igualdad de sangre y no porque saben que, de lo contrario, perderían todo intento de lograr que Norta vuelva a ser como fue. Porque saben que ésta es la única manera de mantenerse a flote.

No puede decirse lo mismo de la Secesión, los Plateados de Norta y la Fisura que se niegan a la reconstrucción. Un dolor conocido punza detrás de mis ojos cuando pienso en ellos, tantos nobles poderosos en contra nuestra. Es probable que no estén bien organizados ni posean una ventaja numérica, pero son fuertes, tienen recursos y cuentan con el respaldo de la comarca de los Lagos. Este peligro no puede sino crecer, y sé que lo hará si ellos se unen del modo indicado.

Esta guerra dista mucho de haber concluido, y mi deber de haber llegado a su fin.

La dura verdad me fatiga, incluso después de la siesta durante el vuelo. Pese a la posibilidad de ver a Mare de nuevo, de pronto no quiero más que desplomarme en la habitación que me asignen y dormir hasta el día siguiente, algo que, de cualquier forma, nunca he sido capaz de hacer.

No duermo bien, no lo he hecho desde que murió mi padre. *Murió*. Todavía tengo que recordar que debo decir *Murió*, no *Lo maté*. Lo hizo Elara, no yo. Aun si lo sé, eso no altera lo que veo cada noche en mi mente. No existe una cura para lo que me aqueja. No es como Mare. Que haya alguien más en la habitación no me tranquiliza. Esté quien esté en mi cama, las pesadillas llegarán.

Éste fue el último lugar donde la vi, murmura mi mente. Intento no acordarme de eso. Mare se despidió de mí en esta pista. Me dijo que no la esperara, que necesitaba tiempo. Y aunque lo comprendo, todavía me duele pensar en eso.

Por suerte, se acerca el comité de recepción de la República. Será una distracción fácil de los obsesivos recuerdos.

Una mirada rápida me indica que el premier no ha venido a recibirnos. No me sorprende. Los representantes de la Guardia Escarlata se encuentran ya en la ciudad, y él debe estar reunido con los enviados, sean quienes fueren. Farley es una de ellos, sin la menor duda. Por nada del mundo se perdería los siguientes días. Entonces peleará con las palabras tanto como lo hizo con las armas.

En sustitución de Davidson, el funcionario Radis, Plateado de Montfort, espera junto a los transportes listos para llevarnos a la ciudad. Lo acompaña media docena de integrantes de la Asamblea Popular, tanto Rojos como Plateados, y quizá nuevasangres también.

Me saluda con un firme apretón de manos que me recuerda sus afiladas uñas. En su calidad de antiguo Señor de Montfort, antes del derrocamiento de la monarquía, mantiene una enorme influencia entre los Plateados de mi país. Lo presento para que encante a los demás. *Que vean que el futuro no es tan desolador como suponen.*

Así ha sido en los últimos meses. Sonrisas y cumplidos forzados para obligar a que hombres y mujeres que preferirían morir a sentirse inferiores lleguen a alguna clase de entendimiento. En cierto modo, fingir es más cansado que guerrear. Antes entrenaba para mantenerme alerta, concentrado y en forma. Ahora lo hago como un alivio, raro hoy en día. Por absurdo que parezca, desearía regresar a la batalla real. Al menos la guerra me resulta inteligible.

Debería ser bueno para la diplomacia. Se me educó para gobernar. Fui rey. Pero esto escapa casi por completo a mi comprensión, o a mi deseo.

Mientras las presentaciones prosiguen, Julian advierte mis ojos velados y mi menguante energía. Posa una mano en mi hombro para darme aliento. Y permiso de ir a ver.

Me rezago, escucho ocasionalmente, sonrío si es preciso. Al momento en que mi estómago gruñe, casi con tanta fuerza como una turbina de avión, intercambiamos fáciles risitas forzadas. Incluso los Rojos, todavía recelosos de nosotros, lo cual es comprensible, esbozan sonrisas.

—Temo que se perdió el desfile de cenas de Carmadon de esta noche —dice Radis. Su ralo cabello rubio resplandece bajo las luces del campo de aviación.

La mención de la cocina de Carmadon me recuerda que me muero de hambre. No como tanto como quisiera, y no debido a las raciones, sino porque no hay tiempo.

—La invasión de cocinas no me es extraña, señor —respondo con una sonrisa falsa.

Baja la cabeza y hace señas a los transportes en espera.

—¿Nos vamos? Estoy seguro de que están impacientes por instalarse —mira por encima de mi hombro y se dirige al resto—. Para mañana hemos organizado un paseo por la ciudad, si les interesa, seguido por el consejo…

Me desconecto. Esta parte del espectáculo no es para mí. Un paseo. Como el propio Radis, el paseo es otro elemento de persuasión, en especial para los Plateados. En Monfort les agrada mostrar cómo podría ser la reconstrucción, las maravillas que es posible derivar de unos años difíciles.

En cuanto a mí, mañana tendré que estar en reuniones: reuniones, reunión durante la comida, reuniones, cenar y descansar. La Guardia Escarlata, la República, los Estados de Norta. El premier Davidson y la Asamblea Popular, Farley y sus oficiales. Presentaciones y peticiones de todos, yo incluido. Recuerdo mis visitas previas, en las que vivimos de café y miradas furtivas al otro extremo de la mesa de roble. Discutimos de todo, desde la asistencia a refugiados hasta el entrenamiento de los nuevasangre. *Ahora hay que multiplicar eso por las docenas presentes aquí. Y añadir a Mare a la ecuación.*

Un dolor de cabeza estalla en mí con toda intensidad mientras me sumerjo en el terror.

Primero come, Calore. Un paso a la vez.

Está muy oscuro cuando nuestros transportes llegan a la finca, después de seguir por Ascendente una enrevesada ruta a la finca del premier. Sé que Radis y el personal de transporte recibieron la instrucción de mostrar la ciudad a la caída de la noche: las luces, el lago, las altas montañas contra las radiantes estrellas. En comparación con Norta, con sus urbes rodeadas por ciudades tecnológicas ahogadas por la contaminación, las fincas Plateadas separadas del mundo y las pobres y polvorientas aldeas Rojas, esto debe parecer un sueño. Los delegados Rojos, en particular, abren mucho los ojos cuando los transportes se detienen en el patio de la finca y miran el palacio de columnas y piedra blanca. Incluso los Plateados nobles se muestran impresionados, aunque Nanabel mantiene los ojos fijos en su regazo. Hace cuanto puede por comportarse.

Abajo, el aire frío es una bienvenida bofetada a los sentidos. Impide que agarre a la primera persona que veo y le pregunte por cierta electricona que podría estar o no dentro. Esta vez soy yo quien agarra del brazo a Nanabel, no para que se apresure sino para calmar mi corazón.

Palmea mi mano con suavidad. Pese a todo lo que he hecho, todas las decepciones que le he causado, aún me quiere.

—Ve a comer algo —dice entre dientes—. Y consígueme una copa.

—Sí —murmuro.

El vestíbulo de la finca es un hervidero de actividad, lo cual no es de sorprender. La finca del premier debe estar llena hasta los topes con las delegaciones de la Guardia Escarlata, los Estados y todas las agrupaciones intermedias. Supongo que otras deberán ser hospedadas en la ciudad. La finca no es tan grande como el Palacio del Fuego Blanco, que de cualquier manera no habría albergado a la corte de Norta en su totalidad si hubiese sido necesario.

El súbito recuerdo de mi antiguo hogar me mortifica, aunque no tanto como antes. Al menos, ahora hago algo más importante que mantener una absurda monarquía.

Una representante de la Asamblea Popular se une a Radis en el centro del vestíbulo, con un traje de un color verde tan oscuro que podría ser negro. Su cabello es blanco hueso, su piel morena y su sangre roja, a juzgar por el vívido rubor bajo sus mejillas. Mientras se presenta como la funcionaria Shiren y se disculpa de que la reunión del premier se haya prolongado, intento recordar el camino más directo a la cocina de Carmadon.

Aparecen unos sirvientes que conducirán a sus habitaciones a los miembros de nuestra delegación, a quienes alejan en grupos muy específicos. Arrugo la frente cuando me percato de que se separa ostensiblemente a Rojos y Plateados. Es una maniobra torpe, en mi opinión. Para que la reconstrucción surta efecto, para que la igualdad de sangre arraigue en Norta, debemos hacer todo lo posible por convertirla en norma entre nosotros. Quizá piensen que esta división será menos ofensiva para mis nobles, pero yo no podría discrepar más. Me trago el impulso de objetar. Ha sido un día demasiado largo. Buscaré con quién hablarlo después.

—Oficial Calore, mi señora —un sirviente se inclina ante nosotros. El título, nuevo como es, no me incomoda en absoluto. Me han llamado de peores formas. "Tiberias", por ejemplo. Y ésta suena bien. Me sienta mejor que "su majestad".

Asiento en respuesta al mozo, quien reacciona igual:

—Estaré encantado de mostrarles sus habitaciones.

Inclino la cabeza hacia el viejo, ataviado con un pulcro uniforme verdegrís.

—Si me dice dónde se encuentran, los alcanzaré. Quería buscar algo de comer…

—No será necesario —me interrumpe con hábil cortesía—. El premier y su esposo han dispuesto que se sirva una cena en sus habitaciones. Al señor Carmadon no le gusta que se desperdicien sus finos platillos.

—¡Claro! —desde luego, no quieren que ninguno de nosotros husmee por todas partes. Ni siquiera yo.

Nanabel se tensa a mi lado y levanta la barbilla. Supongo que se negará. Nadie le da órdenes a una reina, en funciones o no. En cambio, sólo frunce los labios en una sonrisa.

—Gracias. Guíenos entonces.

El sirviente asiente agradecido, nos indica que lo sigamos y rodea a Julian y a Sara. Espero que mi tío proteste como yo, en su caso con la ilusión de visitar la inmensa biblioteca, no las cocinas. Para mi sorpresa, titubea un segundo antes de seguir el paso al resto de nosotros, con el brazo de Sara en el suyo. Los ojos de ella abarcan la vasta mansión a su alrededor. Ésta es su primera visita y se guarda sus opiniones, quizá para compartirlas con Julian más tarde. Muchos años de silencio son un hábito difícil de abandonar.

Aunque mi abuela y yo no pertenecemos más a la realeza de otra nación y yo soy apenas algo más que un soldado, el premier nos aloja a todos en la estructura principal de la finca, en una espléndida estancia de habitaciones verdes y oro que se desprenden de un salón privado. Imagino que quiere fascinar a Nanabel con sus galas y tenerla feliz en los próximos días. Como yo, ella es determinante para la relación con los nobles Plateados que ayudarán a la reconstrucción. Si una vista agradable y unos sillones con tapices de seda le sirven de algo, que así sea.

La verdad es que yo preferiría que se me alojara en el cuartel, metido en una litera con un comedor cerca. Pero tampoco diré que no a una cama de plumas.

—La cena se servirá dentro de unos minutos —dice el mozo antes de cerrar la puerta y dejarnos solos.

Cuando cruzo hacia la ventana y aparto las cortinas, descubro que ofrece vistas a una terraza en lo alto de la ladera, un bosque de pinos negro azabache. El rugido de los transportes retumba en mis oídos al tiempo que recuerdo el anhelo de escalar los picos.

Nanabel lanza una mirada aprobatoria a la decoración, en especial al pulcro y bien provisto bar, dispuesto en la pared del fondo, bajo un espejo con un marco dorado. Sin perder tiempo, se sirve una abundante copa de whiskey color caramelo. Toma un trago antes de servir tres copas más.

—Me sorprende que tu amigo no haya venido a recibirnos —le tiende la primera a Sara y la otra a Julian, en quien detiene la mirada—. Intercambiaron tantas cartas que pensé que se tomaría al menos el tiempo para saludar.

Mi tío es difícil de engatusar y sólo sonríe ante su copa. Toma asiento en el largo sofá y se acomoda junto a Sara.

—El premier Davidson es un hombre ocupado. Además, habrá mucho tiempo para una conversación intelectual después de la fiesta.

Me giro desde la ventana, con el ceño fruncido. Me invade el temor de dejar a Julian, aunque sea por poco tiempo. Cojo la última copa de la barra y sorbo despacio. Sabe a humo líquido.

—¿Cuánto tiempo pensáis permanecer aquí? —golpeteo un dedo contra el cristal.

Junto a él, Sara se reacomoda y sorbe su licor. Ha tenido su justa ración de reinas Plateadas dominantes y no tiembla bajo la imperiosa mirada de mi abuela.

—No lo hemos decidido todavía —contesta.

Nanabel resopla y arruga la nariz.

—Es una extraña época para tomarse unas vacaciones.

—El término correcto es luna de miel —Julian busca con movimiento parsimonioso la mano libre de Sara y sus dedos se entrelazan—. Nos gustaría casarnos aquí, con discreción y prontitud. Si todos estáis de acuerdo.

Si todos estáis de acuerdo. Al principio, mi abuela ríe, pero sus labios se extienden después en una sonrisa sincera.

En cuanto a mí, siento que mi rostro podría partirse en dos de sonreír tan ampliamente y sin reservas. La felicidad no me ha visitado con frecuencia en los últimos meses y me llega ahora. Atravieso la habitación y los abrazo a ambos, casi a riesgo de derramar todas las copas.

—¡Ya era hora! —le digo a Julian en un susurro.

—Así es —refunfuña Sara con brillo en la mirada.

Cuando llega la cena, no es de sorprender que sea maravillosa, otra muestra de la prosperidad de la República Libre. Hay filete de bisonte, desde luego, además de trucha fresca, salmón, patatas fritas, tres tipos de verduras al vapor, una sopa cremosa y pan recién horneado, seguidos por arándanos y crema como postre, y un té de madreselva. Estos alimentos proceden sin duda de cada rincón de la República, desde Ascendente hasta la costa noroeste, cubierta de montañas y un océano extranjero. Todo ha sido preparado a la perfección. Seguramente, el resto de la delegación de Norta recibió el mismo trato en sus habitaciones, en especial, los nobles Plateados. Durante el vuelo se quejaron expresamente del estado actual de sus cocinas, dada la nueva libertad de los Rojos para emplearse donde les plazca y la escasez, producto de la guerra. Un par de buenos banquetes en la República podrían ser justo el tipo de persuasión que requieren.

Entre el whiskey y la sustanciosa cena, Julian, Sara y Nanabel se retiran pronto a sus aposentos y me dejan frente a la desordenada mesa. Es un campo de batalla de platos y copas vacías, migajas de pan y cuchillos y tenedores manchados de salsa como espadas ensangrentadas. Esto hace que se me erice el vello. Aunque es indudable que un sirviente retirará las sobras durante la noche, no puedo evitar poner un poco de orden. Como intento no hacer ruido mientras apilo los trastos, el proceso se prolonga.

Da a mis manos algo que hacer, y a mi mente algo en lo que concentrarse que no sea ella.

Julian desea casarse aquí porque aquí está todo lo que valora. Yo mismo, el premier y Mare. Sabe que ella vendrá a la gala, si no es que ya está aquí. Davidson debe haberlo mencionado en sus cartas, entre cavilaciones largamente rumiadas sobre los archivos de Montfort en Vale o la Montaña del Cuerno. *Por cierto, su antigua alumna estará de vuelta en la ciudad. Más vale que la atrape antes de que se pierda en el bosque de nuevo.*

Aunque el último plato hace ruido al caer, no se rompe.

Debería acostarme. Estoy muerto de cansancio y debo estar alerta en los días por venir. Pero en lugar de dirigirme a mi habitación, salgo a la terraza, donde mi respiración despide un vaho brumoso a causa del frío. Soy caliente por naturaleza, y mi aliento casi parece vapor.

Si de verdad Davidson quiere impresionar a los nobles, bastaría que les dijera que mirasen el cielo.

De hecho, ni en mi país ni en ningún otro he visto algo parecido a las estrellas que brillan sobre estas montañas. Aun con la interferencia de la luz de la ciudad, son magníficas, fulgurantes e ilimitadas. Inclinado sobre la balaustrada de la terraza, estiro el cuello para mirar por encima de los árboles. La luz de la finca cubre una sección reducida del bosque, apenas ilumina las primeras hileras de los pinos antes de que sus ramas se doblen en la oscuridad. El cielo es todavía más impresionante contra la cumbre, carente de vegetación, con las primeras nieves que titilan bajo las estrellas.

Comprendo el motivo de que la gente quiera quedarse aquí. Pese a sus grandes contribuciones al esfuerzo bélico en el este, Montfort no ha sido tocada todavía por ninguno de los estragos que he visto. Es un paraíso en comparación con el infierno del que vengo. Aun así, es un paraíso pagado con otra guerra, derramamiento de sangre y más esfuerzo del que soy capaz de concebir. La República Libre no fue así siempre y aún está llena de defectos, al parecer muy bien ocultos.

Si yo fuera lacustre, podría encontrar consuelo en este momento en pedir orientación a un dios distante, una bendición, para conseguir hacerles ver a todos lo que puede lograrse con voluntad y oportunidad. Pero no creo en ningún dios y nada pido.

Mis manos descubiertas se entumecen; el frío tiene ese efecto incluso en alguien como yo. No me molesto en agitar mis brazaletes para que flameen. Me iré a descansar dentro de unos segundos. Sólo necesito una bocanada más de tonificante aire fresco, y otra mirada a las estrellas, infinitas como el futuro.

Dos pisos abajo, a veinte metros quizás, alguien tiene la misma idea que yo.

La puerta cruje un poco sobre viejas bisagras al tiempo que ella sale al aire helado y tiembla. Procura cerrarla con suavidad, como si no quisiera despertar a nadie. Su terraza es más grande que la mía, desplegada en la esquina que da a la ciudad. Permanece en los contornos más oscuros, mira los árboles mientras se cubre los hombros con una manta. Su cuerpo es menudo y esbelto, sueltos sus movimientos, con una gracia letal. Más propios de una guerrera que de una bailarina. Las débiles luces de una durmiente mansión no bastan para iluminar su rostro. No necesito que lo hagan. Pese a la distancia y la penumbra, lo sé.

Aun sin su relámpago, Mare Barrow consigue sacudirme.

Levanta al cielo la barbilla y la veo como la encontré en esa repugnante habitación, rodeada de sangre roja y plateada. Había roca silente en torno suyo. Estaba tendida, con el cabello húmedo y revuelto, y los ojos cerrados contra el resplandor. Junto a ella, Maven tenía los ojos abiertos, tan azules, tan amplios, tan vacíos. Estaba muerto, y pensé que también ella se había marchado. Pensé que había perdido a ambos, que había perdido a uno a manos del otro por última vez. A mi hermano le habría gustado eso. La tomó en una ocasión y se la habría llevado para siempre de haber podido.

Me avergüenza decir que lo toqué primero a él. Su muñeca, su cuello, en busca de un pulso que ya no estaba ahí. Estaba frío.

Pero ella estaba viva, aunque su respiración era débil, menos audible a cada segundo.

Ahora respira de manera uniforme, con diminutas exhalaciones rítmicas que emiten nubes como las mías. Parpadeo, esperando ver más de ella. ¿Se encuentra bien? ¿Ha cambiado? ¿Ya estará *lista*?

Es inútil. Está muy lejos y las luces del palacio son demasiado tenues para hacer más que perfilar su arropada figura. No se encuentra tan lejos para no escucharme si le grito, y no me importaría despertar a media finca. Aun así, mi voz se extingue en mi garganta, la lengua me pesa. Guardo silencio.

Hace dos meses me pidió que no la esperara. La voz se le rompió cuando lo dijo, de la misma manera que mi corazón cuando lo oí. No me habría importado que se fuera si no me hubiese dicho eso. *No me esperes.* La implicación era clara. *Sigue adelante si lo deseas. Con alguien más, si así lo quieres.* Dolió entonces como duele ahora. Jamás le diría tal cosa a una persona a la que amé y necesité. No a ella.

La balaustrada se calienta bajo mis manos, bien apretadas ahora y rebosantes de calor.

Antes de que haga una tontería, giro y abro de golpe la puerta, que cierro despacio detrás de mí, sin hacer ruido.

La dejo contra el bello lienzo de las estrellas.

TRES
Mare

Antes de abrir los ojos, me olvido por un momento de mí. Dónde estamos, qué hacemos en este lugar. Pero entonces regresa. La gente que nos rodea, y la persona que no me dirigió la palabra anoche. *Me vio, lo sé. Estaba en el balcón igual que yo, miraba las estrellas y las montañas.*

Y no dijo una sola palabra.

El dolor me golpea como un mazo en el pecho. Muchas posibilidades pasan en mi cabeza, demasiado rápido para que mi conciencia las desentrañe. Y todas retornan a su silueta, una sombra contra el cielo nocturno cuando se marchó. *No dijo una sola palabra.*

Yo tampoco lo hice.

Obligo a mis ojos a abrirse, bostezo y me estiro para dramatizar. Mi hermana ya se preocupa demasiado por mí para añadir mi congoja a su lista de aflicciones. Compartimos aún una habitación, a petición mía. No he intentado dormir sola en varios meses y no comenzaré a hacerlo ahora.

Por una vez, no me reprende. En cambio, se detiene frente a sus utensilios de costura y los contempla con mirada seria.

—Dime en qué te ofendió el hilo, hermanita —bostezo en verdad.

La vista iracunda que vuelve hacia mí hace que olvide en el acto todas mis preocupaciones.

—Tengo un problema —dice—. La fiesta ocupará la mayor parte de mi tiempo, con todo lo que Bree, Tramy, Kilorn, Farley, tú y la mitad de la gente que conozco me suplica que le fabrique.

Muy a mi pesar, sonrío. Sabía que no dejaría a Bree en la estacada. Gisa ladra pero no muerde.

—Dime en qué te ayudo —saco los pies de la cama. El suelo de madera es frío y me pongo a buscar de inmediato mis calcetines entre las sábanas.

Pese a que no nos mudaremos a nuestra nueva casa esta semana, Gisa ya insiste en hacer el equipaje. O, en realidad, en recolocar lo poco que ya está en las maletas.

Sacude la cabeza.

—No te distingues precisamente por tu aptitud para organizar.

Por más que protesto, no se molesta en discutir, sólo apunta hacia mis calcetines dispares. Uno es verde y raído; el otro, de gruesa lana negra. Cierro la boca con un chasquido.

—Además —aún sonríe a causa de mis pies y meneo un dedo en su dirección—, tienes tus propias preocupaciones y una agenda mucho más apretada que la mía. No envidio tus reuniones —señala la caótica pila de papeles que hay en mi mesita de noche.

Me quedo dormida cada vez que leo el resumen de los acuerdos y la orden del día de la delegación, con la cabeza revuelta por los detalles del comercio de Montfort, las movilizaciones de la Guardia Escarlata, la reconstrucción en Norta y el funcionamiento general de la alianza. Intento no pensar en eso ahora. Es muy temprano para que me duela la cabeza, aunque es un hecho que así será para el momento en que concluya la primera reunión de esta mañana.

—Deja que nosotros nos ocupemos de la ropa y los preparativos de la mudanza —apunta hacia el apartamento y su mensaje es claro: los Barrow se encargarán aquí de todo lo que puedan, así como de darme el espacio que necesito para salir ilesa de los días siguientes.

No sabe que ya empezó lo peor.

Con un suéter a medio poner sobre la cabeza, le doy un fuerte abrazo. Finge que se resiste y sonríe.

—¿Cambiamos? —gimoteo—. Yo haré camisas y tú soportarás los parlamentos.

—¡Por supuesto que no! —se aparta—. Ahora vístete como la gente decente. Farley te espera en la sala, por cierto. Viene de uniforme y todo eso.

—¡Qué buena oportunidad! —me pongo unos pantalones oscuros, ni siquiera me molesto en buscar un uniforme escondido en nuestro armario. Mis recuerdos de la tela roja, tensa y rígida son castigo suficiente, por no mencionar que calculo que me vería fatal de esa manera. No es lo que desearía llevar puesto cuando me encuentre con Cal. Si acaso quiere verme algún día.

Pese a que mi hermana no lee la mente, mis pensamientos no son difíciles de adivinar. Me examina con una ceja levantada y me hace señas para que camine.

—¡No, no, no! El premier te dejó algo de ropa justo para que a tu regreso no tuvieras la apariencia de una rata de río.

Suelto una risa, sé *exactamente* cómo es una rata de río. Estoy lejos de ser esa chica ahora.

—¡Este suéter ni siquiera tiene agujeros!

Saca sin pestañear toda clase de prendas de nuestro armario compartido. Para mi alivio, los trajes son más insulsos de lo que esperaba y no hay vestidos a la vista. Aunque me emociona arreglarme para una cena de gala, pasar el día entero en reuniones sofocada dentro un vestido de noche no es algo que desee.

Gisa inspecciona la ropa con mirada de costurera, conjuntos en tonos oscuros de rojo, verde, azul, púrpura y gris. En cuanto decide por mí, me pregunto si no estará destinada también a la política.

—El púrpura es neutral —tiende el correspondiente traje—. Indica que eres aliada de todos y no perteneces a ninguna facción.

Es la selección perfecta. Aunque no olvido el juramento que hice a la Guardia Escarlata, tengo causas que apoyar en Montfort y los Estados de Norta. Mi nuevo hogar y el antiguo.

El orgullo que siento por mi hermana rebosa en mi pecho. Deslizo un dedo por el suave terciopelo de la chaqueta púrpura con ribetes de oro.

—Tengo una historia con este color —recuerdo a Mareena Titanos y la máscara de una casa Plateada.

Asiente, sus ojos vuelan entre mi ropa y yo.

—¡Me alegro de que te siente bien!

Me ayuda a ponerme los ajustados pantalones de terciopelo, las botas y la blusa de cuello alto antes de deslizar la chaqueta por mis brazos. Chasquea la lengua a causa de la longitud de las mangas, algo largas para mi cuerpo, pero no encuentra más defectos. Por último, cepilla y peina mi cabello en una larga trenza que se desvanece del marrón al púrpura y al gris.

Lame sus pulgares, me alisa las cejas y retrocedo de un salto.

—¡Ya has hecho todo lo que pudiste, Gisa! —interpongo una mano entre nosotras. Pese a que esto no llega al extremo de las exigencias de la corte en Norta, tampoco resulta agradable. En especial, cuando siento que me muero de nervios y temor.

Hace un mohín con una paleta de polvos de colores en la mano.

—¿No te vas a maquillar?

—¿Farley lo hizo? —cruzo los brazos como defensa.

—¿Lo necesita? —no se le escapa una.

—No... —recuerdo lo hermosa que es ella hasta que capto la indirecta—. ¡Eh!

Apunta sin inmutarse a la puerta de la habitación. Le urge librarse de mí.

—¡En marcha! Ya vas tarde.

—Eso no habría ocurrido si hubieras dejado que me vistiera sola —le espeto.

Me devora con la mirada.

—¿Qué clase de hermana sería si te permitiera llegar ante un rey sin corona con la pinta horrible de los barriobajeros de Los Pilares?

Con una mano en el pomo de la puerta, siento el habitual tirón en el estómago.

—Nuestras vidas serían muy distintas si a él no le encantara en secreto la pinta horrible de los barriobajeros de Los Pilares —replico sin pensar.

Pero recuerdo que él no dijo ni una sola palabra.

Pongo cara larga. Gisa no lo nota, por suerte, ocupada como está en reprimir una carcajada.

En la sala, Farley se levanta de un salto y se ajusta el uniforme. Todavía lo aborrece, prefiere el chaleco antibalas a los cuellos tiesos.

—Se nos hace tarde —son sus primeras palabras desde que me marché con mi familia al norte. Aunque me escribió un gran número de cartas, ésta es la primera vez que nos vemos desde mi partida. Para mi fortuna, su frialdad marcial no invade sus ojos, que se arrugan con una sonrisa oculta—. ¿O quieres evitar lo que será sin duda un día relajado y fascinante?

Llego a su lado con un par de pasos cortos y tiende las manos para abrazarme. Su abrazo es firme, un alivio como ningún otro en este mundo. Me apoyo en ella para extraer algo de resolución de su obstinada energía.

—¿Evitarlo es una opción? —pregunto cuando me aparto para contemplar a la joven general. Está igual que siempre, hermosa y feroz. Quizás incluso más decidida que antes.

—Lo lograrías si quisieras —me reta a que cumpla mis fanfarronerías—. Pero dudo que lo hagas.

Me ruborizo. Tiene razón, desde luego. Ni siquiera un bisonte salvaje podría impedirme que asistiera a las reuniones de la delegación.

Su cabello es tan largo ahora que una trenza cruza su cabeza, como una corona. Le suaviza la expresión, pero no le resta atractivo. Como dijo Gisa, no se molesta en maquillarse ni lo necesita. Diana Farley proyecta una figura imponente en el campo de batalla y en mi sala.

—¿Clara no viene hoy? —busco a mi sobrina y me entristezco cuando no veo ninguna señal de ella.

—Iba a traerla, pero si a duras penas yo aguantaré la reunión, imagínate ella. Además, tus padres me habrían destripado si no la hubiera dejado con ellos. Se la llevaron a los jardines después de desayunar.

—De acuerdo —la ternura me agobia tan sólo de pensar que mis padres juegan en este momento con la hija de Shade, la pasean entre los árboles otoñales y dejan que arranque algunas flores de los acicalados setos de Carmadon.

—Creo que el coronel también está con ellos —añade con voz firme y no dice más.

No pretendo insistir. Su relación con su padre no me incumbe hasta que ella indique otra cosa. Claro que él hace un esfuerzo monumental si prefiere acompañar a su nieta que asistir a las reuniones de la delegación.

—¿Nos vamos? —señalo la puerta. Ya siento el consabido estallido de nervios, mi estómago revolotea frente a la perspectiva de este día.

Farley se adelanta: es buena para liderar. No sabe hacer otra cosa.

—Deberíamos.

La primera reunión es la más concurrida, y apenas puede denominársele reunión. Es casi un circo.

La junta de delegados venidos de todos los rincones de la alianza tiene lugar en la grandiosa biblioteca de la finca del premier, la única sala lo bastante grande para alojarnos cómodamente a todos. Aparte de la Galería del Pueblo, desde luego, pero al premier Davidson no le gusta la idea de utilizar la sala de representantes de su gobierno para una reunión de esta naturaleza. Pienso que tampoco quiere intimidar a los Plateados de Norta. Son un grupo asustadizo, según los pocos informes que leí. Debemos ser atentos con los nobles, no sea que se lancen a los pacientes brazos de la comarca de los Lagos y la Secesión Plateada.

Supongo, en efecto, que ése será el tema más apremiante de los próximos días: la precaria posición de los Estados de Norta y la omnipresente amenaza de las líderes ninfas Iris y Cenra. No pensé mucho en ellas durante mi estancia en la cabaña. Me fue fácil echar de mi cabeza a esas dos y su reino lacustre mientras estaba aislada en el bosque. Aquí no. Casi las siento pendientes de mí, en espera de la oportunidad de atacar.

La biblioteca me desconcierta a mi llegada. Está a medio llenar. Es obvio que no fuimos las únicas que nos retrasamos. Una mirada me indica que la delegación de los Estados no está aquí todavía. *¡Vaya!* Quiero estar lista e instalada cuando Cal llegue, con una expresión de perfección neutral. Justo ahora, docenas de ojos escudriñan mi piel y me siguen las habladurías. No me molesto en desconectarme de ellas. Son inofensivas en su mayoría, palabras a las que estoy acostumbrada. *Mare Barrow, la Niña Relámpago, ha vuelto.* La galería de arriba está vacía, a diferencia de la ocasión anterior, en que rebosaba de oficiales de la Guardia Escarlata. Hace tres meses, el premier y la comandancia de la Guardia planearon aquí nuestro ataque y defensa de Arcón.

Interrogaron a Maven en esta sala. Ésa fue una de las últimas ocasiones en que lo vi vivo. Tiemblo conforme avanzo por la alfombra donde él estuvo, donde escupió veneno incluso bajo interrogatorio. Todavía lo oigo en mi cabeza. "Creéis que no puedo mentir al sentir", dijo cuando Tyton se acercó demasiado. "¿No pensáis que no lo he hecho mil veces?"

Se refirió así a las torturas que su madre le infligía. Yo sabía de eso entonces y aún me atormenta. Lo que ella le hacía cada vez que entraba en su mente... eso era tortura. Era agonía. Y lo trastornó hasta retorcerlo por completo.

Eso creo. Aun así, me pregunto si habría podido hacerse más por él. Si yo... si Cal... si alguien podría haberlo salvado del monstruo en que ella lo convirtió. Como siempre, esta idea me corroe y deja en mi boca un regusto amargo. Tenso la mandíbula. Me niego a vomitar frente a tantas personas. Con gran aplomo, vacío mi cara de toda expresión y levanto la mirada.

Al otro extremo de la sala, uno de los funcionarios de Montfort guarda silencio en su silla, de espaldas a la ventana. Su cabello blanco cintila bajo la luz de la mañana.

Tyton no me quita los ojos de encima cuando paso, e inclino la cabeza en señal de saludo. Los demás electricones no son de tan alto rango como él y no estarán aquí. Dudo que Ella soportara diez minutos de cumplidos siquiera, y menos todavía una hora de rebuscados debates. Preguntaré por ellos más tarde. Tenemos muchas cosas que hacer, tanto en lo relativo a conversaciones como a entrenamiento. Por más que me haya ejercitado en la cabaña, me ablandé durante mi ausencia.

La biblioteca da cabida a tres mesas largas dispuestas en triángulo. El premier Davidson ya está sentado en la suya, flanqueado por oficiales y funcionarios de su gobierno. Llegan más a cada minuto, revolotean en grupos de dos o tres. Me da la impresión de que algunos no deberían estar aquí, sólo tienen curiosidad de presenciar el acto. Su número los convierte sin duda en un espectáculo imponente, alineados todos ellos en sus uniformes militares verdes o su atuendo de políticos. Asistentes y ayudantes se apresuran entre sus filas, tienden documentos y paquetes de información. Un sinnúmero de páginas se apilan frente al premier, quien las ordena cuidadosamente con una sonrisa de labios finos.

A su derecha, Radis le murmura algo detrás de una mano de dedos largos. Avisto al premier mientras paso por su lado e intercambiamos inclinaciones de cabeza. Parece más sereno que la última vez que lo vi, aun en medio del caos que burbujea en torno nuestro. Tengo la sensación de que la guerra frontal no es su campo de mayor experiencia, pese a su habilidad como nuevasangre. Le gusta pelear con tinta más que con pólvora.

No me sentaré con la delegación de Montfort, al menos hoy. Aunque mi familia viva aquí y yo me vuelva ciudadana algún día, pertenezco en primer término a la Guardia

Escarlata. Tomé juramento frente a Farley antes de conocer siquiera la existencia de Montfort y me enorgullece sentarme a su lado en la mesa de la Guardia. Detrás de nosotras, menudean oficiales y diplomáticos de todos los rincones del continente oriental. Cuatro comandantes generales, ella incluida, ocupan el centro de la mesa, serios y uniformados por igual. Proyectan una sombra que intimida.

Con un vértigo de malestar, reconozco que debí haberme puesto el maldito uniforme rojo.

Siento un escalofrío en cuanto veo a Evangeline Samos, sentada sin hablar en segunda fila, resignada a su puesto. La pasé por alto al principio. Aun con su cabello de plata, consigue pasar inadvertida en la delegación de Montfort. Su indumentaria no destella como antes, su uniforme verde oscuro es poco notable, sin insignias ni medallas. A su lado, su hermano ofrece igual aspecto, con la cabeza gacha.

Ella me mira, con sus letales manos enlazadas sobre el regazo.

Casi sonrío al ver sus dedos.

Pese a la sencillez de su vestimenta, sus manos están cargadas de anillos de toda suerte de metales listos para plegarse a su voluntad. Si la conozco bien, esconde otros más en su cuerpo. Aun aquí, en una reunión de diplomáticos, está preparada para cortar cuellos de ser preciso.

Tropiezo con sus ojos de carbón y sonríe sin bajar la cabeza. Antes, esa mirada me llenaba de temor. Ahora ya no. Evangeline es una aliada poderosa, muy a pesar de nuestros inicios. Aunque sé que no corresponderá el gesto, flexiono el cuello y asiento. Ptolemus tiene la decencia de mantener la cabeza gacha, con los ojos apartados de mí. No quiero tener nada que ver con el asesino de mi hermano, aun si se arrepintiera de todos sus pecados.

Mientras observo, Radis se da la vuelta y mira sobre su hombro para susurrarles algo a los hermanos Samos. El siseo es inaudible. La estrecha confianza entre los tres Plateados no irrita al premier. La alianza con ellos se ha afianzado; incluso yo recibí la noticia de la abdicación de los Samos y el compromiso de Evangeline con Montfort.

Todavía los estoy observando cuando la última delegación entra en la biblioteca moviéndose al unísono. La encabeza Ada Wallace, con los ojos fijos en la sala. Mira para todos lados, capta cada rostro y lo consigna en su memoria perfecta. No ha cambiado en absoluto. Conserva su intensa piel dorada, el cabello castaño oscuro y los ojos demasiado bondadosos para todo lo que ha visto y recuerda. En su carácter de representante de los Estados, viste un impecable uniforme negro y porta un botón decorativo en el cuello. Los tres anillos engarzados son fáciles de descifrar: granate por los Rojos, blanco por los nuevasangre y plata por los Plateados. Pienso que nadie mejor que ella podría servir a los Estados de Norta y sus ideales. Mis manos se cierran en el borde de la mesa para mantenerme en mi sitio. Si estuviéramos en cualquier otro lugar, la abrazaría.

Julian Jacos le pisa los talones, lleva un traje modesto pero fino. Verlo libera cierta tensión en mi pecho. Se ve extraño sin sus colores, viste de negro en lugar de su amarillo habitual. Por una vez, su apariencia deslumbra. Está más joven, libre de cargas e incluso feliz. Esto le sienta muy bien.

Los supuestos plebeyos Plateados usan el mismo uniforme y sólo se diferencian de Rojos y nuevasangres por el frío matiz de su piel. Para mi sorpresa, caminan junto a sus homólogos de sangre roja. Dado que son mercaderes, comerciantes, soldados y artesanos, no los separa de los Rojos la misma inquina que a los nobles.

Claro que los nobles de los Estados de Norta no son tan modernos en su indumentaria, aunque también portan el botón. Conozco sus rostros tanto como sus colores: verde de Welle, amarillo de Laris. La información acerca de sus Casas me fue inculcada hace tiempo; me pregunto qué he tenido que olvidar a fin de recordar tanta basura.

Los colores de sus Casas son símbolo suficiente. No se marcharán callada ni fácilmente. Mantendrán su poder —y su orgullo— tanto como les sea posible.

Anabel Lerolan la primera. Seguramente saqueó su joyero para esta ceremonia. Su cuello, muñecas y dedos fulguran con gemas del color del fuego, cada cual más brillante que la anterior, y ensombrecen su botón de los Estados. Creí que vería una tiara sobre su cabeza cana, pero su osadía no llega a tanto. En cambio, porta lo más parecido al poder que le queda.

Avanza del brazo con Cal.

Igual que Julian, a Cal le sienta bien su nuevo aspecto, sin capa, sin corona, sin una profusión de medallas e insignias. Sólo el uniforme negro, el botón circular y el cuadro rojo en el cuello que lo señala como oficial. Su cabello negro vuelve a ser corto, al estilo militar que tan bien le sienta, y se debe de haber afeitado esta mañana. Veo un corte reciente en su cuello. La costra acaba de formarse, la herida exhibe aún sangre de plata.

Tiene unas ojeras profundas. Está exhausto, saturado de trabajo y, como Julian, parece feliz. Siento el celoso e impulsivo arranque de preguntar por qué.

No me mira. *Y no dijo una sola palabra,* recuerdo aún.

Por debajo de la mesa, Farley oprime mi muñeca para darme alivio.

Su tacto me causa tal sobresalto que estoy a punto de arrojar chispas.

"¡Tranquila!", me comunica sin mover los labios.

Farfullo una disculpa, mis palabras se pierden en la algarabía provocada por el arribo de la última delegación.

Como yo, Cal toma asiento en la mesa, en el centro junto a Ada. Siempre le ha gustado estar al frente.

Su abuela y su tío lo siguen. El resto de la delegación se divide de manera uniforme, una mezcla de Rojos y Plateados, nobles que reconozco y plebeyos que ignoro. Un último jadeo se deja oír en la sala. Los nobles son menos fáciles de impresionar y hacen todo lo posible por demostrarlo.

Al premier le tiene sin cuidado cualquier reacción. Entrelaza las manos, es una señal para todos.

—¿Comenzamos?

CUATRO
Cal

No la mires, no la mires, no la mires. Concéntrate, concéntrate, concéntrate.

Estoy tan alterado que casi hago arder mi silla. Incluso mi abuela, más a prueba de llamas que el resto, se aparta, no sea que chamusque algunas de sus sedas preciosas. No podría agenciarse más, no al menos como solía hacerlo cuando era reina.

Si el resto de mi delegación nota mi desasosiego en torno a Mare, tiene el decoro de no apuntarlo. Ada coloca sus papeles frente a ella sin titubear. Están cubiertos de pulcras y meticulosas anotaciones, que versan sobre números de tropas y distancias entre ciudades. No necesita nada de eso. Toda la información ya está en su cabeza. Creo que lo hace porque no desea incomodar a nadie. Después de todo, su habilidad es excepcional, incluso entre los nuevasangre, y en gran medida espontánea.

Pese a las protestas de algunos nobles, ella era la elección obvia para representarnos en la primera reunión.

Ha visto esta guerra desde muchos ángulos y entiende a la perfección el resto, por no mencionar la historia de cualquier revolución y reconstrucción a la que ha podido ponerle las manos encima. En su mayoría, dijo, han sido fallidas, si no es que un fracaso absoluto. Tiemblo al pensar lo que podría suceder si ahora ocurriera lo mismo.

—Sean bienvenidas las honorables delegaciones de los Estados de Norta y la Guardia Escarlata —el premier dirige la cabeza hacia ambas mesas y enlaza las manos frente a él, con una postura abierta. Toda acción de este hombre está calculada—. La delegación de Montfort y mi gobierno les agradecen que hayan viajado hasta aquí para acompañarnos.

—Un viaje muy largo, por cierto —murmura uno de los nobles de Norta, que la cámara ignora cortésmente. Resisto la muy señorial tentación de sacarlo de la sala, ya no tengo poder para hacerlo. Todos somos iguales aquí, incluso quienes no lo merecen. Incluso quienes lo merecen más que el resto.

Aprieto la mandíbula. Es todavía una gran proeza no *mirarla*. Consigo otear sus manos, ocultas bajo la mesa. Farley es un terreno menos peligroso. Sentada con toda resolución junto a Mare, fija en el premier su concentración de hierro. Está enfundada en ese rígido uniforme que detesta, que Mare reemplazó por un terciopelo de color púrpura. Es el tono que vestía como Mareena Titanos. Su hermana debe haberlo elegido, ella no tiene gusto ni paciencia para la moda. Si no fuera por las circunstancias, me reiría de sólo imaginar que Gisa la obligó a ponerse una chaqueta.

La idea de quitársela hace que me sonroje.

Concéntrate, grita mi mente, y el calor flamea en torno a mí.

—¿Podrías abstenerte de hacer eso? —rezonga Julian. La forma en que tuerce la comisura de la boca delata diversión.

—Discúlpame —me excuso.

Uno de los generales de la comandancia de la Guardia Escarlata habla en nombre de su delegación, en respuesta a Davidson.

—¡Desde luego, premier! —reconozco a la general Cisne, la Guardia insiste en usar nombres en clave, incluso ahora—. Agradecemos a su país la hospitalidad.

No tenía otra opción. A pesar de que la Guardia posee algunos territorios, carece de un gobierno central propio, y los Estados de Norta se reconstruyen aún. Además, celebrar reuniones sobre la democracia en el antiguo palacio de un rey daría el mensaje equivocado. Cambiar a un rey por otro y todo eso.

—La delegación de los Estados de Norta coincide —Ada eleva la barbilla hacia el premier.

Mi tío Julian se inclina a su lado y se dirige a la sala.

—Nos alegramos de estar aquí y ver directamente cómo es un país que fue en otro tiempo un reino Plateado.

A mi abuela no le gustan los cumplidos. Aun así, por más que frunce los labios, contiene la lengua. No estoy seguro de que discrepe de su impaciencia. Deberíamos ir al grano, no adularnos unos a otros.

El premier Davidson avanza a un paso glacial. Señala los papeles frente a él, con juegos similares repartidos a lo largo del salón.

—Todos deberían tener los documentos convenidos en nuestras comunicaciones previas.

Casi pongo los ojos en blanco. ¿Quién podría olvidar las *comunicaciones previas*, un vaivén, en gran medida inútil, de posturas en el interior de la alianza? Hubo discusiones acerca de todo, desde el horario hasta la distribución de asientos. De hecho, lo único en lo que todos coincidimos fue en la necesidad de presentar un resumen sobre los avances conseguidos por todas las delegaciones. E incluso en eso, la Guardia se mostró renuente. Ellos se toman las cosas demasiado a pecho para mi gusto, aunque no puedo culparlos por sus dudas. Conozco de cerca la traición Plateada. La ofuscación de la Guardia, de cualquier forma, complica las cosas.

—¿Querría comenzar la delegación de la Guardia Escarlata? —Davidson tiende una mano hacia la mesa respectiva y curva los labios en una sonrisa inescrutable—. ¿Qué puede decirnos sobre su progreso en oriente?

Farley se inclina con el rostro tenso. E irritado.

—Se han hecho progresos —habla en nombre de la Guardia. Los otros generales miran, satisfechos.

Mientras los demás aguardamos expectantes una verdadera explicación, ella se recuesta en su silla con la boca fruncida. A su lado, Mare se muerde el labio, mirando al suelo. Intenta contener la risa.

Aprieto los dientes. *Farley...*

Davidson pestañea impertérrito.

—¿Podría profundizar, general?

No está dispuesta a ceder.

—No en un foro abierto.

—Éste dista de ser un foro abierto —mi abuela apoya las manos sobre la mesa y casi se pone en pie, presta a discutir. Por si acaso, estiro una mano y agarro el bies de su ropaje de seda bajo la mesa. Es una anciana, sí, pero tiraré de ella si es preciso. Julian se tensa al otro lado. Nanabel insiste, sin alterar la voz—: ¿Cómo es posible que cumplamos lo que pretenden si ustedes se niegan a compartir información? Nuestras delegaciones han sido seleccionadas con esmero, cada uno de los presentes está consagrado a esta alianza y a nuestras naciones.

En el otro extremo de la sala, la Guardia Escarlata se mantiene resuelta y solidaria. La general Cisne y los demás oficiales no se inmutan bajo la mirada de una antigua reina y poderosa olvido. Farley consigue responder incluso sin hablar. Sus ojos aletean un instante sobre los demás nobles Plateados en nuestra mesa, quienes se petrifican bajo su mirada y afrontan ansiosamente su reto. Me pregunto si no sólo debo preocuparme por Nanabel. Impedir una gresca entre Diana Farley y un excaballero Plateado no ocupa hoy un sitio en mi lista de tareas pendientes.

El sentido de la acción de Farley es tan claro como el cristal. Duda de los Plateados en la sala, los mismos nobles que la habrían ejecutado meses atrás si se les hubiera dado la oportunidad de hacerlo. Algunos todavía lo desean, en efecto, a juzgar por la dureza en su mirada.

Para mi sorpresa, Ada es una de las primeras en actuar. Con ojos escrutadores, coge una página de su pila de documentos.

—No es necesario que la Guardia nos comunique sus progresos. Tenemos información más que suficiente para conocerlos.

Mare se queda boquiabierta.

—¿Ada...?

Ésta prosigue, con palabras como fuego granado.

—De acuerdo con las fluctuaciones de embarques y movimientos de tropas en la comarca de los Lagos, la alianza ha combatido en la frontera, a lo largo del río Ohius. Y si los recientes patrones comerciales de los contrabandistas ribereños son una indicación, se han servido de ellos para transportar recursos y personal dentro y fuera de Sanctum. Éste ha sido un tráfico intenso de la Guardia, mayor que el usual en otras ciudades y sólo igualado por los patrones que observé en la base de las Tierras Bajas que alguna vez tuvieron en su poder. Creo que tomaron esa ciudad lacustre hace tres semanas y la emplean como base de operaciones en el sureste de la comarca de los Lagos, lo que les permite cooperar con los Ribereños de los territorios en disputa, por no hablar de las noticias que escuchamos de la Ciudadela de los Ríos.

El silencio subsecuente es ensordecedor. Ada gira otra página con un movimiento tan delicado como el batir de las alas de un ave.

—Esa fortaleza lacustre se asienta en la confluencia del Ohius y el Río Grande, con rápido acceso al cauce del Tanasiano en las Tierras Bajas. Ésta es una importante sede militar que ofrece servicio tanto a la armada fluvial lacustre como a su ejército de tierra. O lo fue al menos hasta que fue ocupada, ¿hace dos días, quizás? Esto fue lo que pude deducir del súbito despliegue de soldados lacustres que se movilizaron río arriba, así como del cese de comunicaciones lacustres con la Ciudadela.

El calor que despido nace del orgullo, no del sobresalto. Podría abrazar a Ada. En verdad, podría hacerlo. Claro que todo esto estaba en nuestros informes, con base en la inteligencia compartida de Montfort, nuestros agentes en la región e incluso simples noticias de ciudadanos residentes en la frontera. Pero sólo ella habría podido unir los puntos de forma tan perfecta y completa. ¡Es tan brillante! Si yo todavía tuviera fe en la realeza, ella sería una reina temible.

Y aunque esto no es una corte, hago lo posible por sondear la biblioteca del modo en que lo haría en la sala del trono. Pese a que los generales de la Guardia permanecen congelados, sus ayudantes intercambian miradas de preocupación, e incluso murmullos. Me fuerzo a mirar a Mare, la máscara que mantiene tan fija. No mueve el rostro, pero mira de soslayo a Farley. No tiene idea de si algo de lo que ha dicho Ada es cierto. Supongo que en su retiro no dedicó mucho tiempo a examinar los informes de guerra. *¡Clásico!*, casi río.

La joven general es mucho más fácil de descifrar. Entrecierra los ojos y forma con la frente una conocida flecha de irritación. Ada evita desafiante su seria mirada, aunque un rubor asciende por sus mejillas. Fue muy valiente de su parte haber dicho todo eso. Tal vez lo siente incluso como una pequeña traición.

—No la ocupamos —dice Farley con frialdad—. La destruimos.

Otra fortaleza Plateada en llamas destella en mi cabeza. Las llamas son mías, aniquiladoras, dejan cenizas a su paso. Le devuelvo la mirada a Farley. Sé en qué consiste demoler pieza por pieza una ciudad.

—Igual que Corvium —exhalo.

—Menos que defender para nosotros, menos que recuperar para ellos —sus palabras son cuchillos arrojados en todas direcciones—. Y menos monumentos Plateados a la memoria del exterminio Rojo.

Farley ha sido siempre el perro de ataque de la Guardia Escarlata, y hoy cumple bien su papel. Los Rojos de mi delegación la miran con orgullo. Los nobles Plateados dejarían la sala en señal de protesta si no les resultara inconveniente.

—¿Puedo recordarle que hay Plateados en la delegación de Montfort? —mi abuela lanza el anzuelo de nuevo, ansiosa por perturbar. Agita una mano arrugada hacia la mesa del premier y a los dos hermanos de cabello de acero sentados detrás de él.

Evangeline y Ptolemus tienen el mismo aspecto que el día de su abdicación, esconden sus nervios detrás de una pantalla de frío desapego. Ambos visten de verde con ribetes de metal, acero en el caso de Evangeline, cromo en el de su hermano.

Radis se mueve para ocultar de la vista a los vástagos de la Casa de Samos. Golpetea la mesa con sus largos dedos. Una comisura de su boca se eleva en una sonrisa feroz, que deja ver un destello de su dentadura.

—¡Y hemos demostrado nuestra lealtad a la República, Lady Lerolan! —dice con voz grave. Este hombre también fue miembro de la realeza y, como muchos otros de los presentes, renunció a su corona—. Ustedes están haciendo lo mismo hoy en día.

Cierro un puño bajo la mesa y entierro las uñas en mis palmas. He tenido más que suficiente de esta simulación desde cada rincón de la sala. No son más que una inútil pérdida de tiempo y energía.

—¡Disculpen! —me levanto de mi asiento, porque lo menos que puedo hacer es impedir que Radis y mi abuela se desgarren las vestiduras a propósito de los grandes sacrificios Plateados—. Sé que me aparto del orden del día, pero sólo disponemos de esta semana y debemos concentrarnos en el tema.

Radis vuelve hacia mí su desdén. No es nada en comparación con aquel al que estoy acostumbrado.

—¿Y qué cree que es esto, oficial Calore?

Si dicho título pretende herir, no lo logra. *Es mejor que "su majestad"*.

Me enderezo bajo su escrutinio y me yergo. Pese a que soy más útil en el campo de batalla y la pista de entrenamiento, hablar frente a una sala abarrotada no me es ajeno.

—Montfort está bien defendida. La Guardia Escarlata es ágil, y militarmente apta. En estas condiciones, los Estados de Norta son el eslabón más débil de esta alianza, el bajo vientre. Intentamos reconstruirnos lo más rápido que podemos, pero incluso en las mejores circunstancias nos llevará años. Ustedes lo saben —señalo con una mano gentil a la delegación de Montfort—. Ya lo hicieron, y lo hicieron bien.

El premier otorga una leve inclinación.

—Aunque siempre es posible hacer mejoras, sí, hemos hecho cuanto podemos por edificar nuestra República.

Es un hombre razonable y amigo de Julian. Si alguien comprende nuestro aprieto, es él.

—Tratamos de hacerlo todo al tiempo que un hacha pende sobre nuestras cabezas —aun aquí, en una biblioteca aséptica, percibo la amenaza de otra guerra, y la sensación baja por mi cuello como un fantasma—. La comarca de los Lagos se reagrupa, las reinas ninfas retornarán, y cuando lo hagan encontrarán un país apenas capaz de alimentarse, ya no hablemos de enfrentar una avanzada militar durante el invierno.

Sin desviar la vista, Davidson extrae de sus papeles una hoja que no puedo leer desde donde estoy. No muestra asombro.

—¿Tiene alguna sugerencia?

Tengo demasiadas. La lista retumba en mi cabeza, veloz como metralla.

—Tenemos que estabilizar pronto la economía, el tesoro nacional…

Radis cruza los brazos.

—¿El tesoro de qué nación, exactamente? ¿De la de su hermano?

Hago cuanto puedo por contener mi reacción, mantengo un rostro quieto e inexpresivo. Mi corazón aún llora al hermano que perdí. Al otro lado de la sala, Mare se revuelve en su asiento con la mirada distante.

—No, de mi país —replico con voz pétrea. Cualquiera que haya sido la corte en la que Radis creció, no estaba regida por la etiqueta como la mía—. Todo lo que se asienta en las bóvedas de Arcón pertenece a nuestro pueblo ahora.

Desde la Guardia, el general Tambor ríe sin recato. Su cara redonda se recubre de carmesí por el esfuerzo.

—Así que lo han distribuido equitativamente entre los Rojos, ¡qué encanto!

Aprieto la mandíbula.

—Lo hemos usado para reconstruir…

—Ciudades *Plateadas* —murmura Tambor en cuanto continúo.

—… fijar los salarios, mejorar las condiciones de los soldados Rojos, reconstruir las ciudades tecnológicas, mantener las cosechas…

La general Cisne me mira por encima de sus manos unidas con una sonrisa gélida.

—Entonces, les ha ido muy bien…

Necesito toda mi moderación para no reír.

—Vamos a instituir controles de precios en todos los Estados para evitar que aumenten los de los alimentos y otros recursos…

Conozco hasta la médula la voz que se deja oír ahora como un trueno a plena luz del día:

—… de los Rojos, ahora en total control de lo que producen. Agricultores. Obreros. —Mare cruza los brazos de forma tensa, casi dolorosa, para defenderse del escrutinio de la sala. No le agradan estas cosas, nunca le han gustado. Aun si es buena para esto, no cede. La miro desde el otro lado del recinto. Los metros que nos separan son como un barranco y un cabello, infinitos y minúsculos a la vez.

No tengo una respuesta rápida para ella, las palabras se extinguen en mi garganta.

A mi izquierda, uno de los Plateados habla en mi lugar. La voz del exgobernador Welle es como la miel, dulce y pegajosa.

—Otros son los dueños de las herramientas que los Rojos usan, señorita Barrow —espeta con una petulancia digna de un puñetazo.

Mare no vacila.

—¡Pues que las usen ellos también! —Este hombre gobernaba la aldea donde ella vivió y el territorio entero que conoció alguna vez—. ¿Qué más? —reitera su desafío y me mira.

Siento como si peleara de nuevo con ella. Admito que me emociona.

—La riqueza Plateada de las familias nobles...

—Debería utilizarse para igualar las condiciones —espeta otra vez y no me importa. Lo daría todo por hablar con ella. Con un estallido de calor, entiendo que ésta es nuestra primera conversación en muchos meses, aun si apenas puedo introducir una palabra sin ser interrumpido—. Ese dinero fue ganado con el esfuerzo de trabajadores Rojos durante muchas generaciones, decenas de ellas.

No te equivocas, querría decirle. *Pero lo que pides no puede hacerse.*

Aún en su asiento, Julian deposita una mano en mi brazo y señala al suelo.

—Ustedes necesitan el apoyo de los nobles Plateados —dice, y Mare y la Guardia vuelven hacia él su feroz resolución, cada cual como un ascua encendida—. Nosotros también. Todo intento de expropiar sus bienes ancestrales amenazaría de muerte la constitución de los Estados de Norta antes siquiera de que cobren forma.

Farley agita su muñeca como si ahuyentara un molesto insecto.

—¿Que unos cuantos nobles Plateados pierdan sus joyas los hará temblar? ¡Por favor!

—Compartimos fronteras con las Tierras Bajas y la comarca de los Lagos, general —trato de no sonar condescendiente.

—Rodeados por enemigos Plateados, ¡qué concepto más extraño! —revira Farley.

Suspiro exasperado.

—No podemos controlar la geografía mundial, Farley —contesto ante los susurros sorprendidos.

El puño de mi tío se tensa en mi brazo:

—Aun ahora, hincarse ante los príncipes del sur o la reina lacustre es una opción tentadora para numerosas familias nobles de Norta —su voz adopta un tono de disculpa—. Algunas lo hicieron sólo durante la guerra, otras nunca regresaron y otras más esperan un pretexto para volver a hacerlo. No podemos permitirnos dárselo.

—Se ajustarán las tasas de impuestos —añado al instante—. Ya lo acordamos. Los nobles pagarán la parte que en justicia les corresponde.

La reacción de Farley es ácida:

—Suena como que *todo* es la parte que en justicia les corresponde.

De nuevo, me gustaría coincidir con ella. Querría que lo que los Rojos merecen de nosotros estuviera dentro del reino de lo posible.

Para mi sorpresa, Radis sale en mi defensa.

—La delegación de Norta se equivoca —ajusta el inmaculado cuello de su traje blanco y verde. Mientras que Davidson se recoge en una quietud indescifrable, a Radis le agradan los reflectores y se deleita en ellos. Ambos son actores, seductores que intentan ganar corazones… y votos. Ningún rey ha tenido nunca que ser tan diestro y carismático con tantos—. Hay que hacer concesiones. Aquí las hicimos hace muchos años.

—"Centímetros por kilómetros" —coincide Davidson, quien por fin rompe el silencio y se vuelve hacia la Guardia Escarlata para explicarse—: Cuando se formó la República Libre, todos los Plateados que juraron lealtad al nuevo gobierno fueron perdonados por sus delitos contra la población Roja y nuevasangre. Quienes no lo hicieron fueron exiliados, y sus bienes confiscados. Sugeriría que hagan lo mismo, pese a que los Estados de Norta están a punto de entrar en guerra de nuevo y necesitan todos los soldados que sea posible, para proteger su naciente nación y garantizar que la Guardia no derrame innecesariamente su sangre.

A la Guardia no le gusta cómo suena esto. Sus generales y oficiales reaccionan como si se les hubiera pedido que bebiesen veneno. No esperaba otra cosa. Por más que ésta sea apenas la primera de muchas reuniones, la semana entera se perfila ya como insuficiente.

Ponlo en la lista, Calore.

—Si van a contribuir a nuestra recuperación, denos el espacio que requerimos para hacerlo —casi les ruego a las demás delegaciones. Comprendo que no cedan, pero deben comprender esto. Así es como ganaremos, la única forma en que lo haremos—. Eso es lo mejor para todos a gran escala.

Mare frunce los labios. Su mirada feroz corta como una espada encantadora, y es como si ella y yo fuéramos los únicos en la sala:

—Los fines justifican los medios que se han utilizado para defender incontables atrocidades, Cal.

Cal. Se negó a llamarme así mucho tiempo; todavía me estremece que lo haga. Aunque somos contrarios y al parecer estamos de nuevo en bandos opuestos, siento un deseo de tocarla tan intenso que mis rodillas amenazan con doblarse. Los vellos de los brazos se erizan como si respondieran a una corriente eléctrica.

—Tiene mi palabra de que ésta no será una de ellas —siento la lengua demasiado grande dentro de mi boca.

Algo se dulcifica en sus ojos, o quizá sea sólo un efecto de la extraña luz de la montaña. Aún es temprano, las ventanas están llenas de oro. Está preciosa bajo sus rayos.

Evangeline se pone en pie en medio de un estruendo, arrastra la silla y hace chocar sus anillos. Entorna los ojos frente a nosotros.

—Tengo algunos progresos que comunicar.

CINCO
Mare

—¿Oficial Samos?

Uno de los numerosos ayudantes de Davidson se vuelve en su asiento para mirar a Evangeline.

Oficial.

Si el título ya resultaba extraño en Cal, a quien siempre he conocido como príncipe y rey, en Evangeline parece contrario a su naturaleza. Es imposible imaginarla como subordinada, y menos aún que actúe como un soldado. Me pregunto qué pobre capitán tendrá que darle órdenes, o si incluso se presenta a tiempo a sus actividades, sean las que éstas fueren. Si no estuviera sentada al frente de mi delegación, no lo pensaría dos veces y revisaría el paquete informativo para descubrirlo. Contiene una lista de delegados, con fotos y biografías de cada miembro asistente. Compadezco a quienquiera que tenga que tratar con ella.

Es imperial como siempre, con o sin corona. Hace una larga pausa para asegurarse la indiscutible atención de la sala. Agita su trenza sobre el hombro y su cabello de plata destella bajo la luz de las ventanas de la biblioteca.

Habla un momento después, con las anilladas manos unidas al frente.

—Mi correspondencia privada con la princesa Iris, de la comarca de los Lagos, ha sido muy informativa —una sonrisa tira de sus labios mientras la sala explota en un ruidoso caos. Permite que la inunde, disfruta cada segundo.

La Guardia Escarlata zumba a mi alrededor y no disimula sus murmuraciones. Capto meros fragmentos, variantes en su mayoría de la palabra *traición*.

Farley se inclina junto a mí con voz áspera y movimientos torpes.

—¿Sabías...? —mi mirada la detiene en el acto.

—¿Tú crees? —gruño en respuesta—. No somos precisamente amigas por correspondencia —no entiendo qué trama Evangeline o lo que lograría al comunicarse con Iris. Quiero suponer lo mejor, que lo hizo por la causa, pero mi intuición me aconseja que me prepare para lo peor.

En la mesa de enfrente, la delegación de Cal está tan confundida como nosotros. Las cabezas se inclinan y los susurros vuelan. Julian y Cal se miran y los labios de mi viejo mentor se mueven velozmente, dicen algo que sólo Cal puede oír. Ada se revuelve en su asiento, añade sus suposiciones a las de Julian. Escuchan atentamente, con los ojos encendidos. Anabel se levanta otra vez de un salto, todo indica que desde que perdió su corona ha adquirido las patas de un conejo.

—¿Qué significa esto, Evangeline? —la reprende—. ¿Premier?

El gobernante no reacciona, impasible como siempre. Tengo que suponer que lo sabía: nada sucede en la República sin su conocimiento. Y Evangeline no pondría en peligro su asilo político aquí o la seguridad de las personas que ama.

La delegación de Montfort es más reactiva, murmura como el resto de nosotros. Un asistente susurra algo a Ptolemus, que lo aparta con un gesto.

El temor me invade. Aprieto los dientes.

Evangeline sube el mentón, capotea con tranquilidad el zumbido de las especulaciones.

—Hemos intercambiado cartas desde hace unas semanas. Ella ha sido bastante receptiva.

¡Uf!, disfruta demasiado de esto.

—¿A qué? —ataco.

Sonríe, alza una ceja plateada.

—Tú más que nadie deberías saber que le he dado un consejo maravilloso —dice con estudiada timidez antes de volverse otra vez hacia la sala. Siento el rutinario impulso de escupirle. Me olvido de mí y miro a Cal, con cuya mirada me cruzo. Está tan exasperado como yo. Pese a los dardos que intercambiamos hace unos momentos, compartimos un suspiro de frustración—. Hablé con ella de princesa a princesa —informa al recinto—. He visto la grandeza y la caída de mi reino, que nació de la guerra y sucumbió por ella. Mi padre se negó a adaptar nuestro país a las circunstancias y jamás se habría tomado las molestias que el oficial Calore se toma ahora con su antiguo reino.

—Un reino que ya había perdido antes de que aceptara nuestras condiciones —se mofa Farley.

En su asiento, Cal aprieta la mandíbula, con los ojos fijos en los documentos que tiene delante.

Bajo la mesa, pongo una mano en la muñeca de Farley.

—Calma —digo en voz baja. Él ya tiene suficientes preocupaciones, no hace falta que lo agobiemos.

Pero Evangeline concuerda con Farley y extiende una mano.

—¡Exacto! Tiberias Calore fue capaz de adaptarse y por eso perdió su corona. Le he dicho a Iris que puede evitar ese destino.

La general Cisne, serena como siempre, escudriña a la otrora princesa con los ojos semicerrados.

—Usted no tiene ningún derecho ni autoridad para prometer nada. ¡Meta en orden a su gente, premier!

Doy por supuesto que Evangeline reprochará la impertinencia de la general. Para mi sorpresa, se disculpa. El aire de las montañas le ha sentado bien.

—No hice nada de esa índole.

—Le aconsejaste que se doblegara en lugar de romperse —cavila Cal.

La acerada sonrisa de Evangeline adopta un filo frío y punzante.

—Sí. Así fue.

Expreso mis pensamientos tan pronto acuden, con la intención de desentrañar el plan de Evangeline.

—Que vuelva a los Rojos iguales a los Plateados, todos súbditos de la corona lacustre —veo la lógica, junto con el peligro… y la derrota.

—Con alguna representación en el gobierno, por añadidura —asiente—. Aunque no puedo hablar por su madre, ella no se ha mostrado reticente. Ha visto lo que sucede en los Estados de Norta. Si la comarca de los Lagos puede cambiar, ella preferiría que lo hiciera poco a poco, no de súbito.

Cal sacude la cabeza, frunce su oscura frente.

—¿Por qué albergaría siquiera esa idea? La comarca es fuerte, mucho más que los Estados.

—Sí, pero no más que esta alianza, o al menos ella sabe que la batalla sería infructuosa —mira la sala como si se maravillara de nuestro número, nuestra fuerza y poder—. No es más fuerte que sus Rojos, los cuales se cuentan por millones. Si esa mecha se enciende, perderá igualmente a su país —posa sus ojos en la Guardia, los generales la miran y yo intento imaginar qué ve. Terroristas para unos, luchadores de la libertad para otros. Rebeldes y revolucionarios con una genuina oportunidad de victoria. Personas desesperadas dispuestas a hacer lo que la causa requiera—. Es un riesgo que insista en combatirnos, un auténtico riesgo. Iris lo ve con absoluta claridad.

—O simplemente te escribe falsas esperanzas —Farley ha recuperado el control, habla con voz comedida y mesurada, y curva los dedos bajo la mesa—. Para que bajemos la guardia antes de que ataque de nuevo. Nuestros soldados han peleado a brazo partido en las fronteras del río y en el norte. Si la princesa lacustre tiene alguna duda, no la ha mostrado.

—No es de esperar que usted confíe en los Plateados, general —dice Evangeline despacio, y por una vez renuncia a su célebre mordacidad—. Supongo que nunca lo hará. Pero confíe al menos en nuestro talento para prevalecer. Es algo que la mayoría de nosotros hacemos muy bien.

Su mordacidad retorna sin más, lo pretenda o no. La siento en lo profundo, como si unas fauces se cerraran sobre mi cuello. "La mayoría de nosotros." Muchos Plateados han muerto desde que esto empezó. Su padre, el de Cal... y también Maven.

Una mirada a Cal me dice que no soy la única.

Está intentando olvidar lo mismo que yo.

Y fracasando, también.

¿Fue por eso que no dijo una sola palabra anoche?

Soy muchas cosas, muchas personas. Y soy también la asesina de Maven Calore. ¿Es eso lo que él mira cuando me ve? ¿A su hermano que muere con los ojos abiertos? ¿Mis manos manchadas con sangre de plata?

Sólo hay una manera de saberlo.

Por más que me asuste, por más dolor que pueda causarme, tengo que hablar con él. Y pronto.

* * *

Gracias a que Cal nos desvió enseguida de nuestro curso, las delegaciones abandonan por completo el orden del día y dedican las dos horas siguientes a reñir a propósito de cada tema que sale al paso. Debí haber adivinado que querría ir al grano lo más pronto posible y enfadar a todos con ello. Vamos a la deriva de un asunto a otro, y cada cual desemboca en uno similar. Si hay que dar de comer al ejército de Norta, ¿a quiénes se les racionarán los alimentos? ¿Cómo se pagará a los agricultores? ¿Qué puede intercambiarse por medio de los ribereños? ¿Qué es posible comprar? ¿Por qué las tarifas del transporte son tan altas? La mayoría de quienes conozco en la sala son guerreros con escaso talento para la economía o el suministro de bienes. Julian y Ada llevan la voz cantante por los Estados de Norta, en tanto que Davidson, Radis y algunos ministros de gobierno hablan por Montfort. El general Tambor, enlace de la Guardia con la red Whistle, tiene mucho que decir sobre las rutas de embarque y las antiguas sendas de los contrabandistas, aún en uso. Farley adopta una incómoda posición encorvada durante todo este lapso para no dormirse. Interviene cuando puede, lo mismo que Anabel, quien, pienso, hace lo posible por apaciguar a los Plateados de Norta. Éstos parecen nerviosos en el mejor de los casos, dispuestos a huir de la sala y la alianza a la primera señal de inestabilidad. Yo guardo silencio casi todo el tiempo. Mi experiencia es ajena a estos asuntos.

El reloj indica que ya transcurrieron dos horas y suspiro largamente. Esto fue sólo el resumen general. Se suponía que era la parte sencilla. Ya imagino en qué derivarán reuniones más específicas y restringidas.

Todos reflejan agotamiento, ansiosos de abandonar la sala y proseguir con el resto de su agenda. Apenas tengo energía para pensar en la reunión de comercio a la que debo asistir más tarde, donde no seré de utilidad en absoluto. El ruido de sillas arrastrándose se extiende por la biblioteca y las delegaciones se mezclan. Algunos se congregan en busca de confort y seguridad; los Plateados de Norta no se separan ni por error. Otros se persiguen para seguir conversando. Julian alcanza a Davidson con no poco esfuerzo y se dan la mano durante un prolongado momento. No concibo que todavía tengan ganas de hablar después de esta asamblea, pero lo hacen sin reservas.

Cal permanece sentado, mientras acomoda en silencio sus papeles en una ordenada pila. Anabel revolotea sobre él, es su niñera y su escudo. Posa una mano en su brazo y le susurra algo para que deje su asiento.

Yo estoy todavía en el mío, incapaz de moverme. Fija en mi sitio por más que me rodee un torbellino de gente. Él no mira hacia mí. No da ningún paso hacia mí. Pero se mueve y abre los hombros en la dirección donde me encuentro durante un extenso segundo, hasta que me da la espalda y permite que su abuela lo saque del recinto, seguido por el resto de su delegación.

Pese a que ya era imposible, pienso que está más guapo de lo que recordaba.

Farley avanza como una mancha de cabello rubio y uniforme rojo, y agarra a Ada del codo cuando se marcha. La nuevasangre le dirige una débil sonrisa hasta que Farley tira de ella en un cordial abrazo. Comparten una sonrisa de familiaridad, la afinidad que ganamos entre todos durante aquellas semanas en la Muesca. Ada trabaja ahora para los Estados y no con nosotros, pero eso no importa.

Aun así, no puedo moverme. Prefiero observar, es más fácil. Mi cerebro está sobrecargado después de dos largas horas de discusiones no muy fructíferas que digamos.

Y sólo conozco una forma de despejarme.

Bueno, dos, susurra una voz, *pero él está ocupado.*

Dejo mi asiento con una sacudida antes de que esa voz me traicione y me envíe a peinar los pasillos en busca de un caído rey de fuego.

Tyton no ha salido de la biblioteca aún, tolera que un oficial de la Guardia converse con él mientras mira el techo. Alcanzo a verlo de camino y apunto hacia la puerta. Me entiende por fortuna y se aparta con amabilidad del desenfadado miliciano.

—Gracias —me sigue el paso, sorteamos con esfuerzo la creciente muchedumbre de delegados y procuro mantener la cabeza inclinada.

—¿Crees que podrías llevar a Ella y a Rafe al campo de entrenamiento? —decido que la reunión de comercio puede sobrevivir sin mí.

Sonríe.

—No podemos entrenar ahí, Barrow.

Sonrío también y recuerdo nuestras semanas en la base de las Tierras Bajas. Los electricones requerimos mucho espacio para entrenar porque nuestra habilidad es demasiado destructiva. Allá entrenábamos en un lugar llamado Colina de la Tormenta, lejos de las arenas de combate, al aire libre para que incluso Ella se explayara. ¿Adónde tendremos que recurrir aquí?

Hay conmoción en el pasillo, más delegados que se detienen a hablar o susurrar. Se hacen promesas, se ofrecen acuerdos, esto es demasiada política para mí. El espacio se angosta tanto que cada vez me cuesta más trabajo moverme y desearía liberar algunas de mis chispas para caminar más rápido.

—Lo siento —trato de abrirme paso a codazos junto a una representante lenta y esbelta de Montfort. No repara en mí, enfrascada como está en una conversación con un delegado Rojo de los Estados de Norta.

Tyton me guía con su mano en mi espalda. Quizá para impedir que electrocute a alguien. Su tacto tiene un efecto calmante, su electricidad acaricia la mía.

Me relajo un poco sólo para tensarme de nuevo porque una ráfaga de calor me cubre de súbito. Mi cuerpo sabe lo que eso significa, aun si mi cabeza no.

Casi me estrello contra su hombro cuando me detengo a unos centímetros de él.

—Perdón... —mi boca se mueve más rápido que mi cerebro.

Se da la vuelta con cara inexpresiva y me mira. Todo en él es familiar e incitante. El calor, el olor, la sombra de barba en sus mejillas, el bronce titilante en sus ojos. Cada parte de él amaga con atraerme, así que me resisto, hago cuanto puedo por ignorar lo mucho que me altera. Me enderezo, tenso la mandíbula y le dedico la inclinación de cabeza más cortés de la que soy capaz. Es seguro que algo aterrador se ha filtrado en ella, porque se retrae y el germen de una sonrisa se extingue en sus labios.

—Me alegra verte, Cal —digo con la cortesía de cualquier noble al que haya tratado alguna vez y esto le divierte.

Va a inclinarse, pero lo piensa mejor.

—A mí también, Mare. ¡Hola, Tyton! —estrecha la mano de mi acompañante—. ¿Hoy no viene Kilorn?

Éste dista mucho de ser un lugar ideal para conversar, y más todavía para sostener un intercambio con algo de importancia. Aprieto los dientes. Una mitad de mí quiere salir huyendo, y la otra aferrarse a él para nunca más soltarlo.

—Se está preparando para la reunión sobre los refugiados, como asistente de Radis —contesto, ansiosa de asirme a un tema fácil. Cualquier cosa que me distraiga del enorme elefante en un angosto pasillo.

Alza las cejas. Igual que el resto de nosotros, es un hecho que Kilorn ha cambiado.

—Lo veré entonces en mi siguiente reunión.

Siento un nudo en la garganta y lo único que puedo hacer es agitar la cabeza.

—Bien.

—Bien —repite demasiado rápido sin que sus ojos se separen un momento de mi rostro—. Nos vemos.

—Sí, nos vemos.

¿Cómo es posible parecer tan tonta con tan pocas palabras?

Incapaz de mantenerme inmóvil, le dirijo una última inclinación y aprovecho la oportunidad de avanzar por el atestado pasillo. No protesta ni intenta seguirme. Tyton dice algo a mis espaldas, quizá se despide, pero no me detengo. Que me alcance.

Cuando lo hace, he escapado a un amplio salón, con pocas personas y más espacio para respirar. Ríe mientras se acerca, con las manos metidas en los bolsillos.

—¿Necesitáis ayuda para hablar? —dice mientras se acerca a mí.

Reacciono agresiva:

—Como si precisamente tú pudieras sermonear a alguien sobre la habilidad para comunicarse.

Me mira en silencio, con un rizo blanco sobre sus ojos.

—Tienes razón.

No es el único que me ha seguido. Me giro porque unos chirriantes tacones de metal tintinean con cada pisada.

—¿En qué puedo servirte, Evangeline? —refunfuño.

No pierde el paso, se mueve con su gracia letal y perezoso desapego. Montfort le ha dado un frío brillo a su piel y una nueva y maliciosa luz a sus ojos. No me gusta.

—¡Ay, querida! —ronronea—, no necesito nada de ti. Pero estoy de acuerdo con éste: necesitas ayuda con Cal. ¿Y sabes una cosa? Me encantará ayudarte, como de costumbre.

No sería la primera vez. Mi corazón se encoge con el recuerdo de la Colina del Mar y sus pasajes secretos. De las decisiones que Cal y yo no fuimos capaces de tomar ahí y de la que tomamos más tarde, después de Arcón. La decisión que todavía trato de entender.

Me mira fijamente, a la espera.

—No estoy aquí para entretenerte —le doy la espalda. Que busque otras maneras de ocupar su tiempo.

No se arredra en absoluto, aun cuando Tyton le dedica una mirada que ahuyentaría a cualquiera.

—Y yo no estoy aquí para fastidiarte —dice—. Demasiado.

Sigo mi camino, los otros dos igualan mi paso.

—¿No es ésa tu principal actividad?

—En caso de que no lo hayas notado, tuve que buscar una profesión —señala su anodino uniforme. Bueno, anodino para ella. De cerca, veo que ha ensartado piezas de hierro en la tela verde, para afilar las uniones y costuras. También hay metal en su cabello, fragmentos entretejidos en su trenza a modo de metralla—. Después de que abdiqué y adopté la ciudadanía de Montfort, me alisté en el ejército. Fui asignada a la vigilancia en la residencia del premier.

La idea de Evangeline Samos apostada en los umbrales para seguir a dignatarios Rojos me resulta simplemente deliciosa. Mi cara se ilumina con una sonrisa.

—¿Quieres que lo lamente?

—Laméntalo por ti, Barrow… Soy tu guardaespaldas.

Casi me ahogo. Tyton se burla a mi lado.

—¿Cómo dices? —escupo.

Acaricia su trenza sobre un hombro y me hace señas para que avancemos.

—He sido tan buena para salvarte la vida que ahora hasta me pagarán por hacerlo.

Tres horas más tarde, el sol inicia su temprano descenso en las montañas y se desvanece con rapidez sobre la cordillera oeste. El sudor refresca mi frente y me hace temblar mientras me seco con una toalla mientras regreso al palacio del premier. Evangeline lanza miradas de fastidio por encima del hombro, quiere que me apresure. No le interesó la sesión de entrenamiento de los electricones. Sabe qué es pelear con uno de nosotros; ver el poderío combinado de cuatro fue quizás una conmoción para ella. Rafe y Tyton me siguen a paso lento y conversan entre sí. Su voz resuena en la ladera, lejos del terreno de entrenamiento de los electricones, pendiente arriba. Mi amiga Ella me acompaña, con una toalla en el hombro y una sonrisa en los labios. Una tormenta eléctrica gira y se retuerce en las alturas, donde se debilita a cada segundo. Pronto será un murmullo apenas, una sombra contra el pálido cielo rosado.

—¿Cuándo te mudarás de la finca? —el cabello azul de Ella vibra bajo el sol. Su tinte es fresco; el mío, no tanto. Mis puntas púrpura se han oscurecido y tengo mechas grises.

—Después de la ceremonia de gala —la emoción en mi voz es real: será fantástico contar por fin con un espacio propio. Después de casi un año de cuarteles y habitaciones prestadas, sé que mi familia ansía volver a tener una casa.

Sonríe con gentileza.

—¿Vivirás al lado del lago o de la cuesta?

Enrosco un mechón en mi dedo, disfruto la sensación de dolor tras una buena rutina de ejercicio. Me duelen los músculos y mi sangre palpita.

—De la cuesta. La casa del lago que nos ofrecieron era bonita, pero prefiero las alturas.

Donde pueda ver y nadie pueda verme.

Asiente pensativa.

—¿Cómo se ha adaptado la familia?

—Mejor de lo que esperaba. Les gusta este sitio. ¿Y qué otra opción tienen? —¿Los Pilares?, casi río. Ninguno de nosotros volvería a ese basurero ni aunque Shade regresara. Este triste recuerdo me pone seria y la delicia de la sesión de entrenamiento se evapora.

La electricona nota mi repentino cambio de ánimo. Su aire de exaltación se desvanece junto con mi felicidad y ambas guardamos silencio.

Pese a los recuerdos que siempre amenazan con emerger, también me gusta estar aquí. Con mi familia, con otros nuevasangre como yo. Con personas convencidas de que el mundo puede cambiar porque ya lo han conseguido. Esto hace que el futuro parezca menos complicado.

Los demás electricones se separan en las puertas traseras del palacio. Rafe es el primero en despedirse, su piel morena adopta un tono dorado bajo el sol.

—¿Nos veremos mañana a la misma hora?

—Si nuestra agenda lo permite —masculla Tyton.

La electricona le da un codazo en las costillas con el vano intento de arrancarle una sonrisa a ese hombre taciturno.

—¡Claro, Ty!, ¿cómo podríamos olvidarlo? Tú con tus reuniones importantes toda la semana, en medio de murmuraciones y tratando...

—¡De ganar y cenar! —grazna Rafe y le arroja un beso a Tyton. Como el de Ella, su verde cabello está recién teñido—. ¡Hasta mañana, mis amores!

—¡Hasta mañana! —los miro mientras se marchan. Juro que buscaré tiempo mañana. No creo que pueda mantenerme cuerda de ningún otro modo.

Evangeline golpetea ruidosamente con el pie, impaciente como de costumbre. Se revisa las uñas, por una vez libres de garras de metal.

—¡Los Rojos, siempre tan sentimentales!

—Deberías intentarlo —entorno los ojos y la empujo para entrar a los todavía exuberantes jardines del palacio. Carmadon no ha descuidado en absoluto el palacio de gobierno de su esposo. Unos guardias nos saludan con un movimiento de cabeza mientras avanzamos; están impresionantes con sus abrigos verde oscuro y botas lustradas. Evangeline les responde de la misma forma a algunos, tanto Rojos como Plateados. Me pregunto si ya ha empezado a hacer amigos en su nuevo hogar... si es capaz siquiera de hacer amigos.

—¿Ya te sientes mejor, al menos? —su respiración forma nubecillas en el aire fresco. Las hojas crujen bajo nuestros pies.

—¿Eres mi guardaespaldas o mi madre? —Observo su sonrisa torcida—. Sí, me siento mejor.

—¡Qué bien! Es más fácil proteger a la gente cuando tiene la cabeza despejada —une las manos, sus anillos tañen como campanas—. Ya pasó mucho tiempo.

—Dos meses —confirmo y no sé qué más decir.

—Lo necesitabas.

Me examina como si viera a través de mi ropa y llegara a mis huesos. Recuerda mi apariencia en nuestro último encuentro. Ella llevaba unos días en Montfort, acababa de huir de Arcón y del puño de hierro de su padre. Pensé que su estancia sería pasajera, apenas una refugiada más de guerra, camino del oeste. Jamás imaginé que se quedaría en un lugar como éste, un país donde era igual a cualquier Rojo. Igual a mí.

Supongo que Elane vale el precio. Que el amor lo vale.

Cuando la vi, ella había atravesado medio mundo para llegar a Montfort, a pie, en barco y en avión. Y mi aspecto era mucho peor que el suyo. Me sentía hueca, resentida, no podía estarme quieta ni relajarme. Nos cruzamos en el jardín de Carmadon y me cedió el paso. Por increíble que parezca, Evangeline Samos no tuvo comentarios mordaces para mí y me dejó en paz.

Quizás éste es el precio de esa muestra de bondad. Que ahora me siga a todas partes.

—Estoy lista para regresar —es más fácil decírselo a ella que a Gisa, Farley o Kilorn. Me ha visto en mis peores momentos, en mis instantes más oscuros, durante los que pensé que el resto de mi vida sería la piedra silente y el amor de un rey cruel.

Normalmente se reserva su orgullo. Hoy dilapida conmigo un poco de él.

—No me gustas —es otra confesión. Una aceptación. Un paso a la amistad.

Mi respuesta es automática:

—Tú a mí tampoco —le arranco una sonrisa verdadera—. Y entonces, ¿qué sigue en mi agenda? Me salté la reunión de comercio, pero ¿tengo algo más antes del atardecer?

Parpadea como si me hubiera salido otra cabeza.

—¡Yo qué sé!

Casi río.

—La última vez que tuve un guardaespaldas, él se encargaba de mi agenda. —*Curioso, era un Samos también.*

Suspira y sigue el hilo de mis pensamientos.

—Lucas no era malo. No merecía morir —sus ojos se ensombrecen con el recuerdo—. Y era mejor guardaespaldas que yo. Ignoro por completo dónde deberías estar ahora.

—¡Vaya, qué eficiente!

La chispa maliciosa ha vuelto, más brillante que nunca. Enseña los dientes cuando sonríe.

—Pero sé dónde está *alguien*.

Se me revuelve el estómago.

—¿Por qué te obstinas en juntarnos?

—Bueno, antes era para estar segura de que no se casara conmigo. Digo, ¿podrías imaginarlo? ¡No, gracias! —finge náuseas.

Frunzo los labios mientras entramos al palacio:

—Sobre gustos no hay nada escrito.

El cambio del aire frío a las cálidas paredes me arropa. El perfume no cambia, sin embargo. Dentro y fuera, el palacio tiene el aroma fresco de los pinos.

—¿Y por qué persistes ahora? —bajo la voz. Hay varias reuniones en marcha todavía, y para mi gusto demasiadas personas rondan el palacio.

Evangeline no es una de ellas.

—No hay muchos que merezcan ser felices. Ciertamente, yo no soy una de esas personas, pero aquí estoy

—doblamos una esquina hacia el vestíbulo—. Quizá tú sí lo merezcas, Barrow.

La miro boquiabierta. Ésta es una de las cosas más amables que alguien me haya dicho jamás, y procede nada menos que de Evangeline Samos.

De nuevo, parece fácil hablar con ella. Tal vez porque no somos amigas ni parientes. Nada espera de mí ni teme por mi bienestar. No corro peligro con ella.

—Me vio la otra noche —las palabras pugnan por salir de mi boca—. No me habló.

Siento vergüenza de decirlo, incluso de preocuparme por eso. Fui yo quien lo dejó, después de todo. Le dije que siguiera adelante si quería. "No te pediré que me esperes."

Pero no dijo una sola palabra.

Cuando la miro, espero que me juzgue. No encuentro sino su desdeñosa indiferencia de siempre.

—¿Eres físicamente incapaz de hablar tú primero? —arrastra la voz.

—No —murmuro acongojada.

Echa a andar de nuevo con paso alegre. Sus anillos tintinean otra vez cuando truena los dedos para que la siga.

—Creo que necesitas un trago, Mare Barrow.

Este sector de Ascendente está muy animado bajo la luz del atardecer, y conduce a las aguas del lago desde un acantilado artificial. Unas farolas atraviesan las calles peatonales, ya radiantes. Gran cantidad de bares y restaurantes invaden las aceras, con sillas y mesas atestadas de clientes tras haber salido del trabajo. Las risas y la música me envuelven, y me parecen sonidos extraños. Una parte de mí desea regresar a una silenciosa esquina del palacio. Hay tanto ruido que me crispa los nervios. Cada grito de felicidad podría ser un aullido, y hasta el estrépito de un vaso en un rincón me sobresalta.

Evangeline posa en mi brazo una mano tranquilizadora y me centra. Esto no es un campo de batalla. No es tampoco un palacio Plateado.

Me recuerda a Summerton, Arcón, ciudades Plateadas donde en lugares como éste no se permitía la entrada a los Rojos y menos aún que se nos atendiera. Como sea, ambos tipos de sangre están aquí, evidentes en sus variados tonos de piel: frío bronce, cálido marfil, porcelana glacial, cobre vibrante. Muchos visten todavía sus uniformes militares, ya sea que hayan concluido su turno o disfruten de una pausa. Reconozco también el verde y blanco de los políticos, que buscan refugio de las delegaciones.

Uno de los bares está más silencioso que el resto, y menos radiante, con muchos asientos disponibles frente a la barra. Es más una taberna que un centro de reunión cosmopolita. Teníamos de éstas en casa, recuerdo. Fue en una de ellas donde conocí al príncipe de Norta, aunque entonces no sabía que lo fuera.

Y, desde luego, Cal está sentado ahí, de espaldas a la calle y una copa en la mano. Reconocería su ancha silueta en cualquier parte.

Me doy una mirada, mi atuendo de terciopelo ha sido reemplazado por un traje de entrenamiento. El sudor de mi cuerpo se ha secado y es probable que mi cabello esté todo enmarañado, debido a la estática.

—Te ves bien —dice Evangeline.

Río.

—Siempre has sido buena para mentir.

Levanta un puño y finge un bostezo.

—Cuidarte es agotador.

—Bueno, te has ganado un descanso —señalo una mesa en otro bar—. Puedo cuidarme sola una hora.

Por suerte no discute y se marcha al bar más ruidoso, brillante y festivo de la calle. Un destello escarlata ondea en una mesa aparentemente vacía en la acera, y de pronto Elane está sentada ahí, con una copa de vino en la mano. Evangeline no mira atrás cuando se despide. Río para mí: esa magnetrona alcahueta puso a su novia sombra a vigilar a Cal para poder llevarme con él en cuanto estuviera solo.

De pronto, quisiera tener más tiempo. Pensar lo que diré, ensayar. Saber qué diablos quiero. Apenas pude hablarle esta mañana, y verlo anoche me dejó angustiada. ¿Qué va a ser de nosotros?

Sólo hay una forma de saberlo.

El asiento junto a él está vacío y es alto. Mientras me subo en él, agradezco a mi cuerpo que recuerde su agilidad. Si cayera delante de Cal, me moriría de vergüenza. En cambio, mantengo el equilibrio y antes de que él pueda girarse, tengo su bebida en la mano. No importa qué contenga. Bebo para aligerar los nervios. El corazón martillea en mi pecho.

El líquido es un poco amargo, pero frío y refrescante, tiene un regusto a canela. Sabe a invierno.

Cal me mira como si viera un fantasma, con los ojos broncíneos muy abiertos. Veo que sus pupilas se dilatan, devoran el color. La chaqueta de su uniforme está desabotonada, abierta al aire fresco. No necesita ningún abrigo ni ninguna bufanda para mantenerse caliente, le basta con su habilidad innata. La siento en mis bordes, lista para inundarme.

—Ladrona —dice con voz grave.

Lo miro por encima del borde de su copa y me termino la bebida.

—Obviamente.

Estas conocidas palabras flotan entre nosotros, significan más de lo que deberían. Se sienten como un final, y un principio. ¿De qué?, lo ignoro.

—¿Está el gran Tiberias Calore evitando a su delegación?

Pongo la copa vacía frente a él. No se mueve, fuerza a mi brazo a que roce el suyo. Este simple contacto provoca una explosión en mí, que llega hasta las puntas de mis pies.

Levanta dos dedos hacia el barman y ordena en silencio para ambos.

—Ya no soy rey, puedo hacer lo que quiera —contesta—. A veces. Además, hay otro debate de comercio ahora mismo. No sirvo para eso.

—Yo tampoco.

Es un alivio saber que por ahora nadie depende de mí. Que no tengo que hablar, ponerme en pie o ser la abanderada de algo. Cuando el barman coloca otra copa ante mí, bebo la mitad del contenido de un tirón.

Cal observa cada uno de mis movimientos, es un soldado que estudia el campo de batalla. O a un enemigo.

—Veo que tus hermanos te enseñaron a beber.

Me encojo de hombros con una sonrisa.

—Tenía que pasar el tiempo en el norte de alguna manera.

Sorbe con moderación y limpia la espuma en sus labios.

—¿Cómo te fue?

Valle Paraíso me llama, incluso ahora. El páramo vacío, las montañas, el silencio de la nieve cayendo bajo la luna llena. Es un buen lugar para olvidarse de uno mismo, para perderse. Pero ya no puedo hacer eso.

—Bien. Necesitaba… —me muerdo el labio—. Necesitaba estar lejos.

Frunce el ceño, mira cada movimiento de mi rostro.

—¿Y cómo te sientes?

—Mejor —no perfecta, no íntegra. Nunca volveré a estar completa. Sus ojos se ensombrecen y sé que ve eso en mí. Lo siente también en él—. Todavía no duermo bien.

—Yo tampoco —fuerza otro sorbo de cerveza. Recuerdo sus pesadillas, algunas serenas, otras aniquilantes. Veía morir a su padre por su mano. No imagino aún qué se siente. Y apuesto que ahora sueña con Maven. El cadáver que encontró, la herida que le abrí. También yo lo veo en sueños.

—Trato de no pensar en él —me envuelvo en mis brazos. De pronto siento frío. De Cal o la montaña, no lo sé—. Pero no lo consigo.

Da otro trago a su bebida. Es el primero en apartar la mirada, con los ojos como ascuas.

—Lo sé —devuelve a mí sus ojos fulminantes después de un largo instante. Hay alivio en su rostro—. Y ahora, ¿qué sigue?

No estoy segura del sentido de su pregunta, así que respondo lo que me parece:

—Reinstalarnos como se debe. Gisa supervisa ya la mudanza a una casa propia, ladera arriba —apunto sobre su hombro en dirección a la nueva casa—. Dice que tiene una vista hermosa, y espero que los electricones podamos entrenar cerca.

Una comisura de su boca asciende en una sonrisa.

—Supuse que la tormenta montaña arriba no era natural.

Sonrío a mi vez y señalo mi apariencia desaliñada, con sudor y todo.

—Por si no lo habías notado.

—Siempre estás bonita —dice con naturalidad y toma otro sorbo, sin parpadear ni desviar la mirada.

Cuando inhalo por la boca, el aire frío silba al entrar, el último jadeo antes de la zambullida. Aprieto tanto la copa de cristal que temo romperla.

—Me viste anoche —mi voz se pierde en la taberna.

Una emoción que desconozco ensombrece sus facciones.

—Sí.

Esperaba una señal en su expresión o su voz, pero me deja en la oscuridad.

—¿Por qué no dijiste nada? —no quiero parecer quejumbrosa. Ignoro si lo consigo.

Adopta la franca y torcida sonrisa de siempre.

—¿Querías que despertara a medio palacio, a tu padre entre ellos?

—No fue por eso —a estas alturas ya sé al menos cómo entrever su encanto.

Un tono ceniza enturbia sus mejillas. Lo perturbo tanto como él a mí. Arruga la frente y toma otro trago de cerveza. Largo, como si me ignorara. *¡Ni lo sueñes, Calore!*

No cedo, lo miro hasta que no tiene otra opción que responder.

—Supuse que necesitabas cada segundo a tu alcance —escupe las palabras, como si hubiera vergüenza en ellas—. No quería presionarte.

Su calor llega hasta mí, titubeante e inquisidor.

—¿Presionarme para qué?

—¡Para que lo decidas, Mare! —exasperado, alza una mano como si lo que dice fuera lo más obvio del mundo.

Siento un nudo en la garganta, me muerdo el labio. Observa mis movimientos, mira mi rostro como si fuera un campo de batalla. Busca una ventaja, una oportunidad.

—Pensé mucho en Valle Paraíso —siento que estoy ante un precipicio y que podría lanzarme en cualquier dirección, sin saber lo lejos que caeré.

No dijo una sola palabra.

No te pediré que me esperes.

Me torturo.

—Ciertamente, eso era lo que esperaba —suelta una risa enigmática, sacude la cabeza y toma otro trago. Su frustración no dura mucho, se derrite pronto en aprensión. Tiemblo cuando me mira otra vez, con los labios abiertos—. ¿Y? —añade en voz baja, como si estuviera conteniendo la respiración.

—No sé. Todavía no lo sé —antes de que él pueda reaccionar, bajo la cabeza y veo que mis manos se retuercen en mi regazo. Ignoro si en la taberna alguien mira o escucha. El mundo se ha reducido a él y sólo él. Al principio, aprieto los dientes, quiero impedir que las palabras resuenen en mi garganta. *No,* pienso. *No le hagas esto*—. Te eché mucho de menos —murmuro—. Tenía miedo de hablar contigo esta mañana.

El calor aumenta, me cubre del aire frío de la montaña.

—Yo sentí miedo anoche —susurra.

Subo la cabeza y veo que él se acerca. Los bordes de mi visión se humedecen.

—¿Y ahora? —no puedo respirar.

Mantiene una expresión pétrea y unos ojos de fuego.

—Ahora siento terror.

Toda yo relampagueo, mis nervios crepitan bajo la piel.

—Yo también.

—¿Adónde nos llevará esto? —acaricia un instante mi mano sobre la barra.

Sacudo la cabeza. *No lo sé*.

—Permite que lo haga más simple —se lame los labios y adopta un tono valeroso, firme e inflexible—. En un mundo perfecto, sin guerra, pasada la reconstrucción, sin la amenaza de la comarca de los Lagos, las operaciones de la Guardia o cualquier otro obstáculo que se te ocurra, ¿qué harías? ¿Qué querrías para nosotros?

Suspiro y lo aparto con un gesto.

—No funciona así, Cal.

Se acerca tanto que nuestras narices están a escasos centímetros.

—Inténtalo, contesta —dice como si tallara cada letra.

Mi pecho se tensa.

—Supongo que te pediría que te quedaras aquí.

Sus ojos destellan.

—De acuerdo.

—Y esperaría que, en un mundo perfecto, cada vez

que me miraras no vieras en mis manos la sangre de tu hermano —esta última palabra sale con una voz ronca, quebrada. Desvío la vista, miro a todas partes menos a su rostro. Opto por sus inquietos dedos, que delatan su dolor—. Y que cada vez que te mirara no lo viera a él, y lo que pudo haber sido. ¡Si yo hubiera podido... hacer más!

De pronto, su mano está bajo mi mentón, me obliga a mirarlo a los ojos. Su tacto es una flama, casi demasiado caliente para soportarlo.

—En un mundo perfecto, ¿a quién habrías elegido? —inquiere con voz áspera.

Sé lo que pregunta. A quién habría elegido entre Maven y él, hace mucho, antes de que supiéramos lo que su hermano era y lo bajo que había caído. Es una pregunta imposible de contestar. Pone en la balanza a dos personas que ya no existen.

—No puedo responder eso —retiro lentamente su mano de mi rostro, aunque la retengo—. Y no porque no quiera, sino porque no puedo. Nunca lo sabré.

Me sujeta más fuerte.

—No lo veo siempre que te miro —dice—. ¿Tú lo ves cada vez que me miras?

Sí, a veces ¿Siempre? ¿Ahora?

Lo escudriño, mis ojos recorren cada rincón de su piel. Sus manos encallecidas. Las venas en su cuello expuesto. La sombra de barba que se extiende por sus mejillas. Cejas firmes, nariz recta, la sonrisa siempre torcida. Ojos que nunca fueron los de Maven.

—No —lo digo en serio—. ¿Esperaste, Cal?

Sus dedos se entrelazan con los míos mientras sonríe.

—Todavía espero.

Esto debe ser lo que un gravitrón siente cuando vuela. Mi estómago se contrae y se expande al mismo tiempo. Pese al calor de Cal, tiemblo.

—No puedo hacer promesas —farfullo deprisa, ya intento adelantarme a la confesión que ambos hemos hecho—. No sabemos adónde se dirige el mundo. Mi familia está aquí, y tú tienes mucho que hacer en el este...

—Así es —confirma—. Pero también soy muy bueno para pilotar aviones.

Río sin remedio.

—Los dos sabemos que no podrás simplemente pilotar un jet cada vez que desees verme —sólo pensarlo, sin embargo, hace que me dé un vuelco el corazón.

—Y ambos sabemos que no te quedarás quieta tampoco —su mano libre retorna a mi mentón y no la aparto—. El futuro no te lo permitirá. Y no creo que tú misma puedas quedarte quieta mucho tiempo más.

Las palabras no cesan de manar, tan rápido como surgen en mi cabeza: obstáculos en nuestro camino, problemas que resolver.

—Eso no significa que vaya a acercarme siquiera a los Estados, si decido volver a involucrarme en todo esto.

Su sonrisa se ensancha. Durante un momento, es un segundo sol, que irradia calor sobre mí. Esto rompe y reconstruye mi corazón.

—Si la geografía es lo único que se interpone en nuestro camino, considéralo allanado.

Con un suspiro, libero un poco de tensión. Me relajo en su mano, ladeo la cabeza. ¿Realmente esto puede ser tan sencillo?

—¿Me perdonas?

Ensombrece la mirada y su sonrisa se evapora.

—¿Te has perdonado a ti misma?

Me examina de nuevo, persigue una respuesta. Está listo para que le mienta. No hacerlo requiere toda mi energía.

—No —espero que se aparte, que mire hacia otro lado. No sé si puedo.

Tiene sus propios demonios, tantos como yo. No lo culparía si no quisiera cargar también con los míos. Se limita a tensar el puño hasta que no sé dónde terminan mis dedos y empiezan los suyos.

—No importa —dice, como si fuera obvio—. Tenemos tiempo.

Pestañeo como si sintiera que caigo del acantilado, por fin inclinada la balanza.

—Tenemos tiempo —repito.

Mi pulso se acelera a un ritmo estable. La electricidad en las paredes, en las luces, responde a mi llamada, zumba con todo su poder. Entonces lo apago todo, sumerjo la taberna y la calle en una oscuridad completa. Es tan fácil como respirar. Las voces a nuestro alrededor se elevan alarmadas, pero las ignoro, sólo concentrada en Cal. Nadie puede vernos ahora.

Sus labios se funden lentamente con los míos, son una invitación incesante. Siempre deja que yo imponga la marcha, me da la oportunidad de retroceder. Pero no tengo la menor intención de aflojar el ritmo o detenerme. El ruido de la taberna se desvanece a mi alrededor y mis dedos resbalan hasta cerrarse, hasta que lo único que siento es *él*. Y la crepitación de la electricidad debajo de mi piel, que ya suplica emerger de nuevo.

Si pudiera contenerla para siempre, lo haría.

Cuando las luces se encienden otra vez y vuelven a la vida con un zumbido, soy la primera en apartarse.

Él se resiste y sonríe mientras saca su dinero. Pero yo ya he dejado un poco en el mostrador, mis manos son más rápidas de lo que jamás serán las suyas. Sonreímos. ¡Ojalá tuviera aún la moneda que me dio esa noche, cuando yo esperaba entre las sombras a alguien que me viese como lo que era!

Cojo su mano y lo llevo de vuelta a la ladera. A su habitación, a la mía, al bosque. Al fuego o al relámpago. No importa.

Estoy a punto de cumplir diecinueve años. Tengo tiempo de sobra. Para decidir, para sanar.

Para vivir.

SEIS
Cal

Cuando el día de la gala llega, yo preferiría dormir toda la noche. Y es en efecto como un predador, agazapado al término de la semana, a la espera de atacar. Ya he recibido en la vida más que mi justa ración de bailes, fiestas y celebraciones ampulosas. Sé cómo funciona esto, y lo aburrida, nauseabunda y agotadora que será esta noche. Después de nuestros días repletos de debates y reuniones, las insustanciales charlas con los delegados serán como la sal en una herida abierta y supurante.

Al menos, no estoy solo en esto. Mare lo aborrece tanto como yo, aunque cuando le propuse que nos disculpáramos arguyendo estar enfermos, hizo que mi cabello se erizara. Pasamos tanto tiempo juntos que la gente lo creería.

Pero tiene razón. Le debemos a la alianza, a nuestras delegaciones y a nosotros mismos presentarnos a la ceremonia. A fin de cuentas, es sólo una gala, y quizá podamos tener un poco de diversión en medio de todo. Por no hablar de que Carmadon puso a las cocinas a trabajar toda la semana. Al menos, terminaré esta noche muy bien alimentado. Además, preferiría no arriesgarme a la ira de Nanabel, o a la gentil desilusión de Julian. Ambos han trabajado demasiado esta semana, ella en particular. Tranquilizada después de la primera reunión, ha hecho todo lo posible por cerrar la brecha entre los Plateados de Norta y el resto de la alianza. Sin su labor, y la de Radis, tendríamos otra rebelión en nuestras manos, con más nobles dispuestos a sumarse a la Secesión. En cambio, ganamos aliados.

Esta noche, ella pretende celebrar sus pequeñas victorias engalanada con las antiguas joyas que alguna vez usó como reina. Mientras esperamos a Julian y a Sara, se contempla en los espejos del salón, frente a los que se vuelve a un lado y otro para que las gemas del color del fuego atrapen la luz. Su largo vestido naranja danza cuando gira. No es poco juiciosa, tuvo la prudencia de no ponerse una tiara aun si viste como una reina.

—Julian asegura que te quedarás unos días después de su boda —dice a su reflejo pese a que sus palabras me hablan a mí.

Dediqué media hora a arreglarme, así que estoy semidormido en el sofá en el momento en que ella habla. Su voz me devuelve a la realidad y me incorporo, alerta como siempre en mi sencillo traje negro. Sólo la insignia que llevo en el cuello, los círculos engarzados de colores rojo, blanco y plata, adorna mi atuendo.

—Sí —digo, una vez recompuesto. Sus ojos me siguen en el espejo—. Pienso que tal vez durante un par de semanas. Después reanudaré mis actividades en Arcón.

Mi cuerpo se tensa, me preparo para un comentario mordaz o una amarga negativa. En cambio, se alisa el cabello y coloca sus encanecidos mechones detrás de sus orejas. Demora su respuesta, me hace esperar.

—Me alegro —dice por fin, y casi me caigo del asiento por la sorpresa—. Te has ganado un descanso.

—Su... supongo que sí —mascullo. Sabe por qué voy a quedarme. Mare Barrow no es precisamente la persona que más aprecia en el mundo—. Gracias.

—No hay de qué —sonríe mientras se vuelve, divertida por mi asombro—. Aunque no lo creas, estoy orgullosa de ti. Lo que has hecho, lo que todavía haces. Eres joven y has logrado mucho para un muchacho de tu edad —sus pisadas son suaves, amortiguadas por las mullidas alfombras del salón. Se sienta a mi lado, el sofá se hunde y una suave mano coge la mía—. ¡Eres fuerte, querido! Demasiado fuerte. Mereces los momentos felices que se cruzan en tu camino. Y lo único que deseo, más que cualquier otra cosa en esta vida, una corona o un país, es que *vivas*.

Mi garganta amenaza con cerrarse y tengo que apartar la mirada, aunque sea para evitar que broten las lágrimas. Ella aprieta la mandíbula, igual de incómoda por la efusión emocional.

—Gracias —digo con esfuerzo y fijo la vista en algún punto en la alfombra. Tanto que había querido oírla decir esas palabras, pero no es fácil escucharlas ni aceptarlas.

Su puño se tensa en mis dedos, me obliga a que la mire. Tenemos los mismos ojos, de bronce ardiente.

—He vivido bajo la égida de cuatro reyes. Reconozco la grandeza y el sacrificio cuando los veo —dice—. Tu padre estaría orgulloso de ti, al final de todo.

Julian y Sara emergen por fin y tienen la bondad de ignorar mis ojos enrojecidos.

Con las delegaciones despojadas de sus uniformes y en traje de gala, es fácil aparentar que esto es sólo una fiesta, no una reunión más, velada por la seda, el licor y las itinerantes bandejas de bocados ridículamente pequeños. Al menos, Montfort no es tan rígida como la antigua Norta o su corte. No tengo que esperar a que me anuncien y desciendo al fastuoso salón de baile con el resto de los delegados, con quienes integro un cardumen de peces de colores.

El recinto no se puede comparar con el Palacio del Fuego Blanco o la Mansión del Sol. La realeza lleva ventaja cuando se trata de esplender, pero no me importa. En lugar de molduras blancas y marcos dorados, el amplio salón de baile tiene arcos de madera pulida y centellantes ventanas de cristal cortado que miran al valle. El fuego del atardecer se refleja en los espejos que vuelven más grandioso el espacio. Arriba, aros de hierro forjado sostienen un millar de velas, que titilan con llamas doradas. No menos de seis chimeneas, todas de tosca piedra, despiden un agradable calor que caldea el inmenso aposento. Siento cada una de ellas en el borde de mi percepción y miro al otro lado de la sala en busca de rostros conocidos.

Los hermanos de Mare y Kilorn serían muy fáciles de identificar, altos como son. No están aquí todavía, de modo que es probable que ella no haya llegado aún. El premier recibe a los delegados a su llegada a la sala. Carmadon parece orgulloso a su lado, y hace señas a los sirvientes que pasan. Lo miro mientras hace comer casi a la fuerza una diminuta porción de salmón a uno de los nobles de Norta.

Evangeline debe de estar descansando de su deber como guardaespaldas. Elane cuelga de su brazo y ambas aletean cerca del conjunto de cuerdas, que ya se prepara. En cuanto el violinista levanta su instrumento, ellas rompen a bailar a un ritmo perfecto. Como siempre, Evangeline destella de la más amenazadora de las formas. Su vestido es de bronce batido, esculpido conforme a su figura, aunque suelto. El color le sienta bien, vuelve cálida su fría apariencia. Elane cumple, a su vez, el papel de reina de invierno. Su cabello rojo flamea como de costumbre, abrillantado por su pálida piel, un traje azul claro y brillo de labios plateado. Ptolemus está cerca, con un atuendo no tan llamativo y Wren Skonos del brazo. Ambos optaron por el verde oscuro, emblema de su nuevo compromiso con la República.

Si algo es prueba del nuevo mundo, la novedosa posibilidad que tendremos, son los hermanos Samos. Primero Evangeline, alguna vez destinada a ser mi reina y mi carga; después, la princesa de un reino hostil; ahora, un soldado de una nación de iguales, con la mujer que ama a su lado. Y su hermano, heredero de un trono, como yo, casi aplastado por las expectativas de un padre tiránico; él también está aquí, comprometido a defender todo lo que se le enseñó a destruir. Ambos llevan innumerables faltas sobre sus espaldas; no tienen derecho al perdón ni a una segunda oportunidad. Pero la hallaron, y el mundo es mejor por ello.

Al igual que Mare, no puedo evitar pensar en Shade cuando los veo. Pese a que él era mi amigo y lo echo de menos, no puedo odiar a Ptolemus por lo que hizo. Después de todo, yo he hecho lo mismo. He quitado la vida a hermanos y seres queridos, matado por lo que se me dijo que debía proteger. ¿Cómo puedo condenarlo sin condenarme?

Detrás de mí, Julian y Sara hacen guardia, ya a medio camino de sus primeras copas.

—Sólo cumplimos nuestro deber —dice ella en broma cuando me mira.

—Gracias —sonrío.

Ambos prometieron mantener lejos de mí a todos los delegados durante el tiempo que yo quisiera, para darme un respiro. Hoy fue el peor día: dediqué la mayor parte del tiempo a presenciar un duelo a gritos entre un general de la Guardia Escarlata y el ministro de transporte de Montfort.

Nanabel no necesita tal protección y ya se abre camino por la sala hacia el círculo de diplomáticos alrededor del premier. Después de la gala, no volverán a hablarse jamás ni seguirán siendo cordiales. No sé cuál de ambas cosas es más alarmante.

—Detrás de ti, Cal —señala Julian con el mentón apuntando escaleras arriba. Desde nuestro sitio disfrutamos de una vista excelente de los invitados a su llegada, y no tardo en distinguirlos.

Gisa rebasó sus propios límites con toda la familia, incluido el padre de Mare. Daniel no se ve muy cómodo con su traje de gala verde oscuro, pero hay un distintivo orgullo en él cuando avanza sin ayuda por los escalones. La madre de Mare, Ruth, luce señorial a su lado, con su cabello cano recogido en una compleja trenza fijada con prendedores verdes que hacen juego con su vestido estampado de libélulas. La chaqueta del traje de Tramy es demasiado brillante, bordada con parras y flores sobre una seda amarilla. Bree es su mejor contraparte, si bien su chaqueta es de un naranja pálido. Kilorn completa el trío y exhibe una extensa sonrisa sobre su abrigo de parras doradas y azules. Incluso Farley recibió un atuendo original de Gisa Barrow: está cubierta de pies a cabeza por un vestido de seda rojo y blanco contrarrestado con ribetes de oro y bordado de flores. No lleva a Clara con ella, dado que la fiesta es demasiado tardía para una bebé. Me pregunto qué abandonará primero la joven general: su reluciente chaqueta o la gala.

Gisa los sigue a cierta distancia, tan engreída como un gato con un ratón entre sus fauces. La acompaña una chica que no reconozco, con sus codos juntos, ambas avanzan con vestidos rosa pálido de intrincados encajes.

Eligió de nuevo el púrpura para Mare, una seda lisa con incrustaciones de ramas doradas y flores plateadas. El significado no es difícil de deducir. Todos los Barrow y Farley visten alguna planta en flor: rosas, azucenas, magnolias, hojas frescas. Aunque ya se asoma el invierno, ellos son la primavera. Han renacido.

Mare sonríe sólo para mí conforme avanza, procura controlar el bies de su falda en los peldaños. Las múltiples velas que danzan sobre ella le confieren un resplandor incomparable. Aguardo con paciencia, dejo que la gente me esquive como lo hace el agua de un río ante una piedra. Si alguien intenta hablar conmigo, ni siquiera lo percibo. Mi atención se concentra en una sola persona ahora.

Un rubor colorea sus mejillas, complemento perfecto del cariz púrpura de sus labios y el mismo tono en las puntas de sus rizos recién teñidos. No puedo menos que sonreír como un idiota, en especial mientras se coloca un mechón detrás de la oreja. Sus joyas relucen ahí, por sus hermanos, por Kilorn y por mí. La gema granate fulgura en la sala, es una estrella que yo seguiría adondequiera.

Cuando llega a la pista, no me muevo, permito que se aparte poco a poco de sus hermanos. Ellos me identifican y ofrecen inclinaciones furtivas, más cordiales de lo que merezco. Su madre es más amable y me brinda una sonrisa, en tanto que su padre mira con toda intención hacia el techo. No me molesta. Tengo tiempo para ellos. Tengo tiempo para ella.

—Debo decir que esperaba más de ti —se me acerca y pasa los dedos por mi solapa, deja que recorran los botones antes de tropezar con la insignia que llevo en el cuello. Su tacto, incluso a través de la ropa, me hace temblar—. Es como si te hubieras vestido para pasar una pacífica noche en casa.

—¡Ojalá así fuera! —cierro mi mano en la suya.

Aprieta mis dedos:

—Apuesto que llegaremos en treinta minutos.

Por más que disfruto la idea de escabullirme con ella, mi estómago gruñe en protesta. Aunque podríamos conseguir que subieran comida a mi habitación, parecería una grosería, y Carmadon se encargaría de enviarnos lo peor de las sobras de la cocina.

—¿Y nos perderemos la cena? —reclamo—. ¡No, gracias! Si voy a sufrir, al menos sacaré algo de provecho de esto.

A pesar de que pone mala cara, asiente.

—Tienes razón. Pero si se termina el filete otra vez, yo me largo.

Río ligeramente y quiero acercarla a mí, olvidar todo recato. Ya se murmura sobre nosotros, y lo último que necesitamos ahora es un circuito de habladurías sobre nuestra *situación,* acerca de la cual ni siquiera hemos podido llegar a un acuerdo. "Sin promesas", como ella dijo. Tomamos las cosas como suceden, con nuestras prioridades y límites claramente trazados.

—¿Ya estáis listos para la próxima semana? ¿Qué dijo Anabel? —me mira y aprieta los dientes, se prepara para lo peor. Busca cualquier vacilación en mi respuesta, en conocimiento de todos mis recursos.

Le muestro una amplia sonrisa.

—Lo creas o no, tengo su aprobación.

—¿Para ir a la cabaña cuando cambie el clima? —busca a mi abuela entre la multitud—. ¡No puedo creerlo!

—No le he hablado de Valle Paraíso, pero dudo que le importe. No es fácil que me congele.

—A menos que me hagas enfadar y te deje afuera, en el frío.

Antes de que pueda reír, Bree y Tramy aparecen a nuestro lado, con miradas casi maliciosas.

—No creas que no sería capaz de hacerlo —advierte Bree, con la frente arrugada.

Tramy agita la cabeza:

—Yo estuve a punto de perder el dedo de un pie por ese motivo.

—¡Y te lo habrías merecido! —Mare los ahuyenta con una sonrisa de exasperación—. Y entonces, ¿me harás bailar?

Un poco más allá, el conjunto de cuerdas está en su apogeo y ambienta una pista repleta de parejas de bailarines de habilidad diversa. Los miro y recuerdo la última vez que hice esto. Mare estaba ahí, en brazos de Maven, y danzaba al son de los pasos que yo le había enseñado.

Acude al recuerdo como yo, ambos miramos abstraídos la pista. Su sonrisa se desvanece igual que la mía, capoteamos juntos la tormenta de la pérdida y el pesar. Es la única forma de hacerlo.

—No —decimos al unísono y desviamos la mirada.

No estamos juntos toda la noche. No es su estilo, ni el mío. Sigue su camino y yo hago lo propio. Por más que me resulte insoportable, hago las rondas que debo, para agradecerles a los miembros de las delegaciones su tiempo y consejo. Al menos Julian me acompaña, provisto de su infalible sonrisa. En una o dos ocasiones me pregunto si tendrá que emplear su habilidad de arrullador para liberarnos de algún delegado demasiado detestable o parlanchín, pero él siempre consigue dar un giro a la conversación sin llegar a tales extremos. Pese a mi entrenamiento bélico, las carreras con Mare cada mañana y mis estrictas rutinas de ejercicio, desfallezco mucho antes que ella.

—A menos que estés muy interesado por el postre, creo que puedes darte por bien servido —murmura mi tío, con su puño gentil sobre mi hombro—. Estás a punto de desplomarte.

—Así me siento —susurro en respuesta. Como en el caso del entrenamiento, el dolor en mí, el agotamiento, es del tipo agradable. Este suplicio logró algo—. ¿Dónde está Mare?

—Creo que reprendiendo a uno de sus hermanos porque rompió su chaqueta. En contraste contigo, a ella todavía le resta mucho vigor.

Siempre es así.

—¿Quieres que le pida que venga? —me mira con preocupación—. Puedo avisarle que te retiraste temprano...

Lo disuado con un gesto.

—No, la esperaré afuera. Bree se lo merece, después del esfuerzo que hizo Gisa...

Nuestra sonrisa es igual, una tajada torcida que nos cruza el rostro. Me mira con concentrada atención, sus ojos registran los míos. Ahora me percato de que se parece mucho a mi madre, y mi corazón lamenta no haber tenido la oportunidad de conocerla.

—Me alegra verte así —posa ambas manos en mis hombros y me obliga a que lo mire de frente—. Sabía que encontrarías la manera de reconciliarte con Mare, aunque por un tiempo temí que no fuera así.

Bajo la mirada al suelo y suspiro.

—Yo también —me muerdo el labio—. ¿Y tú? ¿Por qué esperaste tanto para casarte con Sara?

Parpadea. Es raro pillarlo por sorpresa ante un cuestionamiento.

—Planeábamos casarnos —busca una respuesta—. Antes de que mi padre…

—Eso ya lo sé. Estaba en las páginas del *diario*… Me refiero a después —se me enrarece la voz y él palidece—. Después de lo que Elara hizo.

Sus labios se adelgazan hasta formar una línea sombría. Cuando habla, sus ojos pierden foco y se sumergen en el recuerdo.

—Yo lo deseaba. Y lo habría conseguido. Pero Sara no permitió que atara mi destino al suyo. No sabía qué haría Elara, si optaría por cumplir sus amenazas y hacerla ejecutar. No soportaba la idea de que yo muriera con ella —sus ojos se humedecen y desvío la mirada a fin de darle tiempo para que se recupere. Cuando vuelvo a mirar, finge una sonrisa hueca—. Y después, bueno, había una guerra que enfrentar.

Intento sonreír y fracaso miserablemente.

—Hay tiempo para todo, ¿cierto?

—Sí. Pero siempre está en nosotros decidir si permitiremos que algo se interponga en el camino o perseguiremos lo que realmente deseamos —dice con fervor—. Me alegra que hayas leído el diario. Sé que no fue fácil hacerlo.

No tengo nada que decir al respecto. Leer el diario de mi madre fue una experiencia desgarradora. Estuve a punto de no terminarlo. Pero obtener siquiera un atisbo de ella, por doloroso que fuera… era algo que le debía.

Julian me suelta y da marcha atrás, vuelve a ser el tío amable que conozco y no el hombre atormentado que es.

—Tengo más cosas que darte, por supuesto. No de tu madre, sino otros textos, colecciones, lo que he podido reunir en el Archivo Real. Cosas que te ayudarán a entender de dónde vienes, tanto lo bueno como lo malo.

Aun cuando una parte de mí se intimida ante la idea de la pila de documentos que Julian podría imponerme, me lo tomo con calma.

—Gracias.

—Cal, es extraño el hombre que está dispuesto a examinarse y determinar qué mantiene en pie y qué no, un hombre único de verdad —me ruborizo sin remedio, el calor enciende mis mejillas. Él ignora o desestima mi bochorno—. Aunque habrías sido un buen rey, no habrías sido grandioso. No como lo eres ahora. Un gran hombre que no requiere una corona para demostrarlo.

Se me retuercen las entrañas. *¿Cómo puede pretender que sabe quién soy? ¿Lo que podría ser en un futuro? ¿Aquello en lo que podría convertirme?*

Supongo que ésta es una preocupación que todos llevamos dentro. Yo, Mare, incluso mi tío, somos bendecidos con cierta grandeza y maldecidos con otra.

—Gracias, Julian —me esfuerzo en decir, conmovido de nuevo.

Me palmea el hombro y baja la voz:

—Esto no termina aún, y no lo hará durante muchos años. Décadas quizá.

—Lo sé —siento la verdad en mis entrañas. La comarca de los Lagos, la Secesión Plateada. Por fuerte que esta alianza sea, siempre habrá alguien que la desafíe, igual que al mundo que nos empeñamos en construir.

—La historia te recordará, yo sé lo que te digo.

Julian me dirige a la terraza. Afuera, Mare agarra a Bree del cuello, lo obliga a doblarse para poder gritarle:

—Encárgate de que te recuerde bien.

UN ADIÓS

Maven

Volvería cenizas esta horrenda habitación si pudiera, pero la roca silente es un veneno y un ancla. Siento que me oprime, que se extiende bajo mi piel como una peste negra. Las piernas me duelen, esa sensación las torna pesadas. Todo en mi interior está mal, niega mi naturaleza. La llama se extingue, o al menos está fuera de mi alcance.

Y esto es lo que le hice a ella. Es justo que ahora me lo hagan a mí. Aunque fue encerrada en otra habitación, la siento aquí igual. Casi sonrío ante la idea de un castigo justo, o de enmendar mis faltas. Pero eso sería imposible. No hay penitencia que pueda purificarme. Estoy manchado para siempre, soy imposible de curar o redimir. Y eso simplifica las cosas. Puedo hacer lo necesario para asegurar mi supervivencia, sin pensar, sin restringirme. Para que todo lo que he hecho cobre valor. Nada escapa al ámbito de la posibilidad.

Las dos sillas en mi opulento remedo de celda están junto a la ventana, una frente a otra como preparadas para una reunión. Las desprecio y me tiendo en el largo sofá, disfruto de la fresca sensación de la seda dorada bajo mi piel. El salón es muy fino, una sala olvidada en vez del calabozo que merezco. El idiota de Cal quiere mostrar compasión, o demostrarles a todos lo misericordioso que es, lo diferente que es de mí. Es tan predecible como un amanecer.

Me concentro en la sensación de la tela lisa, no en el peso muerto de la roca silente que me oprime con cada inhalación. El techo es de mortero moldeado, esculpido en intrincadas formas de flama coronada. Esta parte del palacio de la Colina del Mar me es ajena. Era uno de los lugares favoritos de la madre de Cal, al que mi padre traía poco a su corte.

¿Viviré lo suficiente para regresar al Palacio del Fuego Blanco? Aprieto los puños ante la idea de que mi hermano invada mi habitación ahí. Y no porque me pertenezca por derecho, sino porque verá demasiado de mí en ella. La pequeñez de mi dormitorio, la vacuidad de un sitio en el que estuve siempre solo. Es como si le expusiera una debilidad, y Cal es experto en aprovecharse de la debilidad una vez que la encuentra. Por más que a menudo tarde mucho en hacerlo, yo se lo he facilitado. Puede ser que al final conozca el abismo que hay en mí, en qué precipicio estoy, a punto de arrojarme al vacío.

O quizá no lo vea en absoluto. Toda la vida, él ha tenido un lado ciego en lo que a mí respecta, para bien o para mal. Es probable que siga siendo el mismo bruto terco, miope, atado por el honor y estúpido orgulloso que siempre ha sido. Cabe la posibilidad de que esta guerra no lo haya cambiado, ni vuelto capaz de verme como lo que soy. Una gran posibilidad.

Me consuelo con estos pensamientos de mi idiota hermano, el hijo predilecto cegado por su propia luz. En realidad, no es culpa suya. Los Calore son reyes guerreros, educan a sus herederos para la batalla y el derramamiento de sangre. Y éste no es precisamente un campo de cultivo de la inteligencia o la intuición. Además, él no tuvo una madre que lo cuidara y balancease lo que nuestro padre deseaba de un hijo. No como yo. Mi madre se encargó de que aprendiera a pelear, sobre el trono y en el campo de batalla por igual.

Y mira dónde estás ahora, al final. Mira dónde está él.

Riéndome de mí, me incorporo, agarro lo que está más cerca y lo lanzo contra la pared. Vidrio, agua, y flores se hacen pedazos, son un momentáneo bálsamo contra el aguijón que siento en mi interior. *No es de sorprender que Mare haga tanto esto,* pienso, y recuerdo cuántas veces arrojó sus trastos contra las paredes de su celda. Lanzo también el otro jarrón que hay en la habitación, contra la ventana esta vez. Y aunque el panel de cristal ni siquiera se rompe, me siento un poco mejor.

El alivio no dura. Nunca se prolonga. Pienso primero en ella, en mi madre. Como de costumbre, su voz llega a mí en momentos de silencio, es un susurro y un fantasma. Hace mucho aprendí a no intentar obstruirla, porque no da resultado. De hecho, sólo lo empeora.

"Azote por azote", me dice, en un eco de palabras pronunciadas antes de su muerte. "Herida por herida." Si van a lastimarme, los lastimaré. Más que ellos a mí.

¡Si me hubiera aconsejado mejor! Estoy atrapado, encarcelado por un hermano que no tiene otra opción que ejecutarme. Y no veo salida para este destino. Si fuera por Cal, sobreviviría. No me preocuparía. Ni siquiera ahora tiene valor para matarme. Pero recuperó la corona, debe convencer a un reino. No puede mostrar debilidad, conmigo menos que con nadie. Y no merezco su piedad. Aun así, haré lo que mi madre dice. Lo lastimaré lo más que pueda, tanto como sea posible, antes de que mi tiempo acabe. Será un pequeño consuelo saber que sufre igual que yo.

Y a Mare también. Aún tiene heridas, infligidas por mí, que pueden abrirse de un momento a otro. Dicen que los animales son más peligrosos al final, más feroces y violentos. Seré lo mismo, si consigo verla antes de que mi sentencia se ejecute. Ansío hacerlo.

Iris no hablaba mucho de sus dioses, y no se lo pedí. Con todo, realicé algunas investigaciones por mi cuenta. Ella cree en un lugar más allá de la muerte, un lugar al que vamos después. Al principio, yo también quería creer en eso. Significaba que vería de nuevo a mi madre, y a

Thomas. Pero el más allá de Iris se divide en dos, paraíso y purgatorio. Sin duda, me he ganado este último.

Thomas, mi querido Thomas, no.

Si hay algo después de la muerte, no será para ambos.

Vuelvo a lo que he sabido siempre, la carga que he llevado conmigo, el fin siempre a la espera. No volveré a verlo jamás. Ni siquiera en sueños.

Aunque mi madre mucho me dio, tomó también mucho a cambio. Para librarme de mis pesadillas se llevó mis sueños. A veces, lo prefiero. Pero ahora, justo en esta habitación, quisiera poder dormir y escapar, y ver una vez más su rostro. Sentir una vez más lo que sentí con él. No esta ira corrompida, un caos de dolor y rabia que amenaza con desgarrarme y partirme en dos siempre que pienso en él y en su cuerpo, irreconocible por las quemaduras, calcinado por mis propios malditos dedos.

Me pregunto si lo lloro tanto porque no sé lo que pudo ser, en qué podría haberme convertido. ¿O es porque mi madre nunca censuró lo que sentía por él? No mientras Thomas vivió, al menos. Ella lo intentó más tarde, cuando su recuerdo destruía mis días. Hizo lo mismo con Mare, arrancó todo nuevo brote de sentimiento como corta un jardinero la maleza de raíz.

Pero ni siquiera Mare me destroza como lo hace él. Ni siquiera ella me hace sangrar así.

Sólo una persona viva puede hacerlo aún. Y tendré que enfrentarla muy pronto.

Me recuesto otra vez, cuando respiro se escucha un siseo. Lo haré sufrir como sufro yo.

Todavía estoy tendido, con un brazo sobre los ojos, cuando la puerta se abre y cierra y también oigo unas huellas pesadas. No hace falta que mire para saber quién es. Destrozada y groseramente ruidosa, su respiración basta.

—Si buscas absolución, Iris tiene un ridículo santuario en sus habitaciones. Molesta a sus dioses, no a mí —gruño.

No lo miro, mantengo los ojos cerrados con obstinación. Si lo viera, ardería de rabia y celos. Y también de angustia, por lo que él fue, el hermano que ya no soy capaz de amar. Incineraría mis ropas si no fuera por la roca silente. Además, es un traidor como yo, aunque no le importa. No es justo.

—¿Absolución? —ríe en algún lugar por encima de mí. No oigo que tome asiento—. Eres tú quien la necesita, Maven. No yo.

Aparto el brazo de mis ojos y me incorporo para mirarlo. Retrocede bajo mi mirada, da un paso atrás. Aun sin corona es imponente, más de lo que yo nunca pude ser. La envidia se apodera de nuevo de mí.

—Ambos sabemos que no lo crees —espeto—. ¿O tú sí, hermano? ¿De verdad piensas que no tienes culpa?

Baja los ojos, titubea un instante. Luego, aprieta los dientes y vuelve a ser todo fuego.

—Fue tu madre quien lo hizo, Maven, no yo —tengo la sensación de que se repite esto una y otra vez—. Yo no lo maté.

Agito una mano con desdén.

—¡Difícilmente me importa el funesto destino de mi padre! Eso te perseguirá el resto de tu vida, por corta que ésta sea.

Desvía una vez más la mirada.

Es tan fácil de descifrar que me da rabia.

—Hablo de mí —pongo las piezas en movimiento. La confusión abandona su rostro y casi pongo los ojos en blanco. Tiene que ser llevado al tema como una mula tonta al agua.

"Herida por herida", murmura mi madre.

—No siempre fui así, ¿cierto? —me levanto. Es más alto que yo, lo ha sido siempre, y eso duele. De todos modos, doy un paso hacia él, avanzo ansiosamente hacia su sombra, estoy acostumbrado a ella—. Recuerdas mejor que yo cuando era pequeño, hermano. Cómo siempre me arrastraba a tus pies, ansioso de pasar contigo cada momento. Pedía que me dejaran dormir en tu habitación, ¿lo recuerdas?

Entrecierra los ojos.

—Le temías a la oscuridad.

—Y después dejé de temerla, así, sin más —trueno los dedos y espero que se asuste. No lo hace—. Fue obra de ella, por supuesto. No podía ser la madre de un chico llorón, debilucho, temeroso de las sombras —comienzo a dar vueltas, lo rodeo. No me concede la satisfacción de moverse, permanece en su sitio. No teme una agresión física de mi parte. Aun sin su flama, me sometería con facilidad. Soy poco más que una polilla que aletea junto a la luz, o al menos es así como él me ve. Y ésa es una ventaja que he utilizado muchas veces—. Nunca entendiste lo que ella me arrebataba, piezas pequeñas. No viste el cambio en mí.

Paso detrás de él y sus hombros se curvan, cargados de tensión.

—No es culpa mía, Maven —su voz se quiebra. No lo cree. ¡Es tan fácil de ver! Casi río. No me es difícil hacerlo sufrir.

—Así que cuando ella te apartó por completo de mí, arrebató mi amor por ti, lo retorció, pero tú no lo notaste. No te importó —detengo mis pasos, estamos codo a codo. Tiene que volver la cabeza para mirarme mientras mi rostro asume una esmerada inexpresividad—. Siempre me he preguntado por qué.

No tiene respuesta, o no encuentra el vigor para hablar. Soy mejor que él para soportar el dolor. Lo he sido siempre.

—No importa ya, desde luego —digo—. Mi madre no fue la única que cogió cosas de mí, tú también lo hiciste.

La mera insinuación de *ella* lo hace crisparse.

—Yo no tomé a Mare —me rodea, cambio de posición antes de que aferre mi brazo, sus dedos rozan apenas mi manga.

Le sonrío, hablo con voz suave y burlona.

—No me sorprendió. Estabas habituado a eso, a tener todo lo que querías. A ver sólo lo que querías ver. Al final, entendí que sabías qué me pasaba, lo que mi madre hacía. Operaba despacio, con cambios lentos, pero lo veías de cualquier manera, y nada hiciste para detenerla —chasqueo la lengua como un maestro tiránico y sacudo la cabeza—. Mucho antes de que supieras qué monstruo era yo, hiciste cosas monstruosas también.

Me mira con ojos acusadores. Y anhelantes. Esta vez, me toma por sorpresa que se acerque y doy marcha atrás.

—¿Tu madre te destruyó por completo? ¿Hay algo que quede de ti? —Observa mi rostro—. ¿Algo que no sea ya suyo?

No me dirá lo que busca, pero lo sé. Pese a los muros que mi madre erigió en mí, Cal se las arregla siempre para infiltrarse, como una comadreja. Sus ojos escrutadores me llenan de aflicción. Aun ahora cree que hay algo en mí que puede salvar, y compadecer. Ni él ni yo podemos escapar de nuestro destino. Tiene que sentenciarme a morir. Y yo debo aceptar el cadalso. Aun así, quiere saber si matará a su pequeño hermano junto con el monstruo, o si éste hacía mucho tiempo que había muerto.

"Herida por herida", susurra mi madre, más fuerte ahora, mordaz. Sus palabras cortan como una navaja.

Lo apuñalaría profundamente, lo heriría para siempre, si le permitiera atisbar lo poco que queda de mí. Que todavía estoy aquí, en algún rincón olvidado, a la espera de que alguien lo encuentre. Podría arruinarlo con una sola mirada, un eco del hermano que él recuerda. O podría librarlo de mí. Tomar la decisión por él. Darle una última prueba del amor que ya no puedo sentir, aun si él nunca se entera.

Sopeso la decisión en mi corazón, cada una de sus aristas es pesada e imposible. Durante un momento aterrador, no sé qué hacer.

A pesar de la excelente labor de mi madre, no soy capaz de asestar el golpe final.

Bajo la mirada, fuerzo una sonrisa de indiferencia.

—Lo haría de nuevo, Cal —miento con gracia. Es fácil, después de tantos años detrás de una máscara—. Si tuviera la oportunidad de empezar de nuevo, le permitiría cambiarme. Te vería matarlo. Te enviaría a la arena. Y lo haría como se debe. Te daría tu merecido. Te mataría ahora si pudiera. Lo haría mil veces.

Mi hermano es simple, fácil de manipular. Sólo ve lo que tiene frente a él, lo que puede entender. La mentira es eficiente. Sus ojos se endurecen, esa inmortal ascua que arde en su interior casi se extingue. Su mano tiembla, desea formar un puño. Pero la roca silente también lo contiene, y aunque tuviera la fuerza de incendiarme, no lo haría.

—Adiós, Maven —dice con voz quebrada. No se dirige a mí. Se despide de un chico perdido hace años, antes de que éste fuera lo que ahora soy. Suelta al Maven que fui. El Maven que todavía soy, en alguna parte en mi interior, incapaz o indispuesto a entrar en la luz.

Ésta será la última vez que hablemos. Lo siento en la médula de los huesos. Si vuelvo a verlo, será ante el trono, o bajo el frío acero de la hoja del verdugo.

—Ansío la sentencia —arrastro las palabras en respuesta, lo veo huir de la sala. La puerta se cierra de golpe tras él, sacude su marco.

Pese a las grandes diferencias entre nosotros, tenemos eso en común. Usamos nuestro dolor para destruir.

—Adiós, Cal —le digo a nadie.

"Debilidad", responde mi madre.

Cal

Julian asegura que no tengo que empezar esto con "Querido diario" ni algo formal. De todos modos, parece una tontería. Y una pérdida de tiempo. Mis días no están exactamente vacíos.

Por no mencionar que todo este asunto es un riesgo.

Pero Julian sabe cómo fastidiar.

Sabe que no hablo lo suficiente de eso, bueno, de cualquier cosa. Ni con él ni con Mare. Aun cuando ella tampoco es muy franca, al menos tiene a su hermana, su familia, Farley, Kilorn y a quien ella quiera acudir cuando necesita decir <u>algo.</u> Yo no soy ni por asomo tan afortunado. Sólo los tengo a ella y a Julian, y supongo que a Nanabel, aunque no me gustaría hablar con mi abuela de mi estado anímico, de mi novia o del trauma del año pasado.

Mi madre llevaba un diario. Y eso no impidió que Elara hiciera... lo que hizo. Pero al parecer la centraba, al principio. Tal vez a mí también me ayude.

No soy muy bueno para escribir. Aunque sin duda he leído mucho, nada de eso se queda conmigo. Y no me gusta tener otra responsabilidad además de los Estados de Norta. Las cosas son ya lo bastante precarias.

¿O es mera vanidad que piense que algo que garabatee podría amenazar a la reconstrucción? Probablemente.

¿Cómo se hace esto? Los diarios son imposibles. Me siento un idiota.

Mare no bromeaba acerca de Valle Paraíso. Es precioso y peligroso. Tuvimos que esperar a que pasara una tormenta para poder llegar aquí. Fue necesario que abriéramos un hoyo en un ventisquero para llegar a la puerta de la cabaña. Y oímos aullar a los lobos toda la noche. ¿Podré atraerlos a la cabaña con las sobras de la cena?

No atraer a los lobos con las sobras de la cena.

Los Estados y la Guardia se entienden bien sin necesidad de que yo sirva de intermediario. Supuse que Nanabel me arrastraría fuera de la cabaña en menos de veinticuatro horas, pero parece que dispondremos de algo de tiempo. Y debemos celebrar mi cumpleaños como es debido, pese a la interrupción de los bisontes. Son muy ruidosos.

Tercer día encerrados en la cabaña. Por más que en condiciones normales no lo haría, Mare insiste en que montemos un rompecabezas. Yo sólo pienso que las piezas no encajan. Parece burdamente simbólico.

Caigo en un géiser. Me alegra mucho ser resistente al calor. Mi ropa, no tanto. Le di a un bisonte todo un espectáculo de regreso a la cabaña.

Otra tormenta de nieve anoche. Mare no pudo menos que involucrarse. La nieve con truenos es increíble. Y Mare, una presumida.

Convencimos a los pilotos encargados del abastecimiento de que nos dieran un rápido paseo por el valle. Todo el lugar se asienta sobre calderas y un volcán inactivo. Algo inquietante. Incluso para mí.

No he tenido malos sueños en las dos últimas semanas. Antes culpaba al agotamiento, y ahora no hacemos otra cosa que estar en cama y salir a pa-

sear. Creo que algo en la naturaleza me sienta bien. La pregunta es: ¿me estoy restableciendo o es sólo la inactividad total? ¿Las pesadillas volverán cuando nos vayamos? ¿Serán peores

---

Son peores.

Y siempre iguales.

Maven, solo en esa isla, fuera de mi alcance por más que intente moverme.

Ella no quiere acompañarme. Prefiero que no lo haga. Debo hacer esto solo.

Cal

La neblina se disipa poco a poco. ¡Ojalá no lo hiciera! Querría que la visibilidad fuera tan mala que me impidiese aterrizar y me forzara a regresar a tierra firme.

Podría mentir y retornar de cualquier manera. Nadie lo cuestionaría. A nadie le importaría si llegué o no a Tuck. Nadie lo sabría siquiera.

Nadie salvo yo.

Y él.

La isla es gris en esta época del año en que los días otoñales derivan hacia el invierno. Apenas sobresale en el océano color acero, poco más que una mancha contra el sol naciente. Paso zumbando por los riscos del norte, domino mi pequeño avión con un suelto movimiento de timón. Todo está igual que el año pasado. Intento no pensar, no recordar. Me asomo hacia el paisaje, me concentro en él. Vegetación escasa, las dunas, lomas de hierba amarillenta, los muelles del pequeño puerto, la base abandonada: todo se despliega en un segundo bajo mis pies. La pista de aterrizaje divide en dos la isla y la convierte en un objetivo fácil. Trato de no mirar el cuartel de baja altura mientras pongo la nave en posición y sus hélices levantan una nube de hierba y arena. Este lugar contiene demasiados malos recuerdos, no puedo sortearlos todos al mismo tiempo.

Antes de que cambie de opinión, comienzo a descender. El aterrizaje es más brusco de lo que debería, la nave se sacude en cuanto toca tierra. Ansío acabar con esto y mis manos tiemblan al accionar palancas e interruptores. El rugido de las hélices disminuye conforme se retardan, sin llegar a detenerse. No estaré mucho tiempo aquí. No lo soportaría.

Julian se ofreció a acompañarme, igual que Nanabel. Los disuadí a ambos.

No hay otro ruido en la isla que el viento entre la hierba y las aves marinas que graznan sobre el agua. Me siento tentado a silbar, aunque sólo sea para emitir un sonido humano. Es raro saber que soy la única persona viva en la isla. Sobre todo con los restos del cuartel y tantos recuerdos alrededor.

Tuck ha permanecido vacía desde que la Guardia Escarlata evacuó, por temor a un ataque tras la captura de Mare. No ha vuelto aún. Aunque la base se ha desgastado por la acción del viento y el paso de las estaciones, el resto de la isla parece agradecer que se le haya dejado en paz.

Mis pies siguen el camino desde la pista, ondulan en la alta hierba y hasta las suaves colinas. El sendero se desvanece pronto, la grava da paso al suelo arenoso. No hay señales que guíen el camino, sólo quienes saben lo que buscan lo hallarán.

Shade se encuentra al otro lado de la isla, su tumba orientada al amanecer. Así lo pidió Mare en su momento. Para asegurarse de que su hermano estuviera lo más lejos posible de él.

Se habló de sepultarlo en otra parte. Aun cuando pidió ser enterrado con su madre, no especificó un lugar. Elara estaba también en Tuck, en una tumba poco profunda. Pese a su estado de deterioro, habría sido fácil exhumarla y trasladarla al continente. Claro que hubo oposición a la idea. No sólo por la sombría naturaleza de la labor, sino también porque, como señaló tranquilamente Julian, mi tío, no quería que la tumba de Maven fuera identificable ni de fácil acceso. Podía convertirse en un centro de reunión o monumento, o inspirar a quienes adoptasen su causa.

Al final, decidimos que Tuck era la mejor opción. Una isla perdida en el océano, tan remota que hasta Maven podría encontrar paz en ella.

El terreno suelto se mueve debajo de mí, succiona mis botas. Los pasos se hacen más difíciles, y no sólo debido al terreno. Tengo que hacer un esfuerzo para cubrir los últimos metros y la cresta que asciende al amparo de la luz grisácea del otoño. A pesar de que huelo la lluvia, la tormenta no cae.

El campo está vacío. Ni siquiera las aves rondan este rincón.

En cuanto miro las piedras, bajo los ojos hacia mis pies. No confío en ser capaz de mantener la marcha si tengo que verlas. El sueño retumba en mi cabeza, me persigue. Cuento los últimos metros, miro solamente si debo hacerlo.

No hay silueta alguna, ninguna sombra de un chico perdido a la espera de ser encontrado.

La lápida de Elara no tiene nada escrito, es una losa gris alisada por el viento. Jamás habrá un registro de ella aquí. Ni de su nombre ni de su Casa. Ni de una sola palabra de quién fue en vida. No merece el recuerdo. Robó el de demasiados otros.

Me negué a dar a Maven el mismo trato.

Su lápida es de un blanco lechoso con esquinas redondeadas. Las letras son profundas, pero algunas ya están cubiertas de hierba o polvo. Las limpio con los dedos, y tiemblo al tocar la piedra húmeda y fría.

MAVEN CALORE

Amado hijo y hermano

Que nadie siga sus pasos

Carece de título, es poco más que su nombre. Pero cada palabra grabada en la piedra es verdad. Lo amamos, y se extravió por un camino que nadie debería seguir.

Aunque soy la única persona que está en la isla, el único en muchos kilómetros a la redonda, no encuentro la fuerza para hablar. Mi voz se extingue, mi garganta se tensa. No podría despedirme de él aun si mi vida dependiera de ello. Las palabras no vendrán.

Mi pecho se pone rígido mientras me arrodillo sobre su tumba. Mantengo una mano en la piedra, dejo que me inunde con un frío desquiciante. Esperaba temor, ahí de pie sobre dos cadáveres, pero en su lugar sólo hay pesadumbre.

Corren por mi cabeza las disculpas que pido, cien veces, mil. Son los recuerdos de él, desde que era muy pequeño hasta la última vez que lo vi, cuando lo sentencié a morir. *Debí haber encontrado otra manera,* me maldigo esta mañana. *Pude asegurar que viviera de algún modo. Hubo una oportunidad.* Aun en Arcón, durante el sitio. Algo habría podido hacerse. Debía haber una salida y no la busqué.

Mare me dice en ocasiones que lo deje atrás. No para olvidar, sino para aceptar lo que ya fue. Otras, sufre conmigo, se culpa si yo lo hago. Y otras más sólo puedo culparlo, culpar a Elara, a mi padre. Yo era también un chico apenas. ¿Qué se suponía que podría haber hecho?

El viento se enfría, es de pronto una ráfaga que aúlla a través de mi chaqueta. Me tenso y permito que el calor inunde mi pecho.

Tal vez debí incinerarlo. Entregar su cuerpo a las llamas y dejar que descansara donde quisiera, llevado por el viento.

Pero, como siempre, no pude soltarlo. Aun ahora, no puedo permitir que me deje.

Nunca lo haré.

Mi rostro ya está húmedo cuando la lluvia empieza a caer.

Pese a que la Guerra Civil de Norta concluyó oficialmente con la abdicación del rey Tiberias VII, que disolvió el reino de Norta tal como se le conocía hasta entonces, el cese de las hostilidades no ocurrió sino hasta varios años después. El conflicto que siguió fue llamado la Guerra Danzante, pues cada bando se movía cuando lo hacía el otro, lo que igualaba sus acciones de una forma titubeante y artificiosa.

Fue sólo gracias a los esfuerzos de Montfort y la Guardia Escarlata que los nacientes Estados de Norta lograron rechazar los intentos de invasión de la comarca de los Lagos y las Tierras Bajas. Se trató al parecer de una guerra defensiva, en la que los Estados de Norta preservaron sus fronteras. Sin embargo, la Guardia Escarlata, y la general Diana Farley en particular, fueron acusadas con frecuencia de infiltración e interferencia en Estados soberanos, con objeto de alentar rebeliones de los Rojos y los nuevasangre contra los gobiernos Plateados. La guerra del Trueno Rojo, dos décadas más tarde, haría fructificar esos esfuerzos.

Asimismo, maniobras diplomáticas fueron decisivas para mantener una paz endeble en las naciones del este. La antigua reina de la Fisura, Evangeline Samos, fue capaz de intervenir en definitiva a favor de Montfort y los Estados de Norta. En el curso de la Guerra Danzante, trató varias veces con la reina Cenra y su sucesora, la reina Tiora. Junto con el antiguo rey de Norta, Tiberias Calore, negoció también la paz entre las antiguas casas Plateadas, aún irritadas por la reconstrucción. El premier Leonide Radis, el Plateado elegido para suceder a Dane Davidson como gobernante de Monfort, fue un aliado incondicional de los Plateados de Norta que renunciaron a sus títulos.

Llegado el conflicto del Trueno Rojo, los Estados de Norta gozaban ya de gran estabilidad, y escaparon por tanto a buena parte de las turbulencias que aquejaron a la comarca de los Lagos, las Tierras Bajas y los territorios de varios jefes militares de la Pradera. Durante el Trueno Rojo destacó en particular, por obvias razones, la Tormenta de la Ciudadela, misión de electricones para destruir el principal centro militar de la comarca lacustre. En un asalto encabezado por Mare Barrow y Tyton Jesper, esa fortaleza fue destruida por relámpagos.

Los Estados de Norta no estuvieron exentos de dificultades antes y durante el Trueno Rojo. Hubo varios esfuerzos dirigidos por Plateados para devolver a los Calore el trono de Norta, en apoyo en particular a los dos hijos de Tiberias Calore en tanto ellos crecían. Shade y Coriane Calore propagaron en varias ocasiones su abdicación, renuncia de derechos y compromiso con los ciudadanos de Montfort, con la esperanza de impedir todo conflicto de sucesión con el antiguo reino de Norta. Irónicamente, Tiberias Calore fue uno de los generales durante el Trueno Rojo, lo mismo que Mare Barrow, y ambos derrotaron a las fuerzas que confiaban en elevar a sus hijos al antiguo trono de los Calore. En el presente, los Estados de Norta son gobernados por un consejo de representantes electos y oficiales del ejército. A diferencia de Montfort, los Estados de Norta utilizan también voceros de sangre, un individuo de cada uno de los tres grupos de sangre elegido para representar a los suyos. En la actualidad, éstos son Jemma Harner, de Delphie; Cameron Cole, de Harbor Bay, y Julian Jacos, de Arcón, en representación de los Rojos, nuevasangres y Plateados, respectivamente.

Investigaciones sobre las habilidades de Plateados y nuevasangres continúan hasta la fecha en centros de todo el continente, con Montfort a la cabeza. El actual premier, Kilorn Warren, nacido en Norta, prioriza la educación y, por tanto, la enseñanza de Historia y Ciencias. Los esfuerzos de investigación de Montfort son los mejor financiados en las naciones organizadas. Determinantes han sido los sujetos humanos, en particular los nuevasangre de segunda generación, que se han ofrecido para someterse a análisis sanguíneo. Clara Farley-Barrow es un nombre muy conocido por los científicos, pues se trata de una mitad nuevasangre y mitad Roja observada casi desde que nació. Su habilidad como teleportadora se manifestó en su adolescencia, considerada una edad común de descubrimiento de los nuevasangre.

Numerosos avances se han registrado en la última década. Es ahora una aceptada creencia que la radiación de las Calamidades causó que muchos humanos mutaran, aunque también provocó que la mayoría muriera. Los que sobrevivieron desarrollaron habilidades en el curso de varias generaciones y se convirtieron en los Plateados que conocemos ahora. También hay consenso científico en torno a la hipótesis general de la evolución competitiva. Se cree que los Rojos evolucionaron junto con los Plateados, y que la presencia de habilidades Plateadas obligó a algunos de ellos a desarrollar habilidades propias para sobrevivir.

En el presente, los Estados de Norta, la Unión de los Lagos y la Federación de las Tierras Bajas componen una alianza con la República Libre de Montfort. Todos mantienen gobiernos democráticos con políticas de igualdad de sangre, a diferencia de los reinos de Tiraxes y Ciron y muchos feudos de la Pradera, dirigidos por líderes militares Plateados. Algunos detractores acusan a Montfort de haber formado un imperio, ya que al parecer ejerce influencia sobre los demás gobiernos. El equilibrio de poder ciertamente ha cambiado, y los reinos Plateados independientes pugnan por mantener la paz con la Alianza de Iguales. Algunos avanzan a su propia transformación. Tiraxes, por ejemplo, ya introduce leyes de igualdad y representación de sus ciudadanos Rojos, mientras que la jefe militar de las Cuatro Calaveras, en la Pradera, contrajo matrimonio recientemente con un Rojo.

¿Quién puede saber adónde llevarán esos caminos o en qué dirección se inclinará la balanza en una década? Yo lo sé, pero ésa es mi maldición. Mirar, ver hasta el final de todas las cosas. Destruimos. Reconstruimos. Destruimos de nuevo. Ésta es la constante de nuestra especie. Todos somos los elegidos de un dios, y a todos por igual nos maldice.

—JON

AGRADECIMIENTOS

No me distingo por escribir secciones cortas de agradecimientos, pero haré todo lo posible por conseguirlo. Escribí ésta en un avión durante un viaje de vacaciones, así que la hice en condiciones muy severas.

Gracias a los mejores, las personas que hicieron posible esto. Mamá, papá, Andy, Morgan, Tori, Jenny, Indy. Bueno, este último es un perro, pero se lo merece. Muchas gracias al resto de mi familia y a los amigos que me apoyaron a lo largo de esta magnífica locura. Me sería muy fácil perderme en el devenir del trabajo y de la vida, y vosotros os aseguráis de que eso no ocurra.

A mi equipo de guerreros: Suzie, Pouya, Veronica, Mia, Cassie, Hilary, Jo y todos en New Leaf Literary. A Steve Younger, quien me ayuda a sortear los contratos y una vida crecientemente adulta. A Alice Jerman, Kristen Pettit, Erica Sussman, Jen Klonsky, Kari Sutherland y Kate Morgan Jackson, quienes llevaron la serie de La reina Roja de ser un manuscrito sobretrabajado a una colección de relatos que terminó en una franquicia entera. A la familia de HarperTeen por su apoyo, amor y genialidad. A Sarah Kaufman, de nuevo, por portadas que nunca serán igualadas. A Gina Rizzo, Ro Romanello y todo el escuadrón que se cercioró de que el mundo viera lo que vemos ahora. Esto no habría existido sin vosotros.

Debo mencionar también a mis queridos amigos en el ámbito editorial, que me enseñan, alientan y corrigen cuando tan desesperadamente lo necesito. Gracias por vuestra gentileza y tolerancia cuando planeo retiros para escribir: Alex, Susan, Leigh, Soman, Brendan, Ally, Jenny, Morgan, Adam, Renee, Veronica, Sarah Enni, Maurene y mi querida Emma. A Sabaa, una constante desde que esto comenzó, tenemos la suerte de tenerte y de contar con tu talento. Me alegro mucho de que estemos en esto juntas. Y a todos los autores que alguna vez me han aceptado en alguna charla pública, os debo un trago.

Gracias en especial a mis agentes, correctores y editores en el mundo entero. Son demasiados para hacer una lista, lo cual suena descortés, pero es cierto. Nunca soñé que se publicaría en todo el mundo algo escrito por mí; muchas gracias por hacerlo realidad. He tenido la suerte de hacer viajes internacionales, y los diferentes equipos en el Reino Unido, Canadá, Alemania, Polonia, Brasil, Filipinas y Australia fueron increíbles en todo momento. Un saludo afectuoso a Andrew, JB, Alex, Lauren, Ulrike, Ewa, Ashley y Diana. Sois muy brillantes y comprensivos.

A mis constantes inspiraciones creativas: George Lucas, Steven Spielberg, Kathleen Kennedy, Peter Jackson, Fran Walsh, Philippa Boyens, J. R. R. Tolkien, J. K. Rowling, C. S. Lewis, Mindy Kaling, George R. R. Martin y Suzanne Collins. No lo habría logrado sin vosotros.

Debo concluir, desde luego, dando gracias a los lectores que han llegado conmigo hasta aquí. Me sorprende que la gente lea lo que he escrito, y más todavía por la capacidad requerida para acercarse a una colección de historias. No tengo palabras para daros las gracias. Me es imposible expresar lo que habéis hecho por mí, y sobre todo por la inadaptada, malhumorada, aterrada y soñadora chica de trece años que fui. Esa joven no tenía ni idea de lo que le esperaba. Escribo para ella, y para ti.

Ahora, ve a destruir algunos tronos.

Esta obra se imprimió y encuadernó
en el mes de mayo de 2020, en los talleres

de Egedsa, que se localizan en

la calle Roís de Corella, 12-16, nave 1,
C.P. 08205, Sabadell (España).